해법 중학 국어

문법 DNA
깨우기

문법 DNA 깨우기

교과서 예문으로 문법 개념을 쉽게 익히고, 단계별 문제를 통해 문법 실력을 향상한다!

1 단계

개념 학습

교과서 개념 익히기

2 단계

개념 적용 훈련 문제

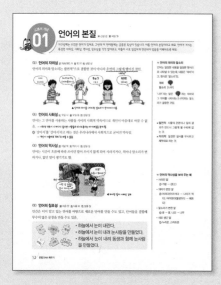

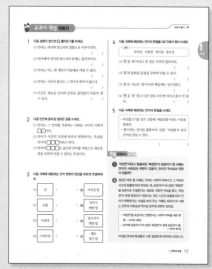

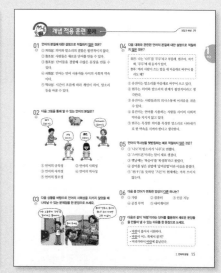

• 중학교 1~3학년 국어 교과서를 바탕으로 정리한 문법 개념 25개를 교과서 예문, 그림과 표 등을 통해 쉽게 이해할 수 있게 하였어요.

• 개념 학습에 필요한 어휘 풀이와 보충 설명을 충분히 담아 놓치는 부분이 없게 하였어요.

• 개념을 학습한 뒤 간단한 기초 문제로 개념을 익히는 단계예요. OX 문제, 빈칸 채우기, 선 연결하기 등의 문제를 통해 내용을 잘 이해했는지 확인해 보아요.

• **빈틈 공략하기 Q&A** 에는 개념 학습 과정에서 궁금해할 만한 내용 또는 헷갈리기 쉬운 내용을 담아 문법 개념을 빈틈없이 익힐 수 있게 하였어요.

• 다양한 난이도의 훈련 문제를 풀며 앞에서 배운 개념을 적용해 보는 단계예요. 개념이 문제에 어떻게 적용되는지 확인하면서 개념을 다시 한번 정리해 보아요.

9종 중학 국어 교과서의 문법 필수 개념을 다 담은 문법서

이 책은 9종 중학 국어 교과서를 분석해서 1~3학년 문법의 필수 개념을 다양한 교과서 예문과 함께 정리한 교재예요. 따라서 어느 출판사의 교과서로 배우더라도 여러분은 이 책으로 중학 국어 문법 공부를 할 수 있어요.

개념 확인 문제부터 실전 대비 문제까지 단계별 문제로 익히는 문법서

이 책은 '교과서 개념 익히기 → 개념 적용 훈련 문제 → 교과서 실전 문제'의 단계별 문제를 통해 문법의 기초를 확실하게 다지고 학교 시험에 효과적으로 대비할 수 있게 하였어요.

3 단계

| 교과서 실전 문제 | 정답과 해설 |

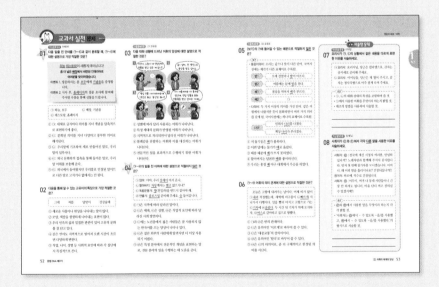

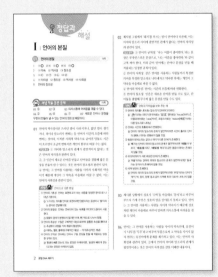

- 9종 교과서에 실린 예문과 지문을 활용하여 만든 실전 문제를 풀어 보는 단계예요. 학습활동응용, 기출문제응용, 👑 서술형 문제 등 다양한 유형의 실전 문제를 풀어 보며 학교 시험에 효과적으로 대비해 보아요.

- 1단계 문제에는 빠른 정답 체크를 제공하고 2·3 단계의 모든 문제에는 상세한 오답 풀이를 제공하여 문제 해결력을 높일 수 있게 하였어요.

- 지식+ 에는 한 번 더 짚고 가야 할 내용, 문제와 관련 있으나 본문에서 다루지 않은 내용 등을 담아 문법 실력 향상에 도움이 될 수 있게 하였어요.

문법 **DNA** 깨우기의 **차례**

교과서별 주요 **학습 연계표**

〈문법 DNA 깨우기〉는 9종 중학 국어 교과서의 문법 필수 개념을 담았어요.
각 단원에 해당하는 **교과서의 내용을 한눈에** 찾아보기 쉽게 정리했답니다.
아래의 주요 학습 요소가 곧 해당 단원의 학습 목표임을 잊지 말고 공부하길 바라요.

> 1-1 학년 · 학기 표시
> 3-(1) 단원 표시

단원 (주요 학습 요소)	**1**학년			**2**학년			**3**학년		
	I 언어의 본질	II 품사의 종류와 특성	III 어휘의 체계와 양상	IV 담화의 개념과 특성	V 단어의 발음과 표기	VI 한글의 창제 원리	VII 음운의 체계와 특성	VIII 문장의 짜임	IX 통일 시대의 국어
천재 (노미숙)	1-1 3-(1)	1-1 3-(2)	1-2 4-(2)	2-1 3-(1)	2-1 3-(2)	2-2 3-(1)	3-1 3-(1)	3-2 3-(2)	3-1 3-(2)
천재 (박영목)	1-1 3-(1)	1-1 3-(2)	1-2 3-(1)	2-1 3-(1)	2-2 2-(2)	2-2 2-(1)	3-1 3-(1)	3-2 3-(1)	3-1 3-(2)
교학사	1-1 3-(1)	1-2 3-(1)	1-2 3-(2)	2-2 2-(1)	2-1 3-(2)	2-1 3-(1)	3-1 3-(1)	3-1 3-(2)	3-2 1-(2)
금성	1-1 5-(1)	1-2 2-(2)	1-2 2-(1)	2-2 4-(1)	2-1 3-(1)	2-1 3-(2)	3-1 3-(1)	3-1 3-(2)	3-2 4-(1)
동아	1-1 2-(1)	1-1 2-(2)	1-2 2-(1)	2-1 3-(1)	2-1 3-(2)	2-2 3-(1)	3-1 3-(1)	3-2 3-(1)	3-2 2-(2)
미래엔	1-2 3-(1)	1-2 3-(2)	1-1 3-(2)	2-2 2-(1)	2-2 4-(1)	2-1 3-(2)	3-1 3-(1)	3-2 2-(1)	3-1 3-(2)
비상	1-2 3-(1)	1-1 3-(1)	1-1 3-(2)	2-1 2-(1)	2-2 2-(2)	2-2 2-(1)	3-2 3-(1)	3-1 2-(1)	3-2 4-(2)
지학사	1-1 2-(1)	1-1 2-(2)	1-2 2-(1)	2-2 5-(1)	2-1 2-(1)	2-2 2-(1)	3-2 2-(1)	3-1 2-(2)	3-2 2-(2)
창비	1-2 4-(1)	1-2 4-(2)	1-1 2-(2)	2-1 3-(2)	2-2 3-(2)	2-2 3-(1)	3-1 2-(1)	3-1 2-(2)	3-2 4-(2)

문법 DNA 깨우기의 학습 계획표

권장 학습 계획표 📅

✎ 30일 완성의 학습 계획표를 통해 체계적으로 학습할 수 있어요.

	1일	2일	3일	4일	5일	6일
날짜	/	/	/	/	/	/
학습 내용	Ⅰ 단원 10쪽~13쪽	Ⅰ 단원 14쪽~17쪽	Ⅱ 단원 18쪽~21쪽	Ⅱ 단원 22쪽~25쪽	Ⅱ 단원 26쪽~29쪽	Ⅱ 단원 30쪽~35쪽
점검	😎 🙂 😓	😁 🤤 🥴	😍 😝 😣	😘 🙂 😤	😁 🤤 😈	😎 🙂 😵

날짜	/	/	/	/	/	/
학습 내용	Ⅱ 단원 36쪽~39쪽	Ⅲ 단원 40쪽~43쪽	Ⅲ 단원 44쪽~48쪽	Ⅲ 단원 49쪽~53쪽	Ⅳ 단원 54쪽~59쪽	Ⅳ 단원 60쪽~65쪽
점검	😎 🙂 😓	😁 🤤 🥴	😍 😝 😣	😘 🙂 😤	😁 🤤 😈	😎 🙂 😵

날짜	/	/	/	/	/	/
학습 내용	Ⅴ 단원 66쪽~69쪽	Ⅴ 단원 70쪽~74쪽	Ⅴ 단원 75쪽~79쪽	Ⅵ 단원 80쪽~83쪽	Ⅵ 단원 84쪽~88쪽	Ⅵ 단원 89쪽~93쪽
점검	😎 🙂 😓	😁 🤤 🥴	😍 😝 😣	😘 🙂 😤	😁 🤤 😈	😎 🙂 😵

날짜	/	/	/	/	/	/
학습 내용	Ⅶ 단원 94쪽~97쪽	Ⅶ 단원 98쪽~101쪽	Ⅶ 단원 102쪽~106쪽	Ⅶ 단원 107쪽~111쪽	Ⅶ 단원 112쪽~115쪽	Ⅷ 단원 116쪽~121쪽
점검	😎 🙂 😓	😁 🤤 🥴	😍 😝 😣	😘 🙂 😤	😁 🤤 😈	😎 🙂 😵

날짜	/	/	/	/	/	/
학습 내용	Ⅷ 단원 122쪽~125쪽	Ⅷ 단원 126쪽~130쪽	Ⅷ 단원 131쪽~134쪽	Ⅷ 단원 135쪽~137쪽	Ⅸ 단원 138쪽~142쪽	Ⅸ 단원 143쪽~146쪽
점검	😎 🙂 😓	😁 🤤 🥴	😍 😝 😣	😘 🙂 😤	😁 🤤 😈	😎 🙂 😵

나만의 학습 계획표

학습 방법 등을 고려하여 나만의 계획을 세워 보세요.

날짜	/	/	/	/	/	/
학습 내용						
점검						

날짜	/	/	/	/	/	/
학습 내용						
점검						

날짜	/	/	/	/	/	/
학습 내용						
점검						

날짜	/	/	/	/	/	/
학습 내용						
점검						

날짜	/	/	/	/	/	/
학습 내용						
점검						

I

언어의 본질

" 언어는 인간을 동물과 구별해 주는 중요한 특징 중 하나예요. 인간은 언어를 통해 의사소통을 하고 언어를 통해 생각을 구체화하고 발전시키지요. 이처럼 언어는 인간의 삶과 긴밀한 관계에 있고 매우 중요한 역할을 합니다.

그렇다면 사물의 이름은 누가 정했을까요? 아마 언어를 제일 처음으로 사용한 사람이 자기 마음대로 사물에 이름을 붙이고 문장을 만들었을 거예요. 하지만 그 언어를 사용하는 사람들이 점점 많아지며 말을 위한 약속을 만들고, 언어의 규칙을 만들어 사용하게 되었지요. 그럼 우리가 사용하는 언어의 본질이 무엇인지 알아볼까요? "

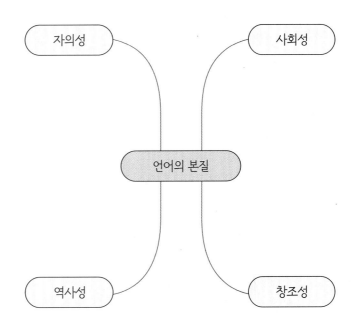

자의성   사회성

언어의 본질

역사성   창조성

교과서 개념 01 언어의 본질 本 근본 본 質 바탕 질

지구상에는 수많은 언어가 있어요. 그런데 이 언어들에는 공통된 특성이 있습니다. 이를 언어의 본질이라고 해요. 언어가 가지는 특성인 자의성, 사회성, 역사성, 창조성을 각각 알아보고, 이들이 서로 밀접하게 연관되어 있음을 이해하도록 해요.

◉◉ 언어의 자의성 恣 마음대로 자 意 뜻 의 性 성질 성

언어의 의미와 말소리는 필연적*으로 결합한 것이 아니라 <u>우연히 그렇게 맺어진 것임.</u>

▲ 단어의 의미를 나타내는 말소리가 언어마다 다름.

◉◉ 언어의 사회성 社 모일 사 會 모일 회 性 성질 성

언어는 그 언어를 사용하는 사람들 사이의 사회적 약속이므로 개인이 마음대로 바꿀 수 없음. → 사회적 약속이 지켜지지 않으면 사람들과 의사소통하는 데 어려움을 겪게 됨.

◉ '강아지'를 '강아지'라고 하는 것은 우리나라에서 사회적으로 굳어진 약속임.

→ 개인이 마음대로 '돼지'로 바꿀 수 없음.

◉◉ 언어의 역사성 歷 지낼 역 史 역사 사 性 성질 성

언어는 시간이 흐름에 따라 쓰이던 말이 쓰이지 않게 되어 사라지거나, 의미나 말소리가 변하거나, 없던 말이 생기기도 함.

◀ 쓰이던 말이 사라진 경우

◉◉ 언어의 창조성 創 처음 창 造 지을 조 性 성질 성

인간은 이미 알고 있는 언어를 바탕으로 새로운 단어를 만들 수도 있고, 단어들을 결합해 무수히 많은 문장을 만들 수도 있음.

- 하늘에서 눈이 내린다.
- 하늘에서 눈이 내려 눈사람을 만들었다.
- 하늘에서 눈이 내려 동생과 함께 눈사람을 만들었다.

◉ 언어의 의미와 말소리

언어는 일정한 내용을 일정한 형식으로 나타낼 수 있는데, 내용은 '의미'이고, 형식은 '말소리'임.

의미 🌳

말소리 [나무]

'나무'라는 말은 '🌳'라는 의미와 그 의미를 나타내는 [나무]라는 말소리가 결합한 것임.

● **필연적** 사물의 관련이나 일의 결과가 반드시 그렇게 될 수밖에 없는 것.
● **자의적** 일정한 질서를 무시하고 제멋대로 하는 것.

◉ 언어의 역사성을 보여 주는 예

- 사라진 말
  ◉ 가람 → 강(江)
- 의미가 변한 말
  ◉ 어리다(어리석다 → 나이가 적다), 어여쁘다(불쌍하다 → 예쁘다)
- 말소리가 변한 말
  ◉ 곶 → 꽃, 나모 → 나무
- 새로 생긴 말
  ◉ 누리꾼, 스마트폰

1 다음 설명이 맞으면 ○, 틀리면 X를 하세요.

(1) 언어는 의미와 말소리의 결합으로 이루어진다.
(   )

(2) 언어에서 의미와 말소리의 관계는 필연적이다.
(   )

(3) 언어는 어느 한 개인이 마음대로 바꿀 수 없다.
(   )

(4) 언어는 시간이 흘러도 그 의미가 변하지 않는다.
(   )

(5) 인간은 새로운 단어와 문장을 끊임없이 만들어 낼 수 있다.
(   )

2 다음 빈칸에 들어갈 알맞은 말을 쓰세요.

(1) 언어는 그 언어를 사용하는 사람들 사이의 사회적 □□□이다.

(2) 언어가 시간의 흐름에 따라서 변화한다는 특성을 언어의 □□□이라고 한다.

(3) 언어의 □□□은 습득한 언어를 바탕으로 새로운 말을 무한히 만들 수 있다는 특성이다.

3 다음 사례에 해당하는 언어 변화의 양상을 바르게 연결하세요.

(1) 곧 •

(2) 슈룹 •

(3) 어리다 •

(4) 스마트폰 •

• ㉠ 사라진 말

• ㉡ 의미가 변한 말

• ㉢ 말소리가 변한 말

• ㉣ 새로 생긴 말

4 다음 사례에 해당하는 언어의 본질을 〈보기〉에서 찾아 쓰세요.

> 보기
>
> 자의성   사회성   역사성   창조성

(1) '🌷'을 '꽃'이라고 한 것은 우연의 결과이다.
(   )

(2) '꽃'과 관련된 문장을 무한히 만들 수 있다.
(   )

(3) '🌷'은 지금은 '꽃'이지만 옛날에는 '곶'이었다.
(   )

(4) '🌷'을 '꽃' 말고 다른 말로 부르면 의사소통이 안 된다.
(   )

5 다음 사례에 해당하는 언어의 본질을 쓰세요.

> • 버섯불고기를 넣은 김밥에 '버불김밥'이라는 이름을 붙였다.
> • '밥'이라는 단어를 활용하여 '김밥', '비빔밥'과 같이 단어를 만들 수 있다.

(   )

빈틈 공략하기 Q&A

Q '자장면'이라고 발음하던 '짜장면'이 표준어가 된 사례는 언어의 사회성과 관련이 있을까, 언어의 역사성과 관련이 있을까?

A 정답은 바로 둘 다예요. 언어는 사회적 약속이고, 그 약속은 시간의 흐름에 따라 변하죠. 즉, 표준어가 아니었던 '짜장면'을 표준어로 인정한다는 새로운 사회적 약속을 맺고, '짜장면'이 현재 표준어가 되었다는 것은 시간의 흐름에 따라 언어가 변화한다는 사실을 보여 주는 거예요. 따라서 이 사례는 언어의 사회성과 역사성 모두와 관련이 있어요.

> • '짜장면'을 표준어로 인정한다는 사회적 약속을 새로 맺음. → 언어의 사회성
> • 과거에 표준어가 아니었던 '짜장면'이 현재 표준어가 됨. → 언어의 역사성

이처럼 언어의 특성들은 서로 밀접하게 연관되어 있답니다.

언어의 본질

● 언어의 자의성

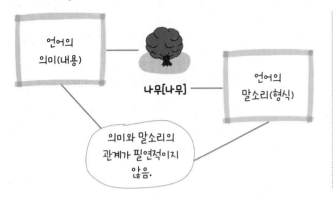

- 한국어: 나무[나무]
- 중국어: 樹[슈]
- 영어: tree[트리]
- 일본어: き[기]

같은 의미를 나타내는 말소리가 언어별로 다름. → 자의적

● 언어의 사회성

언어는 그 언어를 사용하는 사람들 사이의 사회적 약속이므로, 약속된 다음에는 반드시 지켜야 함.

 '강아지'를 '돼지'로 바꾸어서 부르면 안 됨. → 의사소통에 어려움이 생김.

● 언어의 역사성

언어는 시간의 흐름에 따라 변화함.

사라진 말	예 슈룹 → 우산, 가람 → 강(江)
의미가 변한 말	예 어리다(어리석다 → 나이가 적다), 어여쁘다(불쌍하다 → 예쁘다)
말소리가 변한 말	예 곳 → 꽃, 나모 → 나무
새로 생긴 말	예 누리꾼, 스마트폰

● 언어의 창조성

인간은 이미 알고 있는 언어를 바탕으로 새로운 단어나 문장을 끊임없이 만들어 낼 수 있음.

눈 / 만들다 / 동생 / 하늘 / 사람 / 내리다

- 하늘에서 눈이 내린다.
- 하늘에서 눈이 내려 눈사람을 만들었다.
- 하늘에서 눈이 내려 동생과 함께 눈사람을 만들었다.

01 언어의 본질에 대한 설명으로 적절하지 <u>않은</u> 것은?
종
① 자의성: 의미와 말소리의 결합은 필연적이지 않다.
② 창조성: 사람들은 새로운 단어를 만들 수 있다.
③ 창조성: 단어들을 결합해 수많은 문장을 만들 수 있다.
④ 사회성: 언어는 언어 사용자들 사이의 사회적 약속이다.
⑤ 역사성: 시간이 흐름에 따라 개인이 의미, 말소리 등을 바꿀 수 있다.

02 다음 그림을 통해 알 수 있는 언어의 본질은?
하

① 언어의 규칙성　　② 언어의 사회성
③ 언어의 자의성　　④ 언어의 역사성
⑤ 언어의 창조성

03 다음 상황을 바탕으로 언어의 사회성을 지키지 않았을 때 나타날 수 있는 문제점을 한 문장으로 쓰세요.
중

04 다음 대화와 관련된 언어의 본질에 대한 설명으로 적절하지 <u>않은</u> 것은?
상

> 유진: 나는 '나무'를 '무무'라고 부를래. 현주야, 저기 봐. '무무'에 새 둥지가 있어.
> 현주: 여러 사람이 쓰는 말을 네 마음대로 바꾸어 불러도 돼?

① 유진이는 말소리를 마음대로 바꾸어 쓰고 있다.
② 현주는 의미와 말소리의 관계가 필연적이라고 생각한다.
③ 유진이는 사람들과의 의사소통에 어려움을 겪을 수 있다.
④ 유진이는 언어를 사용하는 사람들 사이의 사회적 약속을 지키지 않고 있다.
⑤ 현주는 특정한 의미를 특정한 말소리로 나타내기로 한 약속을 지켜야 한다고 생각한다.

05 언어의 역사성을 뒷받침하는 예로 적절하지 <u>않은</u> 것은?
중
① '나모'의 말소리가 '나무'로 변했다.
② '스마트폰'이라는 말이 새로 생겼다.
③ 옛날에는 '복숭아'를 '복셩화'라고 불렀다.
④ 갈비를 넣은 김밥에 '갈비김밥'이란 이름을 붙였다.
⑤ '천(千)'을 뜻하던 '즈믄'이 현재에는 거의 쓰이지 않는다.

06 다음 중 언어가 변화한 양상이 <u>다른</u> 하나는?
하
① 가람　　② 컴퓨터　　③ 인공 지능
④ 공정 무역　　⑤ 내비게이션

07 다음과 같이 '바람'이라는 단어를 활용하여 새로운 문장들을 만들어 낼 수 있는 이유를 한 문장으로 쓰세요.
중

> • <u>바람</u>이 불어서 시원하다.
> • <u>바람</u>이 어느 쪽에서 불지?
> • 머리카락이 <u>바람</u>에 흩날린다.

학습활동응용 천재(박)

01 다음 그림을 통해 알 수 있는 언어의 본질로 적절한 것은?

영어
puppy
[퍼피]

스웨덴어
hundvalp
[훈드발프]

한국어
강아지
[강아지]

중국어
小狗
[샤오거우]

① 의미와 말소리는 일정한 규칙에 따라 결합한다.
② 새롭게 생긴 말이 사회적 약속에 따라 표준어로 인정받는다.
③ 각각 다른 의미를 뜻하는 내용이 하나의 말소리로 나타난다.
④ 의미와 말소리의 결합이 자의적이어서 언어마다 말소리가 다르다.
⑤ 언어는 사회 구성원들 간의 약속이므로 개인이 마음대로 바꿀 수 없다.

학습활동응용 천재(노)

02 〈보기〉를 통해 알 수 있는 언어의 본질이 **아닌** 것은?

보기

　우리나라 사람으로는 처음으로 소행성을 발견한 천문학자 이태형은 그가 발견한 소행성에 '통일'이라는 이름을 붙였다. 한국천문연구원이 발견한 여러 소행성에는 장영실 같은 역사 속 과학자들의 이름이나 우리나라 사람으로는 처음으로 현대적인 이학 박사 학위를 받은 천문학자 이원철의 이름이 붙었다.
－《경향신문》, 2015년 1월 28일 자

① 이태형은 자의적으로 소행성의 이름을 붙였다.
② 새롭게 붙인 소행성의 이름은 사회 구성원이 함께 사용한다.
③ 소행성의 이름이 결정된 후에는 개인이 함부로 바꿀 수 없다.
④ '소행성' 자체와 '소행성'을 가리키는 말소리 사이에는 필연적인 관계가 없다.
⑤ 소행성의 이름처럼 사람들은 자신이 알고 있는 말을 가지고 새로운 말을 만들어 낼 수 있다.

03 〈보기〉와 관련된 언어의 본질을 **잘못** 이해한 사람은?

보기

[선호가 3살 때]
선호: 엄마, 뚜루루 들려주세요.
엄마: (노래를 고르며) 우리 선호, 어떤 뚜루루 들려줄까요?
[선호가 7살 때]
반 친구들: 선생님, 노래 들려주세요.
선생님: 어떤 노래 들려줄까요?
선호: 아, '뚜루루'가 아니라 '노래'라고 말해야 알아듣는구나.

① 경현: 선호가 '노래'를 '뚜루루'라고 부른 것은 언어의 자의성과 관련이 있어.
② 성은: 선호가 '뚜루루'라는 말을 새롭게 만든 것은 언어의 창조성을 잘 보여 줘.
③ 수아: 선호가 성장하면서 '뚜루루'가 '노래'임을 깨달은 것은 언어의 역사성을 뒷받침해.
④ 준선: 선호가 '노래'를 '뚜루루'라고 부르는 것은 언어의 사회성을 지키지 않은 행동이야.
⑤ 주영: 유치원 선생님과 친구들이 '노래'를 [노래]라고 부르는 것은 사회적 약속에 해당해.

04 〈보기〉에서 설명하는 언어의 본질을 뒷받침하는 예로 적절하지 **않은** 것은?

보기

　쓰이던 말이 쓰이지 않게 되어 사라지거나, 없던 말이 생기거나, 의미나 말소리가 변하는 등 언어는 시간이 흐름에 따라 변한다.

① '불휘'는 '뿌리'의 옛말로 조선 시대에 쓰였다.
② 인터넷이 보급되면서 '누리꾼'이라는 말이 생겼다.
③ '꽃', '사랑하다'의 단어를 활용하여 수많은 문장을 만들 수 있다.
④ 중세 국어에서는 '어여쁘다'가 '불쌍하다'라는 뜻이었지만 지금은 '예쁘다'라는 뜻이다.
⑤ '방갓'은 예전에 밖에 나갈 때 쓰던 큰 갓을 이르던 말인데 지금은 거의 쓰이지 않는다.

05 ⊙～⑩에서 언어의 창조성을 뒷받침하는 예를 모두 찾아 쓰세요.

> ⊙ 오늘부터 '수박'을 '수세미'라고 불러야지.
> ⓒ '여름'과 '덥다'로 문장을 많이 만들어야지.
> ⓒ 은하수를 보고 견우와 직녀의 사랑을 노래하는 시를 지었어.
> ⓔ '맵시가꿈이'는 '스타일리스트(stylist)'를 다듬은 새로운 말이야.
> ⑩ '다슬기'를 강원도에서는 '골배', 전라남도에서는 '데사리'라고 해.

학습활동응용 금성

06 〈보기〉의 ⊙과 ⓒ에 대한 설명으로 적절하지 <u>않은</u> 것은?

> **보기**
> ㉮ "이제 달라질 거야."
> 　이렇게 외치면서 그는 이제부터 침대를 ⊙'사진'이라고 부르기로 하였다.
> 　"피곤하군. 사진 속으로 들어가야겠어."
> 　그는 이렇게 말했다. 그러고는 아침마다 한참씩 사진 속에 누운 채로 이제부터 의자를 뭐라고 부를까 고심했다.
> 　　　　　　　– 페터 빅셀, 〈책상은 책상이다〉
> ㉯ "그런데 그 아름다운 곳을 가로수 길이라고 불러선 안 돼요. 그런 이름에는 아무 뜻이 없으니까요. ⓒ'기쁨 가득 새하얀 길' 어때요? 새롭고 멋진 이름 아닌가요?"
> 　　　　　　　– 루시 모드 몽고메리, 〈빨간 머리 앤〉

① ⊙은 '침대'를, ⓒ은 '가로수 길'을 가리킨다.
② ⊙은 '침대'라는 말을 남자가 마음대로 바꾸어 부른 것이다.
③ ⓒ은 말하는 이의 생각과 느낌을 효과적으로 표현하고 있다.
④ ⓒ은 '길'과 '기쁨 가득 새하얀'이 결합해 새롭게 만들어진 말이다.
⑤ ⓒ은 사회적 약속으로 굳어진 후에 시간의 흐름에 따라 바뀐 말이다.

👑 **서술형 문제**

학습활동응용 천재(노), 미래엔

07 다음 기사에서 기자가 밑줄 친 부분과 같이 말한 이유가 무엇일지 서술하세요.

> 기자: '짜장면'이 마침내 표준어가 됐습니다. 국립국어원은 국민 실생활에서 많이 사용하지만 표준어 대접을 받지 못한 '짜장면'을 표준어로 인정하고 이를 인터넷 '표준국어대사전'에 반영했다고 31일 밝혔습니다. <u>이는 언어의 사회성과 역사성을 잘 보여 주는 사례입니다.</u>

> **조건**
> '짜장면'을 표준어로 인정한 것이 언어의 사회성, 역사성과 어떤 관련이 있는지를 각각 한 문장으로 서술할 것.

학습활동응용 천재(박), 금성

08 〈보기〉에 나타난 '그'의 행동으로 인해 생길 수 있는 문제점이 무엇인지 서술하세요.

> **보기**
> 침대를, 그는 사진이라고 말했다.
> 책상을, 그는 양탄자라고 말했다.
> 의자를, 그는 괘종시계라고 말했다.
> 신문을, 그는 침대라고 말했다.
> 거울을, 그는 의자라고 말했다.
> 괘종시계를, 그는 사진첩이라고 말했다.
> 옷장을, 그는 신문이라고 말했다.
> 양탄자를, 그는 옷장이라고 말했다.
> 사진을, 그는 책상이라고 말했다. 〈중략〉
> 　그는 모든 사물에 새로운 이름을 붙였다. 그러는 동안 그는 점점 본래의 정확한 이름을 잊어버리게 되었다. 이제 그는 자기 혼자서만 사용할 수 있는 새로운 언어를 갖게 된 것이다.
> 　　　　　　　– 페터 빅셀, 〈책상은 책상이다〉

> **조건**
> • 언어의 사회성과 관련지어 서술할 것.
> • 한 문장으로 서술할 것.

II

품사의 종류와 특성

우리는 스마트폰에 여러 앱들을 서로 관련이 있는 것끼리 나누어서 하나의 폴더에 담기도 하고, 자주 사용하는 것끼리 나누어서 담기도 합니다. 단어도 이처럼 일정한 기준에 따라 나눌 수 있어요. 명사, 동사, 관형사 등의 품사로 나누는 것이 그 예이지요. 품사의 종류를 알고 그 특성을 이해하면 문법 실력을 높이는 데 도움이 돼요. 그럼 이제 품사가 무엇인지, 어떤 기준으로 나뉘는지 구체적으로 알아보도록 해요.

개념 미리 보기 🔍

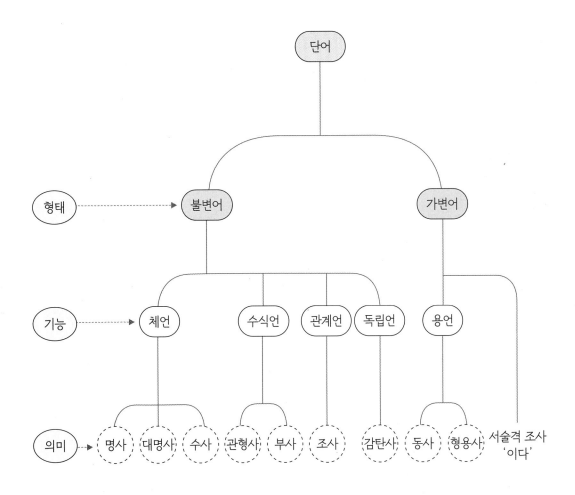

단어

형태 ----→ 불변어   가변어

기능 ----→ 체언   수식언   관계언   독립언   용언

의미 → 명사   대명사   수사   관형사   부사   조사   감탄사   동사   형용사   서술격 조사 '이다'

교과서 개념 02 품사의 개념과 분류 기준

물건들을 일정한 기준에 따라 정리해 놓으면 필요할 때 찾기 쉬운 것처럼, 단어들도 어떤 기준에 따라 나누어 놓으면 그 단어를 더 잘 사용할 수 있어요. 그럼 단어들을 어떤 기준에 따라 나누고 있는지 살펴볼까요?

◉◉ 품사의 개념 品 물건 품 詞 말씀 사

- 일정한 기준에 따라 나누어 놓은 단어의 갈래
- 단어는 홀로 쓰일 수 있는 가장 작은 말의 단위를 가리킴.

  예 형이 헌 집을 고치다. → 형, 이, 헌, 집, 을, 고치다

◉◉ 단어의 분류 기준

① 형태: 단어가 문장에서 쓰일 때 형태가 변하느냐, 변하지 않느냐에 따라 가변어와 불변어로 나뉨.

예
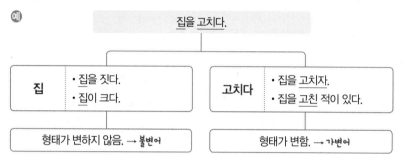

② 기능: 단어가 문장에서 어떤 기능을 하느냐에 따라 체언, 용언, 수식언, 관계언, 독립언으로 나뉨.

예
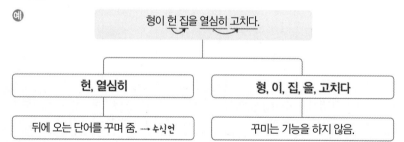

③ 의미: 단어에 어떤 의미적 특성이 있느냐에 따라 명사, 대명사, 수사, 동사, 형용사, 관형사, 부사, 조사, 감탄사로 나뉨.

예
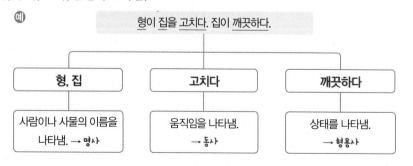

◉ 단어

홀로 쓰일 수 있는 말. 또는 홀로 쓰일 수 있는 말에 붙어 쉽게 떨어지는 말.

> 예 하늘과 바다
> → '하늘', '과', '바다'의 세 단어로 이루어져 있음.

'과'와 같은 말은 홀로 쓰일 수 없지만, 홀로 쓰일 수 있는 말에 붙어 쉽게 분리될 수 있으므로 단어로 인정함.

◉ 사전에서 품사 찾는 법

〈표준국어대사전〉에서 단어를 검색하면 명사, 대명사, 수사, 동사, 형용사, 관형사, 부사, 조사, 감탄사로 나누어 표시하고 있음.

> 예 집
> 「명사」
> 「1」 사람이나 동물이 추위, 더위, 비바람 따위를 막고 그 속에 들어 살기 위하여 지은 건물.

◉ 품사 분류의 의의

- 우리말을 이해하고 탐구하는 데 기초가 됨.
- 국어의 문법 체계를 이해하는 데 기초가 됨.
- 단어의 특성을 파악하고 단어들 사이의 관계를 밝힐 수 있음.
- 상황에 맞게 단어를 적절하게 사용할 수 있음.

교과서 개념 익히기

1 다음 설명이 맞으면 ○, 틀리면 X를 하세요.

(1) 품사는 일정한 기준에 따라 나누어 놓은 문장의 갈래이다. (　　)

(2) 단어는 홀로 쓰일 수 있는 가장 작은 말의 단위이다. (　　)

2 다음은 단어의 분류 기준에 관한 설명입니다. 빈칸에 들어갈 알맞은 말을 쓰세요.

(1) 단어가 문장에서 쓰일 때 형태가 변하느냐, 변하지 않느냐에 따라 가변어와 □□□로 나뉜다.

(2) 단어가 문장에서 어떤 □□을 하느냐에 따라 체언, 용언, 수식언, 관계언, 독립언으로 나뉜다.

(3) 단어에 어떤 □□적 특성이 있느냐에 따라 명사, 대명사, 수사, 동사, □□□, 관형사, 부사, 조사, 감탄사로 나뉜다.

3 다음 문장을 〈보기〉와 같이 단어로 나누어 보세요.

> **보기**
> 이 나무는 정말 크다.
> → 이, 나무, 는, 정말, 크다

(1) 하늘에 구름이 하나도 없다.

→

(2) 보라는 우리 반에서 마음씨가 가장 착하다.

→

4 〈보기〉에 쓰인 단어를 다음 기준에 따라 나누어 보세요.

> **보기**
> 산이 참 푸르다.

(1) 형태가 변하는 단어 (　　　　)

(2) 형태가 변하지 않는 단어 (　　　　)

5 〈보기〉에 쓰인 단어를 다음 기준에 따라 나누어 보세요.

> **보기**
> 온갖 꽃이 활짝 피었다.

(1) 꾸미는 기능을 하는 단어 (　　　　　　　)

(2) 꾸미는 기능을 하지 않는 단어 (　　　　　　　)

6 〈보기〉에 쓰인 단어 중 다음 기준에 해당하는 단어를 찾아 쓰시오.

> **보기**
> 은희가 새 신발을 샀다. 그래서 매우 기쁘다.

(1) 움직임을 나타내는 단어 (　　　　)

(2) 상태나 성질을 나타내는 단어 (　　　　)

(3) 사람이나 사물의 이름을 나타내는 단어 (　　　　)

빈틈 공략하기 Q&A

Q 단어를 '의미적 특성'에 따라 나눈다는 게 무슨 말일까?

A 단어에 어떤 의미적 특성이 있느냐에 따라 명사, 대명사, 수사, 동사, 형용사, 관형사, 부사, 조사, 감탄사로 나눌 수 있다고 했어요. 이때 '의미'는 무슨 뜻일까요?

보통 '의미'라고 하면 단어의 뜻을 말하는데요, 여기에서는 단어 하나하나의 개별적인 뜻이 아니라 '사람이나 사물 등의 이름을 나타내는 말', '움직임을 나타내는 말', '상태나 성질을 나타내는 말'과 같이 같은 범위에 속하는 단어 전체가 공통으로 가지는 의미를 가리킨답니다.

그러니까 어떤 단어가 어떤 품사인지 몰라도, 그 단어가 어떤 의미적 특성을 가지는지를 생각해 보면 어떤 품사인지 파악할 수 있을 거예요.

명사, 대명사, 수사

명사, 대명사, 수사를 묶어 '체언'이라고 불러요. 체언의 '체(體)'는 몸을 뜻해요. 그래서 체언은 문장의 중심을 이루는 역할을 하지요. 그렇다면 '신사임당, 당신, 첫째'는 각각 체언 중 어느 것에 속할까요?

◐◑ 명사 名 이름 명 詞 말씀 사

사람이나 사물 등의 이름을 나타내는 단어

구체 명사	구체적인 대상의 이름을 나타내는 단어	가방, 나무, 얼굴, 이순신, 칠판 등
추상 명사	추상적*인 대상의 이름을 나타내는 단어	사랑, 우정, 노력, 행복, 희망 등

구체적인 대상의 이름을 나타냄.

그 책은 영주에게 새로운 희망을 주었다.

구체적인 대상의 이름을 나타냄.   추상적인 대상의 이름을 나타냄.

◐◑ 대명사 代 대신할 대 名 이름 명 詞 말씀 사

사람이나 사물 등의 이름을 대신하여 나타내는 단어

인칭 대명사	사람의 이름을 대신하여 가리키는 단어	나, 저, 우리, 저희, 너, 너희, 그, 그녀, 이분, 저분 등
지시 대명사	사물의 이름을 대신하여 가리키는 단어	이것, 그것, 저것 등
	장소의 이름을 대신하여 가리키는 단어	여기, 거기, 저기 등

엄마가 나에게 사과를 주었다. 나는 그것을 맛있게 먹었다.

사람의 이름을 대신하여 나타냄.   앞에 나온 '사과'를 대신하여 나타냄.

◐◑ 수사 數 셀 수 詞 말씀 사

사람이나 사물 등의 수량이나 순서를 나타내는 단어

양수사	수량을 나타내는 단어	하나, 둘, 셋, 일, 이, 삼 등
서수사	순서를 나타내는 단어	첫째, 둘째, 셋째, 제일, 제이, 제삼 등

달리기 시합에서 셋째로 들어왔다. 상으로 연필 하나를 받았다.

순서를 나타냄.   수량을 나타냄.

◐◑ 체언의 특성 體 몸 체 言 말씀 언

- 문장에서 격 조사*와 결합하여 주어, 목적어, 보어로 주로 쓰임.
  - 예 • 나비가 날아다닌다. (주어)
    - 은서가 나비를 좋아한다. (목적어)
    - 애벌레가 나비가 되었다. (보어)
- 문장에서 쓰일 때 형태가 변하지 않음.

◉ 명사의 종류

명사는 분류 기준에 따라 다음과 같이도 나눌 수 있음.

① 사용 범위

- 고유 명사: 특정한 대상의 이름을 나타내는 단어.
  - 예 대한민국, 서울, 신사임당, 한강
- 보통 명사: 같은 범위에 속하는 모든 대상을 아우를 수 있는 이름을 나타내는 단어.
  - 예 학생, 나무, 나라, 꽃

② 자립성 유무

- 자립 명사: 다른 말의 도움을 받지 않고 홀로 쓰일 수 있는 명사.
  - 예 꽃, 학교, 물, 필통
- 의존 명사: 다른 말에 기대어 쓰이는 명사.
  - 예 것, 바, 줄, 수

● 추상적 어떤 사물이 직접 경험하거나 지각할 수 있는 일정한 형태와 성질을 갖추고 있지 않은 것.

● 격 조사 → 28쪽

◉ 체언의 문장 내 역할

체언은 주어, 목적어, 보어뿐만 아니라 다른 격 조사와 결합하여 서술어, 관형어, 부사어, 독립어로도 쓰일 수 있음.

- 예 • 저것은 나비이다. (서술어)
  - 나비의 날개가 아름답다. (관형어)
  - 동생이 나비처럼 팔랑거린다. (부사어)
  - 나비야, 이리 날아오너라. (독립어)

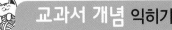

교과서 개념 익히기

1 체언에 관한 설명으로 맞으면 ○, 틀리면 X를 하세요.

(1) 명사, 대명사, 수사, 조사를 통틀어 이르는 말이다.

(　　　)

(2) 문장에서 조사와 결합하여 주어나 목적어 등으로 쓰인다. (　　　)

(3) 문장 내에서 형태가 변하지 않는다. (　　　)

2 다음은 체언에 관한 설명입니다. 빈칸에 들어갈 알맞은 말을 쓰세요.

(1) ☐☐는 사람이나 사물 등의 이름을 나타내는 단어이다.

(2) 대명사는 사람이나 사물 등의 이름을 ☐☐하여 나타내는 단어이다.

(3) ☐☐는 사람이나 사물 등의 수량이나 순서를 나타내는 단어이다.

3 다음 단어들의 품사를 바르게 연결하세요.

(1) 나, 우리, 이것, 여기 · · ㉠ 명사

(2) 하나, 둘, 첫째, 제이 · · ㉡ 대명사

(3) 가방, 얼굴, 이순신, 사랑 · · ㉢ 수사

4 다음 문장의 밑줄 친 단어가 명사이면 '명', 대명사이면 '대', 수사이면 '수'라고 쓰세요.

(1) 하늘이 매우 파랗다. (　　　)

(2) 정화는 자장면을 좋아한다. (　　　)

(3) 나는 오늘 열심히 공부했다. (　　　)

(4) 우리는 공통점이 하나도 없다. (　　　)

(5) 나와 찬호는 우정을 나누는 사이이다. (　　　)

(6) 이달에 읽어야 할 책이 다섯이나 된다. (　　　)

5 다음 문장에서 명사를 찾아 쓰세요.

(1) 보라는 어제 영화를 보았다. (　　　)

(2) 내가 가장 존경하는 인물은 이순신이야.

(　　　)

(3) 엄마가 제일 바라는 것은 나의 행복이다.

(　　　)

6 다음 문장에서 대명사를 찾아 쓰세요.

(1) 나는 새 등산화를 샀다. (　　　)

(2) 할머니께 저것을 갖다 드려라. (　　　)

(3) 여기가 경치가 제일 좋은 곳이다. (　　　)

7 다음 문장에서 수사를 찾아 쓰세요.

(1) 우리 할머니는 아들 넷을 낳으셨다. (　　　)

(2) 달리기 시합에서 셋째로 들어왔다. (　　　)

(3) 둘이 먹다가 하나가 죽어도 모르겠다. (　　　)

빈틈 공략하기 Q&A

Q 대명사 하나가 가리키는 단어는 하나일까?

A 다음 대화를 한번 읽어 보세요.

> ㉮ 서윤: 이것이 너의 연필이야?
> 지민: 그것은 나의 연필이 아니야.
> ㉯ 서윤: (연필을 가리키며) 너 이것 살 거야?
> 지민: (필통을 가리키며) 아니, 난 이것을 살래.

㉮에서 '이것'과 '그것'은 둘 다 '연필'을 가리킵니다. 반면 ㉯에서 '이것'은 '연필'과 '필통'을 가리키지요. 그리고 ㉮와 ㉯에서 '너'와 '나'는 모두 '지민'을 가리킵니다.

이처럼 대명사는 사람이나 사물 등의 이름을 대신하여 나타내는 단어이지만, 대명사 하나가 가리키는 대상이 항상 하나인 것은 아니에요. 하나의 대명사가 두 가지 이상의 대상을 가리키기도 하고, 두 개 이상의 대명사가 하나의 대상을 가리키기도 하지요. 그러니까 대명사가 무엇을 가리키고 있는지를 잘 파악하려면 상황이나 문맥을 잘 살펴보아야 해요.

동사, 형용사

교과서 개념 04

"나는 어제 할머니 댁에 갔다. 정말 즐거웠다."에서 '갔다'와 '즐거웠다'는 각각 '누가 어찌하다', '누가 어떠하다'를 나타내는 동사와 형용사예요. 이 둘을 묶어 용언이라고 해요. 용언은 체언과 달리 문장에서 쓰일 때 형태가 다양하게 변한답니다.

◖◗ 동사 動 움직일 동 詞 말씀 사
'가다'처럼 사람이나 사물 등의 움직임을 나타내는 단어
㉠ 가다, 먹다, 달리다, 보다, 씻다, 웃다, 시작하다

◖◗ 형용사 形 형상 형 容 모양 용 詞 말씀 사
'즐겁다'처럼 사람이나 사물 등의 상태나 성질을 나타내는 단어
㉠ 좋다, 넓다, 하얗다, 재미있다, 깨끗하다

◖◗ 용언의 특성 用 쓸 용 言 말씀 언
• 주로 서술어의 자리에 쓰이며 문장에서 주체의 동작이나 상태 등을 설명하는 역할을 함.

> 나는 방에서 밥을 먹는다. 방이 매우 깨끗하다.
> 주체인 '나'의 동작을 설명함.　　　주체인 '방'의 상태를 설명함.

• 문장에서 쓰일 때 쓰임에 따라 형태가 다양하게 변하는데, 이를 '활용'이라고 함.

기본형 '먹다' →
• 지우가 밥을 먹는다.
• 지우가 밥을 먹니?
• 지우야, 밥을 먹자.
• 지우야, 밥을 먹어라.
• 저기 밥을 먹는 지우가 내 동생이야.

◖◗ 동사와 형용사 구별하기
• 동사는 사건이나 행위가 현재 일어남을 나타내는 어미 '-는-/-ㄴ-'을 붙여 쓸 수 있지만, 형용사는 그럴 수 없음.
㉠ • 술래가 아이들을 찾는다. (○)　　• 술래잡기는 재미있는다. (×)
• 동사는 청유의 뜻을 나타내는 어미 '-자', 명령의 뜻을 나타내는 어미 '-아라/-어라'를 붙여 쓸 수 있지만, 형용사는 그럴 수 없음.
㉠ • 윤서야, 아이들을 찾자. (○)　　• 윤서야, 재미있자. (×)
　• 윤서야, 아이들을 찾아라. (○)　• 윤서야, 재미있어라. (×)
• 동사는 목적을 나타내는 어미 '-(으)러', 의도를 나타내는 어미 '-(으)려'와 결합할 수 있지만, 형용사는 결합할 수 없음.
㉠ • 윤서가 아이들을 찾으려 한다. (○)　• 윤서가 재미있으려 한다. (×)

◖◗ 용언의 활용
동사와 형용사가 문장에서 쓰일 때 형태가 변하는 것. 이때 형태가 변하지 않는 부분을 '어간'이라고 하며, 형태가 변하는 부분을 '어미'라고 함.
㉠　가다
　　가고
　　가니
어간└┘└어미

　　깨끗하다
　　깨끗하고
　　깨끗하니
어간└┘└어미

● **기본형** 형태가 변하는 단어의 기본이 되는 형태. 어간에 어미 '-다'를 붙임. 형태가 변하는 단어는 기본형이 사전에 실림.

◖◗ **동사와 형용사를 구별하는 또 다른 방법**
동사는 진행상을 나타내는 '-고 있다'와 결합할 수 있지만, 형용사는 결합할 수 없음.
㉠ • 찾고 있다 (○)
　• 재미있고 있다 (×)

24　문법 DNA 깨우기

1 용언에 관한 설명으로 맞으면 ◯, 틀리면 X를 하세요.

(1) 동사와 형용사를 통틀어 이르는 말이다. (　　)

(2) 문장에서 주로 서술어의 자리에 쓰인다. (　　)

(3) 문장에서 쓰일 때 형태가 변하지 않는다. (　　)

2 다음은 용언에 관한 설명입니다. 빈칸에 들어갈 알맞은 말을 쓰세요.

(1) 동사는 사람이나 사물 등의 ☐☐☐을 나타내는 단어이다.

(2) ☐☐☐는 사람이나 사물 등의 상태나 성질을 나타내는 단어이다.

(3) 용언은 문장에서 쓰일 때 형태가 다양하게 변하는데, 이를 ☐☐이라 한다.

3 다음 단어들의 품사를 바르게 연결하세요.

(1) 웃다, 보다, 달리다　·　　　·　㉠ 동사

(2) 넓다, 좋다, 하얗다　·　　　·　㉡ 형용사

4 다음 문장에서 밑줄 친 단어가 동사이면 '동', 형용사이면 '형'이라고 쓰세요.

(1) 날씨가 시원하다. (　　)

(2) 식사 전에 손을 씻어라. (　　)

(3) 할머니가 아기를 등에 업었다. (　　)

(4) 은서 머리가 왜 저렇게 짧아? (　　)

(5) 나는 술래잡기 놀이를 좋아해. (　　)

(6) 나는 내일 청바지를 입을 것이다. (　　)

(7) 엄마는 매일 아침 학교 운동장을 달린다. (　　)

(8) 우리 집에 오는 손님을 가족처럼 따뜻하게 대하자.

(　　)

5 다음 문장의 밑줄 친 단어의 기본형을 쓰세요.

(1) 형석이가 집에 가는구나. → (　　　　)

(2) 여름 방학이 내일이면 끝난다. → (　　　　)

(3) 엄마가 싸 준 김밥 맛있니? → (　　　　)

(4) 강물이 매우 깊은 것 같다. → (　　　　)

6 다음 문장에서 동사를 찾아 ◯ 표시를 하세요.

(1) 어머니가 내 손을 꼭 잡았다.

(2) 형이 오래된 집을 열심히 고쳤다.

(3) 친구 둘을 만났다. 옛 기억이 문득 떠올랐다.

7 다음 문장에서 형용사를 찾아 ◯ 표시를 하세요.

(1) 하늘에서 흰 눈이 내린다.

(2) 나는 겨울에도 음료를 차갑게 마신다.

(3) 지은이는 우리 반에서 말이 제일 빠르다.

빈틈 공략하기 Q&A

Q "할머니, 새해에도 건강하세요."는 맞는 표현일까, 틀린 표현일까?

A '건강하세요'는 어간 '건강하-'에 어미 '-세요'가 결합된 말이에요. '-세요'는 '-시어요'의 준말로, 명령의 뜻을 나타내지요. 할머니에게 명령하는 것도 적절하지 않지만, 사실 이 표현은 문법적으로도 틀린 말이랍니다.

'건강하다'는 상태나 성질을 나타내는 형용사예요. 형용사에는 명령의 뜻을 나타내는 어미 '-아라/-어라'를 붙여 쓸 수 없다고 했어요. '-시어요'도 명령의 뜻을 나타내는 어미이니까 마찬가지로 형용사에 붙여 쓸 수 없습니다.

그럼 할머니에게 새해 인사도 못 하냐고요? 그럴 리가요. "할머니, 새해에도 건강하게 지내시길 바라요."라고 고쳐 말하면 된답니다.

관형사, 부사

교과서 개념 05

"차가 지나간다."와 "새 차가 쌩쌩 지나간다."를 비교해 보세요. 두 문장에 어떤 차이가 있나요? 바로 '새'와 '쌩쌩'을 넣어 뒤의 말을 꾸며 주고 있어요. 이렇게 다른 말을 꾸며 주는 품사를 관형사, 부사라고 한답니다. 그리고 이들을 묶어 수식언이라고 해요.

∞ 관형사 冠 갓 관 形 형상 형 詞 말씀 사

'새 자동차'의 '새'처럼 체언 앞에 놓여서, 체언을 꾸며 주는 단어

예 새, 헌, 옛, 이, 그, 저, 이런, 어느, 모든, 한, 두, 세

∞ 부사 副 버금 부 詞 말씀 사

'쌩쌩 지나간다'의 '쌩쌩'처럼 주로 용언 앞에 놓여서, 용언을 꾸며 주는 단어

예 꼭, 무척, 먼저, 같이, 쌩쌩, 폴짝폴짝

∞ 수식언의 특성 修 닦을 수 飾 꾸밀 식 言 말씀 언

• 문장에서 다른 단어를 꾸며 줌. 관형사는 체언을, 부사는 주로 용언을 꾸밈.

현수가 ⟨새⟩신발을 신고, 학교에 ⟨천천히⟩ 간다.
체언 '신발'을 꾸며 줌.　　　　　용언 '간다'를 꾸며 줌.

• 문장에서 쓰일 때 형태가 변하지 않음.

∞ 관형사와 다른 품사 구별하기

(1) 관형사와 수사의 구별: 뒤에 조사가 붙어 있거나 붙을 수 있으면 수사, 조사가 붙을 수 없고 뒤에 체언이 오면 관형사임.

예 • 사과 하나를 먹었다. → 수사
　　　　조사
• 사과 한 개를 먹었다. → 관형사
　　　체언(의존 명사)

(2) 관형사와 대명사의 구별: 뒤에 조사가 붙어 있거나 붙을 수 있으면 대명사, 조사가 붙을 수 없고 뒤에 체언이 오면 관형사임.

예 • 그는 철수의 동생이다. → 대명사
　　조사
• 그 책상을 교실로 가지고 가자. → 관형사
　　체언(명사)

∞ 부사의 꾸밈을 받는 대상

부사는 용언 외에 다른 부사나 관형사, 문장 전체를 꾸며 주기도 함.

예 • 거북이가 엉금엉금 기어간다. → 동사 '기어간다'를 꾸며 줌.

• 오늘은 서쪽 하늘이 무척 아름답다. → 형용사 '아름답다'를 꾸며 줌.

• 우리는 매우 멀리 여행을 떠났다. → 부사 '멀리'를 꾸며 줌.

• 형식이가 너무 헌 옷을 버렸다. → 관형사 '헌'을 꾸며 줌.

• 과연 그는 이 문제를 풀 수 있을까? → 문장 전체를 꾸며 줌.

∞ 관형사의 종류

• **성상 관형사:** 사람이나 사물의 모양, 상태, 성질을 나타내는 관형사.
　예 새, 헌, 옛

• **지시 관형사:** 특정한 대상을 지시하여 가리키는 관형사.
　예 이, 그, 저, 이런, 그런, 저런, 어느

• **수 관형사:** 대상의 수나 양을 나타내는 관형사.
　예 한, 두, 세/서/석, 네/너/넉

∞ 부사의 종류

① **성분 부사:** 문장의 한 부분을 꾸며 주는 부사

• **성상 부사:** 사람이나 사물의 모양, 상태, 성질을 한정하여 꾸미거나 소리나 모양을 흉내 낸 부사.
　예 잘, 매우, 바로, 개굴개굴

• **지시 부사:** 처소나 시간을 가리켜 한정하거나 앞의 이야기에 나온 사실을 가리키는 부사.
　예 이리, 그리, 저리

• **부정 부사:** 용언의 앞에 놓여 그 내용을 부정하는 부사.
　예 아니, 안, 못

② **문장 부사:** 문장 전체를 꾸며 주는 부사

• **양태 부사:** 말하는 사람의 태도를 나타내는 부사.
　예 과연, 설마, 제발, 결코

• **접속 부사:** 앞의 체언이나 문장의 뜻을 뒤의 체언이나 문장에 이어 주면서 뒤의 말을 꾸며 주는 부사.
　예 그러나, 그런데, 그리고

∞ 수식언 사용 효과

문장에서 관형사와 부사를 사용하면 상황을 좀 더 분명하고 자세하게 전달할 수 있음.

교과서 개념 익히기

1 수식언에 관한 설명으로 맞으면 ○, 틀리면 X를 하세요.

(1) 문장에서 다른 단어를 꾸며 주는 역할을 한다.
( )

(2) 관형사는 체언을, 부사는 주로 용언을 꾸며 준다.
( )

(3) 쓰임에 따라 문장에서 형태가 다양하게 변한다.
( )

2 다음 단어들의 품사를 바르게 연결하세요.

(1) 이런, 어느, 모든 ·

(2) 꼭, 무척, 같이 · · ㉠ 관형사

(3) 폴짝폴짝, 개굴개굴 · · ㉡ 부사

(4) 새, 헌, 옛 ·

3 다음 문장의 밑줄 친 단어가 관형사이면 '관', 부사이면 '부'라고 쓰세요.

(1) 나 먼저 간다! ( )

(2) 모든 준비가 끝났어. ( )

(3) 아무 말 하지 말아 줄래? ( )

(4) 아기가 내 손을 꼭 잡았다. ( )

(5) 너는 어떤 과일을 좋아하니? ( )

(6) 연지는 일요일인데도 일찍 일어났구나. ( )

(7) 옛 사진을 보니 어릴 적 추억이 떠오른다. ( )

(8) 내일이면 멀리 떠난다고 친구에게서 전화가 왔다.
( )

4 다음 밑줄 친 단어 중 관형사를 찾아 ○ 표시를 하세요.

(1) ┌ ㉠ 이 산은 내가 꼭 오른다.
    └ ㉡ 이보다 더 좋을 수 없다.

(2) ┌ ㉠ 학생 둘이 함께 걸어간다.
    └ ㉡ 선호는 두 다리를 쭉 뻗었다.

5 다음 문장에서 부사와 그 부사가 꾸며 주는 대상을 〈보기〉와 같이 표시하세요.

보기

(1) 그는 아주 새 차를 타고 다닌다.

(2) 그가 들려준 이야기는 매우 흥미로웠다.

(3) 과연 이 일은 앞으로 어떻게 될 것인가?

(4) 좋아하는 가수를 보니 가슴이 콩닥콩닥 뛴다.

빈틈 공략하기 Q&A

Q "새를 관찰하려고 새 망원경을 샀다."에서 '새'는 둘 다 같은 품사일까?

A '배' 하면 무엇이 떠오르나요? 먹는 배? 바다 위에 떠 있는 배? 아니면 아기의 귀엽고 통통한 배일 수도 있어요. 이처럼 단어의 형태가 같아도 뜻이 다른 경우가 많습니다. 마찬가지로 단어의 형태가 같아도 품사가 다른 경우가 있어요. "새를 관찰하려고 새 망원경을 샀다."에서 앞에 나오는 '새'는 '하늘을 나는 짐승', 즉 사람이나 사물의 이름을 나타내고, 문장에서 목적어로 쓰이고 있으므로 '명사'예요. 뒤에 나오는 '새'는 '처음 마련하거나 다시 생겨난.'을 뜻하고, 뒤에 나오는 명사 '망원경'을 꾸며 주고 있으므로 '관형사'예요. 즉, 이 문장에 쓰인 두 '새'는 서로 다른 품사랍니다.
단어가 어떤 품사인지 파악하려면, 우선 그 단어의 의미를 파악하고, 문장에서 어떻게 쓰이는지를 살펴보세요.

교과서 개념 06 조사, 감탄사

"수미 방 공부한다."가 무슨 의미인지 잘 이해되나요? 우리말은 조사가 없으면 그 의미를 제대로 전달하기 어렵답니다. 이렇게 중요한 역할을 하는 조사의 특성을 한번 살펴보아요. 그리고 문장에서 독립적으로 쓰이는 감탄사에 대해서도 같이 알아보아요.

조사 助 도울 조 詞 말씀 사

- 주로 체언 뒤에 붙어서 다른 말과의 문법적 관계를 나타내거나 특별한 뜻을 더해 주는 단어
  격조사   보조사

격 조사	이/가, 께서, 을/를, 의, 으로, 에, 에게, 에서, 이다 등
보조사	은/는, 도, 만, 조차, 마저, 부터, 까지 등

- **민호가 영수를 업었다.**   **민호를 영수가 업었다.**
  - → '가'와 '를'이 어느 사람에게 붙느냐에 따라 업은 사람과 업힌 사람이 바뀌어 문장의 의미가 달라짐.
  - → '가'는 다른 말에 붙어 그 말이 동작을 하는 주체임을 나타내고, '를'은 다른 말에 붙어 그 말이 동작의 대상임을 나타냄.

- **민호도 자장면을 시켰다.**   **민호만 자장면을 시켰다.**
  - '더함'의 의미가 더해짐.   '한정'의 의미가 더해짐.

- 다른 말에 붙어 그 말과 다른 말의 문법적 관계를 나타내므로 관계언이라고 함.
  - →조사는 홀로 쓰일 수 없고 다른 말에 붙어 쓰임.
- 문장에서 쓰일 때 형태가 변하지 않지만, 서술격 조사 '이다'는 예외적으로 형태가 변함.
  - 예 • 너는 중학생이다.
    - • 너는 중학생이니?
    - • 너는 중학생이고, 나는 고등학생이다.

감탄사 感 느낄 감 歎 탄식할 탄 詞 말씀 사

- 놀람, 반가움 등의 느낌, 부름이나 대답을 나타내는 단어

놀람, 반가움 등의 느낌	어머나, 아, 아차, 앗, 아이고, 쳇, 흥 등
부름	어이, 이봐, 얘, 여보게, 여보세요 등
대답	그래, 응, 오냐, 예, 네, 아니, 아니요 등

- **어머나**, 벌써 꽃이 피었네. → 놀람을 나타내는 감탄사

- **야**, 이따 밥 먹으러 빨리 가자. / **그래**, 오늘 점심은 많이 먹자.
  - → 부름과 대답을 나타내는 감탄사

- 문장에서 다른 말들에 얽매이지 않고 독립적으로 쓰이므로 독립언이라고 함.
  - → 감탄사를 생략해도 문장이 성립함.
- 문장에서 쓰일 때 형태가 변하지 않음.

격 조사의 종류

이/가, 께서	주격 조사
을/를	목적격 조사
의	관형격 조사
으로, 에, 에게, 에서	부사격 조사
이/가	보격 조사. 뒤에 '되다/ 아니다'가 옴.
이다	서술격 조사. 조사 중 유일하게 활용을 함.

보조사의 의미

은/는	어떤 대상이 다른 것과 대조됨을 나타냄.
도, 조차, 마저	이미 어떤 것이 포함되고 그 위에 더함의 뜻을 나타냄.
만	다른 것으로부터 제한하여 어느 것을 한정함을 나타냄.
부터	어떤 일이나 상태 따위에 관련된 범위의 시작임을 나타냄. 흔히 뒤에는 끝을 나타내는 '까지'가 와서 짝을 이룸.

접속 조사

조사 가운데에는 '와/과, 하고, 이랑/랑, 이나/나'처럼 둘 이상의 단어나 구 등을 같은 자격으로 이어 주는 구실을 하는 조사도 있음.
- 예 • 개와 고양이
  - • 붓하고 먹을 가져오너라.
  - • 신발이랑 모자랑 샀어요.
  - • 그는 소설가나 시인일 것이다.

조사와 결합하는 품사

조사는 보통 체언에 붙어 쓰이지만 부사에 붙기도 함.
- 예 하늘에 별이 많이도 떴다.
  - → 부사 '많이'와 조사 '도'가 결합함.

1 조사에 관한 설명으로 맞으면 ○, 틀리면 X를 하세요.

(1) 주로 체언 뒤에 붙어 다른 말과의 문법적 관계를 나타낸다. ( )

(2) 문장에서 쓰일 때 형태가 변하지 않는다. ( )

(3) 문장에서 홀로 쓰일 수 있다. ( )

(4) 체언에 붙어 특별한 뜻을 더해 주기도 한다. ( )

2 다음 문장에서 조사를 모두 찾아 ○ 표시를 하세요.

(1) 고향에서 택배가 왔다.

(2) 경복궁에 관광객이 많다.

(3) 선희가 동생에게 말을 걸었다.

(4) 민재의 취미는 바이올린 연주이다.

(5) 다른 사람들은 녹차를 마셨고, 나만 주스를 마셨다.

3 다음 문장에서 밑줄 친 조사의 역할을 〈보기〉에서 골라 기호를 쓰세요.

┌─ 보기 ─────────────────────────┐
ⓐ 다른 말에 붙어 그 말과 다른 말의 문법적 관계를 나타냄.
ⓑ 다른 말에 붙어 특별한 뜻을 더해 줌.
ⓒ 둘 이상의 단어나 구 등을 같은 자격으로 이어 줌.
└──────────────────────────────┘

(1) 성규와 명수는 초등학교 동창이다. ( )

(2) 그는 편지는커녕 제 이름조차 못 쓴다. ( )

(3) 우리는 모두 동시에 자리에서 일어났다. ( )

4 다음 문장의 빈칸에 들어갈 알맞은 조사를 〈보기〉에서 찾아 쓰세요.

┌─ 보기 ─────────────────────────┐
이/가, 께서, 을/를, 의, 으로, 에, 에게, 에서, 이다
└──────────────────────────────┘

(1) 너 주말( ) 약속 있어?

(2) 그릇 깬 거 엄마( ) 이르지 마.

(3) 우리는 모두 성실한 학생( ).

(4) 주희가 등굣길에 선생님( ) 만났다.

5 다음은 감탄사에 관한 설명입니다. 빈칸에 들어갈 알맞은 말을 쓰세요.

(1) 놀람, 반가움 등의 ☐☐, 부름이나 대답을 나타내는 단어이다.

(2) 감탄사를 ☐☐해도 문장이 성립한다.

(3) 문장에서 다른 말들에 얽매이지 않고 ☐☐적으로 쓰인다.

6 다음 단어들이 각각 무엇을 나타내는 말인지 바르게 연결하세요.

(1) 그래, 아니	·	· ⓐ 놀람, 반가움 등의 느낌
(2) 얘, 여보세요	·	· ⓑ 부름
(3) 어머나, 앗	·	· ⓒ 대답

7 다음 문장에서 감탄사를 찾아 ○ 표시를 하세요.

(1) 애, 맛있는 수프를 좀 먹어 보렴.

(2) 아, 벌써 열 시네. 얼른 일기 쓰고 자야겠다.

(3) 여보게, 사내대장부는 천금을 아끼지 않는 법이네.

(4) 그래, 알아들었으니까 그만 가 보렴.

빈틈 공략하기 Q&A

Q "윤아야, 급식 시간표 갖고 있어?"라는 문장에 감탄사가 쓰였을까?

A 안타깝게도 이 문장에서는 감탄사가 하나도 쓰이지 않았어요. 잠시만요, 감탄사가 부름을 나타내는 단어라고 했는데, '윤아야'는 왜 감탄사가 아닐까요?

'윤아야'는 사실 명사 '윤아'에 아랫사람을 부를 때 쓰는 격 조사인 '야'가 결합한 거예요. 즉, 감탄사가 아니라 명사와 조사가 같이 쓰인 거죠. 헷갈리지 않도록 주의하세요.

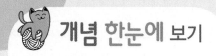

개념 한눈에 보기

품사의 종류와 특성

◉ **품사의 개념:** 일정한 기준에 따라 나누어 놓은 단어의 갈래

◉ **단어의 분류 기준**

분류 기준	분류 결과		
형태 변화 여부	• 형태가 변하는 것(가변어)		• 형태가 변하지 않는 것(불변어)
문장에서의 기능	• 체언 • 관계언	• 용언 • 독립언	• 수식언
의미적 특성	• 명사 • 동사 • 부사	• 대명사 • 형용사 • 조사	• 수사 • 관형사 • 감탄사

◉ **품사의 특성**

체언	명사	사람이나 사물 등의 이름을 나타내는 단어 예 윤서, 나무, 우정, 행복	• 문장에서 주로 주어나 목적어, 보어로 쓰임. • 문장에서 쓰일 때 형태가 변하지 않음.
	대명사	사람이나 사물 등의 이름을 대신하여 나타내는 단어 예 너, 이것, 저기	
	수사	사람이나 사물 등의 수량이나 순서를 나타내는 단어 예 하나, 둘, 일, 이, 첫째, 둘째	
용언	동사	사람이나 사물 등의 움직임을 나타내는 단어 예 가다, 먹다, 달리다	• 문장에서 주로 주어를 서술하는 역할을 함. • 문장에서 쓰일 때 형태가 다양하게 변하는 '활용'을 함.
	형용사	사람이나 사물 등의 상태나 성질을 나타내는 단어 예 즐겁다, 푸르다, 깨끗하다	
수식언	관형사	체언 앞에 놓여서, 체언을 꾸며 주는 단어 예 새, 헌, 모든, 아무	• 다른 단어를 꾸며 주는 역할을 함. • 문장에서 쓰일 때 형태가 변하지 않음.
	부사	주로 용언 앞에 놓여서, 용언을 꾸며 주는 단어 예 꼭, 무척, 먼저, 일찍, 폴짝폴짝	
관계언	조사	주로 체언 뒤에 붙어서 다른 말과의 문법적 관계를 나타내거나 특별한 뜻을 더해 주는 단어 예 이/가, 을/를, 의, 으로, 에서, 이다, 도, 만	• 다른 말에 붙어 그 말과 다른 말의 문법적 관계를 나타냄. • 서술격 조사 '이다'를 제외하고 문장에서 쓰일 때 형태가 변하지 않음.
독립언	감탄사	놀람, 반가움 등의 느낌, 부름이나 대답을 나타내는 단어 예 앗, 어머나, 응, 네, 여보세요	• 문장에서 다른 말들에 얽매이지 않고 독립적으로 쓰임. • 문장에서 쓰일 때 형태가 변하지 않음.

개념 적용 훈련 문제

01 품사에 대한 설명으로 적절하지 <u>않은</u> 것은?
① 일정한 기준에 따라 나누어 놓은 단어의 갈래이다.
② 문장 안에 쓰인 단어의 역할을 이해하는 데 도움이 된다.
③ 우리말의 단어는 형태, 기능, 의미를 기준으로 나눌 수 있다.
④ 문장에서 지니는 의미적 특성에 따라 가변어와 불변어로 나눌 수 있다.
⑤ 문장에서의 기능을 기준으로 체언, 용언, 수식언, 관계언, 독립언으로 나눌 수 있다.

02 형태가 변하는 단어들끼리 바르게 묶인 것은?
① 옛, 입다　② 주다, 하늘　③ 빨갛다, 매우
④ 모든, 어머나　⑤ 막다, 예쁘다

03 다음 문장에서 형태가 변하는 단어를 모두 찾아 ○ 표시를 하세요.

> 교실을 참 깨끗하게 청소했구나!

04 〈보기〉의 문장에 쓰인 단어들을 다음과 같이 분류한 기준으로 적절한 것은?

> 보기
> 형이 헌 집을 열심히 고치다.

> 헌, 열심히　　　형, 이, 집, 을, 고치다

① 형태가 변화하는지
② 홀로 쓰일 수 있는지
③ 다른 단어를 꾸며 주는지
④ 주어를 서술하는 역할을 하는지
⑤ 단어가 어떤 의미적 특성을 지니는지

05 다음 밑줄 친 단어 중 〈보기〉의 설명에 해당되지 <u>않는</u> 것은?

> 보기
> • 문장에서 쓰일 때 형태가 변하지 않음.
> • 문장에서 주로 주어나 목적어 등이 되는 자리에 옴.

① <u>영수</u>가 빨리 달린다.
② 사과 <u>하나</u>를 먹었다.
③ 흰 바지에 <u>얼룩</u>이 묻었어.
④ 너는 <u>어디</u>를 가는 길이야?
⑤ 그릇에 담긴 소금을 <u>모두</u> 쏟았다.

06 다음 두 문장에서 명사, 대명사, 수사를 모두 찾아 쓰세요.

> 나는 경아, 정수와 함께 셋이 도서관에 갔다. 그리고 우리는 거기에서 책을 읽었다.

• 명사:
• 대명사:
• 수사:

07 다음 중 구체적인 대상의 이름을 나타내는 명사가 <u>아닌</u> 것은?
① 발　② 우정　③ 가방　④ 기차　⑤ 우산

08 다음 밑줄 친 단어 중 명사가 <u>아닌</u> 것은?
① 밤을 따러 <u>산</u>에 언제 가?
② 친구랑 <u>연극</u>을 보기로 했다.
③ 우리 반 남학생 <u>둘</u>이 걸어간다.
④ 내 눈에는 저 <u>꽃</u>이 더 아름다워.
⑤ 생일 선물로 언니에게 <u>책</u>을 받았다.

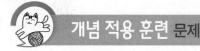

09 ㉠~㉤ 중 품사가 <u>다른</u> 하나는?

> 이번에는 불가사리가 새겨진 크고 화려한 굴뚝을 가리키며 물었지.
> "그러면 ㉠저것은 만드는 데 얼마나 걸렸소?"
> "예, 한 달 만에 완성했지요."
> "허허, 우리나라에서는 열흘이면 되는데."
> 이번에는 사신이 연못가에 있는 아름다운 누각을 보고 물었지.
> "㉡이 누각은 만드는 데 얼마나 걸렸소?"
> ㉢그의 말이 끝나자 ㉣나는 깜짝 놀라는 표정으로 말했어.
> "이 누각이 언제부터 ㉤여기 있었지? 분명 어제는 없었는데."
>
> – 교육 과학 기술부, 《중학교 국어 2-1》(2002)

① ㉠　　② ㉡　　③ ㉢　　④ ㉣ㆍ　　⑤ ㉤

10 다음 대화에서 ㉠과 ㉡이 가리키는 대상이 무엇인지 쓰세요.

> 민호: 재미있는 영화 보자. 그런데 어느 극장으로 갈까?
> 윤서: 이 극장 어때? 내가 약도 보낼게.
>
>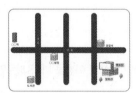
>
> 지우: 아, 이 극장! 나 ㉠여기 알아.
> 민호: 나는 ㉡이것만 봐서는 잘 모르겠어.

11 다음 중 수사가 쓰이지 <u>않은</u> 문장은?

① 둘에 셋을 더하면 다섯이다.
② 그는 자매 중에서 둘째이다.
③ 그는 강아지 두 마리를 기른다.
④ 내 눈에는 동생이 첫째로 귀엽다.
⑤ 유미는 나의 둘도 없는 친구이다.

12 ㉠~㉣에 대한 설명으로 적절하지 <u>않은</u> 것은?

> 기자: ㉠둘이 먹다가 ㉡하나가 죽어도 모를 만큼 맛있다고 소문이 난 식당에 왔습니다. 비결이 무엇인지 알고 싶은데요.
> 주인: ㉢첫째는 정성, ㉣둘째는 좋은 재료입니다.

① ㉠, ㉡은 대상의 수량을 나타낸다.
② ㉢, ㉣은 대상의 순서를 나타낸다.
③ ㉠~㉣은 문장에서 형태가 변하지 않는다.
④ ㉠~㉣은 대상의 이름을 대신해서 나타낸다.
⑤ ㉠~㉣은 문장에서 조사와 결합하여 쓰인다.

13 용언에 대한 설명으로 적절하지 <u>않은</u> 것은?

① 동사와 형용사를 통틀어 가리키는 말이다.
② 주로 관형사와 부사의 꾸밈을 받는다.
③ 대상의 움직임이나 상태, 성질을 나타낸다.
④ 문장에서 쓰일 때 형태가 다양하게 변한다.
⑤ 문장에서 주체의 동작이나 상태 등을 설명하는 역할을 한다.

14 다음 밑줄 친 단어의 품사가 <u>다른</u> 하나는?

① 내 친구는 항상 표정이 <u>밝다</u>.
② 비가 온 뒤라 하늘이 <u>깨끗하다</u>.
③ 손을 잡고 함께 거리를 <u>걷는다</u>.
④ 내 마음을 알아주는 네가 <u>좋다</u>.
⑤ 뒷산이 단풍 때문에 온통 <u>붉다</u>.

15 다음 중 사람이나 사물의 움직임을 나타내는 말이 쓰이지 <u>않은</u> 문장은?

① 가을 하늘이 높다.
② 아빠가 새 가방을 샀다.
③ 기러기가 하늘을 난다.
④ 그가 나에게 말을 걸었다.
⑤ 우리는 동시에 자리에 앉았다.

16 (중) 다음 밑줄 친 용언의 기본형으로 적절하지 <u>않은</u> 것은?

① 공원에 사람들이 <u>많아</u>. → 많다

② 손을 <u>씻고</u> 밥을 먹어라. → 씻다

③ 너는 점점 더 <u>예뻐지는구나</u>! → 예뻐진다

④ 이 선물에는 정성이 <u>담겨</u> 있다. → 담기다

⑤ 우리 집에서 네 방이 제일 <u>따뜻하네</u>. → 따뜻하다

17 (상) 다음 밑줄 친 용언의 활용이 적절하지 <u>않은</u> 것은?

① 손발을 깨끗이 <u>씻어라</u>.

② 우리 함께 열심히 <u>일하자</u>.

③ 동생은 밥을 맛있게 <u>먹는다</u>.

④ 앞으로도 지금처럼 <u>건강하자</u>.

⑤ 밖이 추우니까 따뜻하게 <u>입어라</u>.

18 (상) 다음 중 〈보기〉와 같이 형태가 변하는 단어가 <u>아닌</u> 것은?

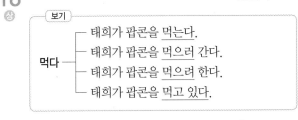

보기

먹다 ─┬─ 태희가 팝콘을 <u>먹는다</u>.
     ├─ 태희가 팝콘을 <u>먹으러</u> 간다.
     ├─ 태희가 팝콘을 <u>먹으려</u> 한다.
     └─ 태희가 팝콘을 <u>먹고</u> 있다.

① 자다   ② 잡다   ③ 보다

④ 치우다   ⑤ 무겁다

19 (중) 〈보기〉의 밑줄 친 단어가 문장에서 공통적으로 담당하는 역할을 쓰세요.

보기

자전거가 지나간다.

→ <u>새</u> 자전거가 <u>쌩쌩</u> 지나간다.

20 (중) 수식언의 특징으로 가장 적절한 것은?

① 다른 단어의 꾸밈을 받는다.

② 조사와 결합하여 쓰일 수 있다.

③ 다른 말과의 문법적 관계를 나타낸다.

④ 문장에서 쓰일 때 형태가 다양하게 변한다.

⑤ 관형사는 체언을, 부사는 주로 용언을 꾸며 준다.

21 (중) 다음 밑줄 친 단어의 품사가 <u>다른</u> 하나는?

① 휴일인데도 <u>일찍</u> 일어났구나.

② 어제 사 온 사과가 <u>정말</u> 달다.

③ 너는 <u>어떤</u> 색깔을 제일 좋아해?

④ 한참 뛰었더니 목이 <u>매우</u> 마르군.

⑤ 나는 그 일에 <u>아무런</u> 관심이 없다.

22 (중) 다음 밑줄 친 수식언이 꾸며 주는 말로 적절하지 <u>않은</u> 것은?

① 눈이 <u>펑펑</u> 내리면 좋겠다. → 좋겠다

② <u>어떤</u> 사람이 그렇게 말을 해? → 사람

③ 어릴 적 함께 <u>놀던</u> 친구를 만났다. → 놀던

④ 골짜기에서 강물이 <u>천천히</u> 흐른다. → 흐른다

⑤ 사람들이 <u>온</u> 힘을 다해 차를 들어 올렸다. → 힘

23 (중) 다음 빈칸에 들어갈 알맞은 수식언을 〈보기〉에서 골라 쓰세요.

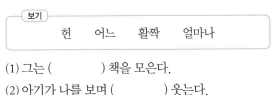

보기

헌   어느   활짝   얼마나

(1) 그는 (   ) 책을 모은다.

(2) 아기가 나를 보며 (   ) 웃는다.

24 다음 중 관형사가 쓰이지 <u>않은</u> 문장은?

① 헌 옷인데 마치 새것 같아.
② 지금은 아무 말도 하지 마.
③ 그 노래 어디가 그렇게 좋아?
④ 넓은 방을 깨끗이 청소했구나.
⑤ 마당에 소나무 한 그루가 있다.

25 조사에 대한 설명으로 적절하지 <u>않은</u> 것은?

① 앞말에 특별한 뜻을 더해 주는 것도 있다.
② '이다'를 제외하고는 형태가 변하지 않는다.
③ 홀로 쓰일 수 있지만 다른 말과 결합하기도 한다.
④ 주로 체언 뒤에 붙지만 부사와도 결합할 수 있다.
⑤ 앞말에 붙어 그 말과 다른 말의 문법적 관계를 나타낸다.

26 ㉠~㉤ 중 조사가 <u>아닌</u> 것은?

> 여자 주인공이 남자 주인공을 등에 업은 장면이
> ㉠   ㉡ ㉢ ㉣
> 기억에 남아.
>   ㉤

① ㉠　　② ㉡　　③ ㉢　　④ ㉣　　⑤ ㉤

27 ㉮ 문장과 ㉯ 문장의 의미가 달라지는 데 영향을 미친 단어를 모두 찾아 쓰세요.

> ㉮ 개미가 사자를 물었다.
> ㉯ 개미를 사자가 물었다.

28 다음 중 〈보기〉의 밑줄 친 부분에 해당하는 조사가 쓰이지 <u>않은</u> 것은?

> **보기**
> 　조사는 주로 체언 뒤에 붙어, 그 말과 다른 말의 문법적인 관계를 나타내므로 관계언이라고 한다. 그런데 조사 중에는 체언, 부사 등에 붙어서 특별한 뜻을 더해 주는 역할을 하는 것도 있다.

① 너도 숙제를 안 했어?
② 나만 매운 음식을 싫어해?
③ 그마저 나를 배신할 줄이야.
④ 너조차 가지 않겠다는 거니?
⑤ 그가 너에게 거짓말을 한 사람이다.

29 〈보기〉의 밑줄 친 단어에 대한 설명으로 적절하지 <u>않은</u> 것은?

> **보기**
> 　민호가 가져온 것은 빵<u>이고</u> 영호가 가져온 것은 김밥<u>이야</u>.

① 관계언이며 조사이다.
② 단어이지만 홀로 쓰일 수 없다.
③ 사전에 기본형 '이다'로 실린다.
④ 체언이 서술어의 역할을 하게 한다.
⑤ 문장에서 쓰일 때 형태가 변하지 않는다.

30 〈보기〉의 밑줄 친 단어들의 특징으로 적절한 것은?

> **보기**
> 주희: <u>우아</u>, 영화관이 정말 넓네.
> 지선: <u>응</u>. 또 새 건물이라 엄청 깨끗해.

① 문장에서 쓰일 때 형태가 변한다.
② 주로 문장 전체를 꾸며 주는 역할을 한다.
③ 앞말과 결합하여 특별한 의미를 더해 준다.
④ 홀로 쓰일 수 없기 때문에 다른 말과 결합하여 쓰인다.
⑤ 문장에서 다른 말들에 얽매이지 않고 독립적으로 쓰인다.

31 다음 중 감탄사가 쓰이지 <u>않은</u> 문장은?
① 아야, 여기가 아파.
② 앗! 물이 너무 차가워.
③ 석진아, 우리 떡볶이 먹자.
④ 그래, 지금도 늦지 않았어.
⑤ 네, 제가 교실을 청소했어요.

32 다음 중 〈보기〉의 밑줄 친 부분에 해당하는 감탄사가 쓰인 것은?

> **보기**
> 감탄사는 문장에서 다른 단어와 관계를 맺지 않고 독립적으로 쓰이며, <u>말하는 이의 놀람, 반가움 등의 느낌</u>, 부름이나 대답을 나타낸다.

① 야, 여기 이쪽이야.
② 어머나, 벌써 꽃이 피었네.
③ 아니요, 나쁜 뜻은 없었어요.
④ 예, 저도 그렇게 생각합니다.
⑤ 여보세요, 최 선생님 댁인가요?

33 다음 중 품사와 그 예가 바르게 연결되지 <u>않은</u> 것은?
① 명사: 신사임당, 나무, 노력, 행복
② 동사: 고치다, 차갑다, 흐르다, 사랑하다
③ 형용사: 넓다, 젊다, 아름답다, 까맣다
④ 부사: 쌩쌩, 뒤뚱뒤뚱, 과연, 설마
⑤ 감탄사: 어머나, 쳇, 여보세요, 아니요

34 다음 빈칸에 들어갈 수 있는 품사로 적절하지 <u>않은</u> 것은?
① 은기야, 밥 _____? → 동사
② _____! 휴지가 없다! → 감탄사
③ 형, 나는 _____을 선물로 받았어. → 명사
④ 셋에 다섯을 더하면 여덟_____. → 형용사
⑤ 제 눈에는 _____이 더 아름다워요. → 대명사

35 다음 포스터에 쓰인 단어의 품사를 분류한 결과가 <u>잘못된</u> 것은?

① 부사: 문득
② 감탄사: 오
③ 관형사: 둘, 옛
④ 명사: 단짝, 친구, 기억, 가슴
⑤ 동사: 만났다, 떠오른다, 두근거린다

36 ㉠과 ㉡의 품사를 각각 쓰세요.

> 구름같<u>이</u> 흰 솜사탕을 친구와 같<u>이</u> 먹었다.
>   ㉠   ㉡

37 다음 밑줄 친 단어의 품사를 바르게 파악한 것은?
① 명수가 너무 <u>헌</u> 옷을 입었다. → 관형사
② 그 일은 <u>모두</u>에게 책임이 있다. → 부사
③ 우주에서 가장 <u>큰</u> 별은 무엇인가요? → 관형사
④ 우리 반 <u>남학생들</u>은 열을 맞춰 걸었다. → 명사
⑤ 준태는 <u>일곱</u> 명의 아이들과 함께 놀았다. → 수사

38 〈보기〉에 쓰인 단어들에 대한 설명으로 적절하지 <u>않은</u> 것은?

> **보기**
> 아, 그 사람을 만나서 매우 행복하다.

① '아'는 '느낌'을 나타내는 감탄사이다.
② '그'는 사람의 이름을 대신하여 나타내는 대명사이다.
③ '만나서'는 형태가 변한 말로, 기본형은 '만나다'이다.
④ '매우'는 용언 '행복하다'를 꾸며 주는 부사이다.
⑤ '행복하다'는 상태나 성질을 나타내는 형용사이다.

기출문제응용 고2 교육청

01 〈보기〉의 (가)를 바탕으로 하여 (나)를 분석한 내용으로 적절하지 않은 것은?

> **보기**
>
> (가) 품사는 단어를 '형태', '기능', '의미'를 기준으로 분류한 것이다. ⊙'형태'에 따라 불변어, 가변어로, ⓛ'기능'에 따라 체언, 용언, 수식언, 관계언, 독립언으로 나뉜다. 그리고 ⓒ'의미'에 따라 명사, 대명사, 수사, 동사, 형용사, 관형사, 부사, 조사, 감탄사로 나뉜다.
>
> (나) 열에 아홉은 매우 착실한 학생이다.

① ⊙에 따라 나누면 '착실한'과 '이다'는 가변어이다.
② ⓛ에 따라 나누면 '열'과 '학생'은 체언이다.
③ ⓛ에 따라 나누면 '에', '은'과 '이다'는 관계언이다.
④ ⓒ에 따라 나누면 '아홉'과 '학생'은 같은 품사이다.
⑤ ⓒ에 따라 나누면 '매우'와 '착실한'은 다른 품사이다.

학습활동응용 천재(박)

[02~03] 다음 대화를 읽고, 물음에 답하세요.

지우: 윤서야, 너 주말에 약속 있어?
윤서: 아니, 없는데.
지우: 영화 볼래? 민호도 같이.
윤서: 좋아. 셋이 우정을 나눠 보자.
지우: 어떤 영화를 볼까?
윤서: 골라 봐. 첫째, 재미있는 영화. 둘째, 무서운 영화.
지우: 재미있는 영화 보자. 극장은 ○○극장 어때?
윤서: 아, 나 거기 알아.

02 위 대화의 밑줄 친 단어들을 아래 표에 알맞게 분류하세요.

명사	대명사	수사

03 ⊙~⑩ 중 위 대화의 밑줄 친 단어들이 공통적으로 지니는 특성끼리 알맞게 묶인 것은?

> ⊙ 형태가 변하지 않는다.
> ⓛ 주로 관형사의 꾸밈을 받는다.
> ⓒ 문장 안에서 독립적으로 쓰인다.
> ㄹ 조사와 결합하여 다양한 문장 성분으로 쓰인다.
> ⑩ 사람이나 사물의 이름을 나타내거나 이를 대신해서 나타낸다.

① ⊙, ⓛ, ⓒ ② ⊙, ⓛ, ㄹ ③ ⓛ, ⓒ, ㄹ
④ ⊙, ⓒ, ㄹ ⑤ ⓒ, ㄹ, ⑩

04 ⊙과 ⓛ에 대한 설명으로 적절한 것은?

> ⊙ 나무, 얼굴, 행복, 평화
> ⓛ 하나, 서넛, 둘째, 셋째

① 의미에 따라 분류할 때 ⊙, ⓛ은 체언에 속한다.
② 기능에 따라 분류할 때 ⊙은 명사, ⓛ은 수사이다.
③ ⊙, ⓛ은 모두 조사와 결합하여 형태가 다양하게 변화한다.
④ ⊙의 '나무', '얼굴'은 구체적인 대상의 이름을 나타내며, '행복'과 '평화'는 추상적인 대상의 이름을 나타낸다.
⑤ ⓛ의 '하나', '서넛'은 사람이나 사물 등의 순서를 나타내며, '둘째', '셋째'는 수량을 나타낸다.

05 다음 밑줄 친 용언의 활용이 적절한 것은?

① 진홍아, 예뻐라.
② 매일매일 행복하세요.
③ 애들아, 좀 조용하자.
④ 겨울 날씨가 매우 찬다.
⑤ 지은이가 공원을 산책하고 있다.

학습활동응용 천재(노)

06 다음 밑줄 친 단어들의 특징에 대한 설명으로 적절한 것은?

> **보기**
> 연지: 과학실에 왜 다녀왔어?
> 수현: 거기에서 필통을 잃어버린 것 같아.
> 연지: 이것이 너의 필통이야?
> 수현: 그것은 나의 필통이 아니야.

① '너', '나'는 모두 '연지'을 가리킨다.
② '거기'는 조사 '에서'와 결합하여 형태가 변한다.
③ '이것'은 수현이의 필통을, '그것'은 연지의 필통을 가리킨다.
④ '거기', '이것', '그것', '너', '나'는 모두 다른 말을 꾸며 준다.
⑤ '거기'는 장소를, '이것', '그것'은 사물을, '너', '나'는 사람을 대신하여 가리킨다.

07 〈보기〉에 나타난 용언의 활용 양상에 대한 탐구 과정으로 적절하지 않은 것은?

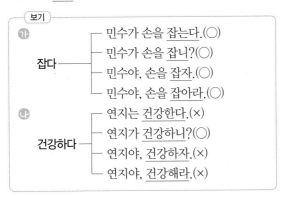

> **보기**
> 잡다 ─┬─ 민수가 손을 잡는다.(○)
> 　　　├─ 민수가 손을 잡니?(○)
> 　　　├─ 민수야, 손을 잡자.(○)
> 　　　└─ 민수야, 손을 잡아라.(○)
> 건강하다 ─┬─ 연지는 건강한다.(×)
> 　　　　　├─ 연지가 건강하니?(○)
> 　　　　　├─ 연지야, 건강하자.(×)
> 　　　　　└─ 연지야, 건강해라.(×)

① ㉮의 '잡다'와 ㉯의 '건강하다'는 사전에 실리는 기본형이다.
② ㉮는 동사, ㉯는 형용사의 형태가 변하는 양상을 잘 보여 준다.
③ ㉯의 '건강하자'는 '건강해'가, '건강해라'는 '건강하라'가 올바른 표현이다.
④ ㉮의 '잡다'는 형태가 바뀔 때 제약이 없지만 ㉯의 '건강하다'는 제약이 있다.
⑤ ㉮의 '잡다'에는 '-는-/-ㄴ-'을 붙여도 어색하지 않지만 ㉯의 '건강하다'에 붙이면 어색하다.

08 다음 밑줄 친 단어에 대한 설명으로 적절하지 않은 것은?

> 두 사람은 사진을 함께 보며 옛 추억에 잠겼다.

① 문장에서 체언 앞에 놓인다.
② 다른 단어를 꾸며 주는 역할을 한다.
③ 문장에서 쓰일 때 형태가 변하지 않는다.
④ 문장에서 자리를 이동할 때 제약이 있다.
⑤ 다른 말에 붙어 그 말과 다른 말의 문법적 관계를 나타낸다.

09 다음 중 밑줄 친 단어의 꾸밈을 받는 범위가 다른 하나는?

① 과연 세홍이는 훌륭한 선수구나.
② 소설의 뒷이야기가 무척 궁금해.
③ 들뜨서 폴짝폴짝 뛸 때부터 불안했어.
④ 분명히 그날은 비가 아주 많이 내렸다.
⑤ 발표를 앞두고 정선이의 입이 바짝 말랐다.

10 ㉠~㉤에 조사를 넣어 문장을 완성할 때, 조사가 들어가기에 적절하지 않은 곳은?

> 한참 뛰었더니 목(㉠) 말라서 효주(㉡) 물(㉢) 마셨(㉣), 나(㉤) 음료수를 마셨다.

① ㉠　　② ㉡　　③ ㉢　　④ ㉣　　⑤ ㉤

11 다음 밑줄 친 단어 가운데 성격이 다른 하나는?

① 너마저 나를 떠나는구나.
② 인생은 짧고 예술은 길다.
③ 할머니가 영주에게 선물을 주었다.
④ 민호가 한 이야기를 듣고 경아만 미소를 지었다.
⑤ 나는 바이올린을 좋아하고, 승우는 피아노를 좋아한다.

학습활동응용 창비

12 (가)~(다)를 바탕으로 하여 조사의 특징을 파악한 것으로 적절하지 **않은** 것은?

> (가) 재활용이 환경을 살립니다.

> (나) 재활용이
> 환경만 살립니다.

> (다) 재활용이
> 환경도 살립니다.

① (가)는 재활용이 다른 것이 아닌 '환경'을 살린다는 것을 강조한다.
② (나)는 재활용이 환경을 제외한 것들은 살리지 못한다는 뜻이다.
③ (다)는 재활용이 환경을 포함한 다른 것들을 살린다는 뜻이다.
④ (나)의 '만'과 (다)의 '도'는 앞말에 붙어 특별한 뜻을 더해 준다.
⑤ (가)의 '이', '을'과 (나)의 '이', (다)의 '이'는 다른 말과의 문법적 관계를 나타내는 역할을 한다.

13 ㉠~㉣에 대한 설명으로 적절하지 **않은** 것은?

> **보기**
> • ㉠새를 관찰하려고 ㉡새 망원경을 샀다.
> • 막냇동생㉢이 드디어 ㉣이가 났다.

① ㉠은 조사와 결합하지만 ㉡은 결합하지 않는다.
② ㉠, ㉣은 모두 대상의 이름을 나타내는 명사이다.
③ ㉡, ㉢은 홀로 쓰일 수 없어 다른 말에 붙어서 쓰인다.
④ ㉢, ㉣은 소리는 같지만 품사가 다르다.
⑤ ㉠~㉣은 문장에서 쓰일 때 형태가 변하지 않는다.

14 다음 밑줄 친 단어의 품사를 잘 파악한 것은?

① 얘, 물 좀 떠오너라. → 대명사
② 벌써 끝이라니 너무 아쉬워. → 동사
③ 동생은 나보다 빨리 잠이 들었어. → 부사
④ 저 사과가 제일 맛있게 생겼다. → 대명사
⑤ 밤새 눈이 내려서, 온 거리가 새하얗다. → 형용사

학습활동응용 금성

15 〈보기〉의 밑줄 친 단어들에 대한 설명으로 적절하지 **않은** 것은?

> **보기**
> 지민: 여보세요, 예나네 집인가요?
> 채영: 아니요. 전화를 잘못 거신 것 같아요.
> 지민: 어머, 죄송합니다. 제가 잘못 걸었네요.
> 채영: 앗, 괜찮습니다. 그럼 끊겠습니다.

① '여보세요'는 말하는 사람이 남을 부르는 말이다.
② '아니요'는 남의 말에 대답하는 말이다.
③ '어머', '앗'은 말하는 사람의 감정을 나타낸다.
④ 형태가 변하지 않으며 조사와 결합하지 않는다.
⑤ 독립적으로 쓰여 생략하면 문장이 성립하지 않는다.

기출문제응용 고1 교육청

16 〈보기〉를 참고하여 각 항목에 해당하는 예문을 작성했을 때 적절하지 **않은** 것은?

> **보기**
> 1. '같이'가 조사로 쓰일 경우 – 앞말에 붙여 쓴다.
>   ㄱ. 체언 뒤에 붙어 '~처럼'의 뜻일 때
>   ㄴ. '때'를 나타내는 명사 뒤에 붙어 '때'를 강조할 때
> 2. '같이'가 부사로 쓰일 경우 – 앞말과 띄어 쓴다.
>   ㄷ. '서로 함께'의 의미일 때
>   ㄹ. '어떤 상황이나 행동 따위와 다름이 없이'의 의미일 때

① ㄱ: 엄마의 손이 얼음장같이 차갑다.
② ㄱ: 그는 눈같이 맑은 영혼의 소유자였다.
③ ㄴ: 내일은 새벽같이 일어나야 한다.
④ ㄷ: 지난 10년 동안 같이 알고 지낸 사이야.
⑤ ㄹ: 은형이와 친구는 같이 도서관에 갔다.

✶✶✶ 서술형 문제

17 다음 글의 밑줄 친 단어들을 품사에 따라 분류하세요.

> "너, 저 음식 먹어 본 적 있니?"
> 은서가 식당 앞 사진을 가리켰다.
> "아니, 없어."
> "우리, 같이 들어갈까? 너무 배고파서 못 견디겠다."
> "그래, 좋아."
> 은서와 지호는 식당에 들어갔다.
> 식당 안에는 손님 둘이 밥을 먹고 있었다. 은서와 지호는 자리에 앉았다.
> "어떤 것을 먹을지 고민이네."
> "식당 밖에서 봤던 것으로 주문하자. 그게 제일 맛있을 것 같아."

조건
> 형태가 변하는 단어는 기본형으로 쓸 것.

• 명사:　　　• 대명사:　　　• 수사:

• 동사:　　　　　• 형용사:

• 관형사:　　　　　• 부사:

• 조사:　　　　　• 감탄사:

18 다음 문장에서 ㉠과 ㉡의 품사를 적고, 이 두 품사를 구분할 수 있는 방법이 무엇인지 서술하세요.

> 친구 ㉠다섯이서 사과 ㉡다섯 개를 먹었다.

• ㉠의 품사:

• ㉡의 품사:

• ㉠과 ㉡의 품사 구분 방법:

19 ㉮와 ㉯를 비교해 보고, 문장에서 수식언을 사용했을 때의 효과가 무엇인지 서술하세요.

> ㉮ 학생이 발표하려고 손을 들었다. 그래서 선생님께서 놀라셨다.
> ㉯ 모든 학생이 발표하려고 손을 들었다. 그래서 선생님께서 깜짝 놀라셨다.

조건
> • 두 문장의 차이점도 함께 서술할 것.
> • ㉯ 문장에 쓰인 수식언의 품사를 구체적으로 밝힐 것.

학습활동응용 비상

학습활동응용 천재(노)

20 다음 밑줄 친 단어들을 참고하여 ㉮와 ㉯의 대화 상황이 어떻게 다른지 서술하세요.

> ㉮ 딸: 케이크랑 선물을 사 와야 해.
> 　아빠: 그래, 금방 들어갈게.
> ㉯ 딸: 케이크나 선물을 사 와야 해.
> 　아빠: 아차, 금방 들어갈게.

조건
> • 밑줄 친 조사와 감탄사의 의미를 포함해 서술할 것.
> • ㉮와 ㉯의 대화 상황을 각각 한 문장으로 쓰되, '㉮는 ~하는 상황이다. ㉯는 ~하는 상황이다.'의 형식으로 서술할 것.

III

어휘의 체계와 양상

우리는 평소에 다른 사람과 대화를 나누거나 글을 쓸 때 많은 어휘를 사용해요. 어휘란 일정한 범위 안에 들어 있는 단어의 집합으로, 이 어휘들은 끼리끼리 공통된 특성을 지니기도 하고, 다른 어휘들과 특정한 의미 관계를 맺기도 해요.

어휘의 체계와 양상을 잘 알아 두면 일상생활에서 어휘를 풍부하게 활용할 수 있고, 상황에 맞는 어휘를 골라 쓰는 데에도 도움이 된답니다. 그럼 우리말 어휘를 좀 더 체계적으로 이해하고 어휘력을 키울 수 있도록 어휘의 체계와 양상에 대해 알아볼까요?

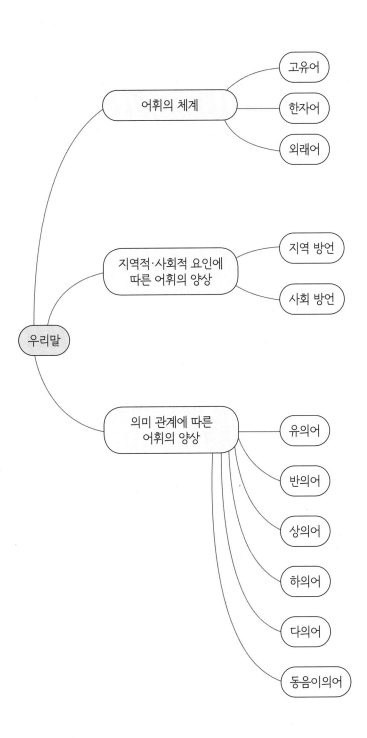

어휘의 체계 _{體 몸 체 系 이을 계}

우리말 어휘는 일단 고유어, 한자어, 외래어로 나눌 수 있어요. '거울, 볼펜, 시계, 안경, 주머니, 원피스'를 '거울, 주머니', '볼펜, 원피스', '시계, 안경'으로 나누어 묶었다면 각 묶음은 어느 어휘에 속할까요? 그리고 그 묶음에는 어떤 특성이 있을까요?

고유어 _{固 굳을 고 有 있을 유 語 말씀 어}

• 예부터 우리말에 있었거나 우리말에 기초하여 새로 만들어진 말
• 촉감, 색깔, 맛, 모양, 소리 등을 생생하게 표현할 수 있는 어휘가 많음.

매끄럽다	붉다	달다	깡충깡충	주룩주룩
매끈매끈하다	빨갛다	달콤하다	껑충껑충	보슬보슬
반들반들하다	새빨갛다	달큼하다	팔짝팔짝	부슬부슬
반드르르하다	시뻘겋다	다디달다	펄쩍펄쩍	소록소록
반질반질하다	불그스름하다	달짝지근하다	폴짝	추적추적

▲ 매끄러운 느낌·상태를 표현하는 말　▲ 붉은색을 표현하는 말　▲ 단맛을 표현하는 말　▲ 동물이나 사람이 뛰는 모습을 표현하는 말　▲ 비가 내리는 소리나 모양을 표현하는 말

• 우리 민족의 고유한 문화와 정서를 잘 표현함.
　예 • 그네, 부럼, 씨름, 달맞이, 강강술래 → 문화를 나타내 주는 말
　　• 아쉽다, 서운하다, 섭섭하다, 시원섭섭하다 → 정서를 나타내 주는 말

한자어 _{漢 한나라 한 字 글자 자 語 말씀 어}

• 한자에 기초하여 만들어진 말
• 대개 고유어에 비해 좀 더 분화®된 의미를 가지고 있어 고유어를 보완함.

고치다 (고유어)	• 자동차 바퀴를 겨우 <u>고치다</u>. → 수리(修理)하다 • 서류의 잘못된 부분을 <u>고치다</u>. → 수정(修訂)하다 • 민지가 병원에서 병을 <u>고치다</u>. → 치료(治療)하다

• 대체로 한 글자가 하나의 의미를 나타내 개념을 압축적으로 표현하기에 좋음.
　예 • 걸어서 길거리를 오가는 사람 → 보행자(步 걸음 보, 行 다닐 행, 者 사람 자)
　　• 강연, 음악 등을 듣기 위해 모인 사람들 → 청중(聽 들을 청, 衆 무리 중)

외래어 _{外 바깥 외 來 올 래 語 말씀 어}

• 다른 나라에서 들어온 말 가운데 우리말로 인정되는 말
• 외국 문화와의 접촉을 통해 들어와 우리말 어휘를 보충해 줌.

> 버스 볼펜 주스 컴퓨터 티셔츠 피아노 헬리콥터

→ 새로운 개념이나 문물이 지속적으로 들어오면서 외래어의 수도 점점 늘어나고 있음.

〈표준국어대사전〉에서 고유어, 한자어, 외래어를 구분하는 방법
• 고유어: 한글 표기 뒤에 다른 글자가 없음.
> 구름
• 한자어: 한글 표기 뒤의 괄호 안에 한자가 있음.
> 책상¹(冊床)
• 외래어: 한글 표기 뒤의 괄호 안에 원어의 정보를 나타내는 외국 글자가 있음.
> 컴퓨터(computer)

● 분화 단순하거나 성질이 고루 같은 것에서 복잡하거나 성질이 다른 것으로 변함.

● 외래어의 특성
외래어는 우리말 어휘를 풍부하게 하는 한편, 외래어를 지나치게 사용할 경우 의사소통에 어려움을 줄 수 있고, 우리말의 정체성을 위협할 수 있음. 따라서 되도록 우리말로 바꾸어 쓰려는 자세가 필요함.

교과서 개념 익히기

1 어휘의 체계에 관한 설명으로 맞으면 ○, 틀리면 X를 하세요.

(1) 우리말 어휘는 고유어, 한자어, 외래어로 나눌 수 있다. ( )

(2) 고유어와 한자어는 우리말에 기초하여 만들어졌다. ( )

(3) 한자어는 고유어에 비해 좀 더 분화된 의미를 지닌다. ( )

(4) 외래어는 다른 나라에서 들어온 말이므로 우리말로 인정되지 않는다. ( )

2 다음 빈칸에 들어갈 알맞은 말을 쓰세요.

(1) 고유어는 우리 민족의 고유한 □□와 □□를 잘 표현한다.

(2) □□□에는 촉감, 색깔, 맛 등을 생생하게 표현할 수 있는 어휘가 많다.

(3) 한자어는 대체로 한 글자가 하나의 의미를 나타내 개념을 □□□으로 표현하기에 좋다.

(4) □□□는 외국 문화와의 접촉을 통해 들어와 우리말 어휘를 보충해 준다.

3 다음 단어들이 각각 무엇에 해당하는지 바르게 연결하세요.

(1) 폴짝, 아쉽다 · · ㉠ 고유어

(2) 버스, 피아노 · · ㉡ 한자어

(3) 책상, 보행자 · · ㉢ 외래어

4 다음 밑줄 친 고유어를 대신할 수 있는 한자어를 쓰세요.

(1) 의사가 환자의 병을 <u>고치다</u>. ( )

(2) 서류의 잘못된 부분을 <u>고치다</u>. ( )

5 다음 밑줄 친 단어가 고유어이면 '고', 한자어이면 '한', 외래어이면 '외'라고 쓰세요.

(1) 자동차 바퀴를 겨우 <u>수리</u>했다. ( )

(2) <u>헬리콥터</u>가 하늘로 날아올랐다. ( )

(3) 나는 <u>볼펜</u>을 사러 문구점에 갔다. ( )

(4) 가수가 노래를 마치자 <u>청중</u>은 환호했다. ( )

(5) 시장에서 사 온 복숭아가 <u>불그스름하다</u>. ( )

6 다음에 해당하는 고유어를 〈보기〉에서 찾아 쓰세요.

보기

달맞이	다디달다
주룩주룩	반들반들하다	시원섭섭하다

(1) 맛을 표현하는 말 ( )

(2) 소리를 표현하는 말 ( )

(3) 촉감을 표현하는 말 ( )

(4) 문화를 표현하는 말 ( )

(5) 정서를 표현하는 말 ( )

빈틈 공략하기 Q&A

Q '무비(movie)'는 외래어일까, 외국어일까?

A 외국어는 말 그대로 다른 나라의 말로, 우리말로 쉽게 바꾸어 쓸 수 있어요. 하지만 외래어는 원래 외국어였던 것이 국어처럼 쓰이는 말이어서 다른 말로 쉽게 바꾸어 쓸 수가 없지요.

예를 들어 외국어인 '무비(movie)', '밀크(milk)'는 각각 '영화', '우유'로 쉽게 바꾸어 쓸 수가 있어요. 하지만 외래어인 '에어컨', '바이올린'은 다른 말로 바꾸어 쓰기가 어려워요.

이처럼 외래어는 외국어와 달리 새말을 만들지 않는 이상 다른 말로 바꾸기가 어렵고, 우리말로 굳어져 사용되고 있는 우리말이랍니다.

08 어휘의 양상 1 様 모양 양 相 모양 상

'문상' 하면 무엇이 떠오르나요? '문화 상품권'이 떠오르나요? 하지만 어른들은 여러분과 다른 의미로 이해하실 수도 있어요. 이처럼 어휘는 지역, 세대 등에 따라 다양한 양상을 보여요. 지역적·사회적 요인에 따라 달라지는 어휘의 양상에 대해 알아볼까요?

지역 방언 地 땅 지 域 구역 역 方 방위 방 言 말씀 언

• 지역에 따라 달라진 말 예 '옥수수'를 일컫는 말이 지역에 따라 다름.

수꾸	강능써울	옥시기	옥수수	옥수깨이	강낭수꾸	옥수시	강낭대죽
함경도	평안도	강원도	경기도	충청도	경상도	전라도	제주도

• 그 지역만의 정감을 드러내어 같은 지역 방언을 사용하는 사람들끼리 친근감과 유대감을 느끼게 함.

오늘도 여전히 하늘은 흐립니다. 새로운 비구름이 또다시 다가오면서 호남 지역을 중심으로 비를 뿌리겠습니다.

▲ 표준어를 사용함.

할매, 요번 여름에 비가 허벌나게 많이 오는구마잉! 오늘 비가 또 온다는디?

▲ 지역 방언을 사용함.

사회 방언 社 모일 사 會 모일 회 方 방위 방 言 말씀 언

• 세대나 직업, 성별 등 사회적 요인에 따라 다르게 쓰이는 말

• 사회 방언을 사용하는 각 집단의 특성을 반영하며 구성원들의 소속감, 동질감을 강화하거나 의사소통의 효율성을 높임. → 같은 사회 집단에 속하지 않는 사람들과 대화할 때 사용하면 의사소통이 어려울 수 있고, 상대방에게 소외감이나 이질감을 줄 수도 있음.

• 세대에 따라 어휘가 다르게 쓰이는 상황

생일 파티

오늘 도희 생파갈 거지? 넌 생선 뭐 샀어?

난 문상 샀어.

생일 선물   문화 상품권

윗사람의 딸을 높여 부르는 말

이번에 영애가 혼인을 한다지요? 축하드립니다.

감사합니다.

→ 청소년들은 줄임 말과 유행어를 많이 쓰고, 노년층은 한자어를 많이 씀.

• 특정 분야나 특정 집단에 따라 어휘가 다르게 쓰이는 상황

파열

이 환자, 럽처는 아니니 엔세이드 쓰면서 얼음찜질하면 되겠네요.

소염 진통제

네, 알겠습니다.

청과물 시장 상인들이 숫자를 대신하여 쓰던 말

먹주, 대, 삼패!

▲ 전문어를 사용함.

▲ 은어를 사용함.

표준어와 방언

• 표준어: 한 나라에서 공용어로 쓰도록 규범으로 정한 언어.

• 방언: 한 언어에서, 지역 또는 사회 계층에 따라 달라진 말.

지역 방언과 표준어의 관계

지역 방언	표준어
• 해당 지역 방언을 모르는 사람과는 의사소통이 원활하게 이루어지지 않을 수 있음. • 사적인 대화를 나누는 비공식적인 상황에서 주로 쓰임.	• 모든 사람과 원활한 의사소통이 가능하게 함. • 방송, 기자 회견과 같은 공식적인 상황에서 주로 쓰임.

상호 보완적 관계

사회 방언의 예

• 전문어: 전문 분야에서 그 분야의 일을 효율적으로 수행하기 위해 사용하는 말.

  예 • 법률 용어 – 심리, 변론
  • 영상 용어 – 클로즈업, 숏
  • 조리 용어 – 쥘리엔, 콩카세

• 은어: 특정 집단 안에서 내부의 비밀을 유지하기 위해 그 집단 밖의 사람들은 알아듣지 못하도록 만들어 쓰는 말.

  예 • 독립운동가의 은어 – 꿩(친일파), 여우(밀정)
  • 심마니의 은어 – 무림(밥), 산개(호랑이), 데팽이(안개)

1 어휘의 양상에 관한 설명으로 맞으면 ○, 틀리면 X를 하세요.

(1) 어휘는 세대, 직업 등 사회적 요인에 따라서만 달라지는 양상을 보인다. (　　)

(2) 지역 방언은 지역에 따라 달라진 말이다. (　　)

(3) 지역 방언의 예로는 전문어와 은어가 있다.(　　)

(4) 사회 방언은 사회 방언을 사용하는 각 집단의 특성을 반영한다. (　　)

(5) 사회 방언은 모든 사람과의 원활한 의사소통을 가능하게 한다. (　　)

2 다음 빈칸에 들어갈 알맞은 말을 쓰세요.

(1) 표준어와 지역 방언은 □□ □□□ 관계를 지닌다.

(2) 같은 지역 방언을 사용하는 사람들은 서로 친근감과 □□□을 느낄 수 있다.

(3) 사회 방언을 사용하여 대화를 나누면 구성원들끼리 의사소통의 □□□을 높일 수 있다.

3 다음 빈칸에 들어갈 알맞은 말을 〈보기〉에서 찾아 쓰세요.

> **보기**
>
> 방언　　　은어　　　전문어　　　줄임 말
> 표준어　　　한자어　　　지역 방언

(1) 한 언어에서 지역 또는 사회 계층에 따라 달라진 말을 (　　　　)이라고 한다.

(2) (　　　　)는 공식적인 상황에서, (　　　　)은 비공식적인 상황에서 주로 쓰인다.

(3) (　　　　)는 특정 집단 내 비밀을 유지하기 위해 사용하는 말이고 (　　　　)는 전문 분야에서 사용하는 말이다.

(4) 어휘는 세대에 따라서도 그 양상이 달라지는데, 청소년들은 (　　　　)과 유행어를 많이 쓰고, 노년층은 (　　　　)를 많이 쓴다.

4 다음과 같은 사회 방언이 나타나는 이유를 바르게 연결하세요.

(1) 무림, 산개　　　•

(2) 생과, 영애　　　•

(3) 심리, 변론　　　•

• ㉠ 세대에 따른 차이

• ㉡ 직업에 따른 차이

• ㉢ 특정 집단에 따른 차이

Q 사회 방언의 또 다른 예로는 무엇이 있을까?

A 사회 방언의 예로는 전문어, 은어 외에도 유행어가 있어요. 유행어는 비교적 짧은 어느 한 시기에 널리 쓰이는 말로, 당대의 사회상을 반영하고 있는 경우가 많아요. 또 유행어는 대체로 일정 기간 쓰이다가 사라지지만 예외적인 경우도 있어, 그 가운데 일부는 오랫동안 쓰이기도 하고, 또 어떤 것은 사전에 오르기도 하지요. 다음 상황을 살펴볼까요?

> 어제 드라마 봤어? 남주랑 여주 어떻게 됐어?
>
> 서로 오해가 풀려서 드디어 화해했어.
>
> 아휴, 그동안 고구마더니 사이다네, 사이다야. 속이 다 시원하다.
>
> 그러게 말이야.

위 상황에 쓰인 '고구마'와 '사이다'가 바로 유행어예요. '고구마'는 '융통성이 없어 답답하게 구는 사람이나 일이 뜻대로 되지 않아 답답한 상황을 고구마를 먹고 목이 메는 것에 비유하여 이르는 말.'이라는 뜻으로, '사이다'는 '답답한 상황을 속 시원하게 해결해 주는 사람이나 상황을 비유적으로 이르는 말.'이라는 뜻으로 썼어요. 두 단어는 모두 널리 쓰이게 되면서 현재 개방형 국어사전인 〈우리말샘〉에도 등재되어 있답니다.

교과서 개념 09

어휘의 양상 2

어휘는 의미 관계에 따라서도 다양한 양상을 보입니다. 서로 의미가 비슷한 단어가 있고, 정반대인 단어들도 있지요. 어떤 단어는 다른 단어의 의미를 포함하기도 하고, 또 다른 단어의 의미에 포함되기도 해요. 그럼 이런 어휘의 양상을 한번 살펴볼까요?

유의어 類 비슷할 유 義 뜻 의 語 말씀 어

- 말소리는 다르지만 의미가 서로 비슷한 관계(유의 관계)에 있는 단어들

  예 틈 – 사이, 다음 – 나중, 가끔 – 이따금, 막다 – 방어하다

- 뜻이 서로 비슷한 단어라고 해도 미묘한 의미 차이가 있음. → 서로 바꾸어 쓸 수 없는 경우가 있음.

	얇다	가늘다
뜻	두께가 두껍지 아니하다.	물체의 지름이 보통의 경우에 미치지 못하고 짧다.
예	• 옷이 얇다. • 봉투가 너무 얇다.	• 실이 가늘다. • 팔뚝이 가늘다.

반의어 反 반대할 반 義 뜻 의 語 말씀 어

- 의미가 서로 반대되는 관계(반의 관계)에 있는 단어들

  예 낮 – 밤, 가끔 – 자주, 맞다 – 틀리다, 굵다 – 가늘다

- 한 단어와 짝이 되는 반의어가 여러 개 있을 수 있음.

벗다	• 장화를 벗다. ↔ 장화를 신다. • 모자를 벗다. ↔ 모자를 쓰다. • 윗옷을 벗다. ↔ 윗옷을 입다.

상의어와 하의어 上 위 상 義 뜻 의 語 말씀 어 / 下 아래 하 義 뜻 의 語 말씀 어

- 상의어: 한쪽이 의미상 다른 쪽을 포함하는 단어로, 대개 일반적이고 포괄적인 의미를 지님. → 상위어라고도 함.

- 하의어: 한쪽이 의미상 다른 쪽에 포함되는 단어로, 대개 구체적이고 한정적인 의미를 지님. → 하위어라고도 함.

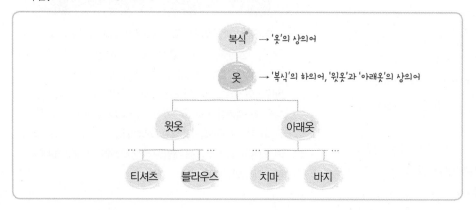

다의어와 동음이의어

· 다의어(多義語)

– 두 가지 이상의 의미가 있는 단어.

– 하나의 중심적 의미(가장 기본적·핵심적 의미)에서 나온 여러 개의 주변적 의미(중심적 의미에서 확장된 그 밖의 의미)가 있음.

– 사전에 하나의 단어로 실림.

> **보다** 「동사」
> ① 눈으로 대상의 존재나 형태적 특징을 알다.
> ② 눈으로 대상을 즐기거나 감상하다.

· 동음이의어(同音異義語)

– 소리는 같으나 의미가 다른 단어.

– 중심적 의미가 서로 다름.

– 사전에 각각 다른 단어로 실림.

> **배1** 사람이나 동물의 몸에서 위장, 창자, 콩팥 따위의 내장이 들어 있는 곳으로 가슴과 엉덩이 사이의 부위.
> **배2** 사람이나 짐 따위를 싣고 물 위로 떠다니도록 나무나 쇠 따위로 만든 물건.

● **복식** 옷과 장신구를 아울러 이르는 말.

교과서 개념 익히기

1 어휘의 양상에 관한 설명으로 맞으면 ○, 틀리면 X를 하세요.

(1) 유의어는 말소리와 의미가 서로 비슷한 단어들이다.　　　　　　　　　　　　　　　　(　)

(2) 유의어는 뜻이 서로 비슷하므로 항상 바꾸어 쓸 수 있다.　　　　　　　　　　　　　　　(　)

(3) 한 단어와 짝이 되는 반의어는 여러 개가 있을 수 있다.　　　　　　　　　　　　　　　(　)

(4) 상의어는 한쪽이 의미상 다른 쪽을 포함하는 단어이고, 하의어는 다른 쪽에 포함되는 단어이다.　　　　　　　　　　　　　　　　　　(　)

(5) 다의어와 동음이의어는 모두 사전에 한 단어로 실린다.　　　　　　　　　　　　　　　(　)

2 다음 빈칸에 들어갈 알맞은 말을 쓰세요.

(1) 반의어는 의미가 서로 □□되는 관계에 있는 단어들이다.

(2) 상의어는 대개 □□□이고 포괄적인 의미를 지니며, 하의어는 대개 □□□이고 한정적인 의미를 지닌다.

(3) 다의어는 하나의 □□□ 의미와 그 의미에서 나온 여러 개의 □□□ 의미를 지닌다.

3 다음 단어의 유의어와 반의어를 〈보기〉에서 찾아 쓰세요.

보기			
자주	느리다	이따금	이르다

(1) 가끔 – 유의어 (　　　), 반의어 (　　　)

(2) 빠르다 – 유의어 (　　　), 반의어 (　　　)

4 ㉠~㉢을 의미 관계에 따라 분류하세요.

㉠ 낮 – 밤　　㉡ 다음 – 나중　　㉢ 옷 – 블라우스

(1) 유의 관계 → (　　　)

(2) 반의 관계 → (　　　)

(3) 상하 관계 → (　　　)

5 다음 단어들 중 나머지 단어들을 모두 포함하는 상의어를 찾아 ○ 표시를 하세요.

옷　　반지　　복식　　치마　　티셔츠　　목걸이

6 다음 문장의 괄호 안에서 문맥에 맞는 단어를 골라 ○ 표시를 하세요.

(1) 옷을 (얇게 / 가늘게) 입지 마라.

(2) 실이 머리카락보다 (얇다 / 가늘다).

(3) 귤껍질이 (얇아서 / 가늘어서) 맛있어 보인다.

빈틈 공략하기 Q&A

Q '할아버지'의 반의어는 '할머니'일까, '손녀'일까?

A 반의 관계는 오직 한 개의 의미 요소만 다르고 나머지 의미 요소들이 모두 같아야 성립해요.

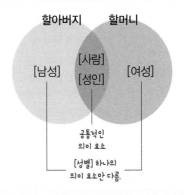

예를 들어 '할아버지'와 '할머니'는 [성별] 하나의 의미 요소만 다르고 나머지 의미 요소들은 모두 공통되기 때문에 반의 관계를 이루지요.

그럼 '할아버지'와 '손녀'는 어떨까요? '할아버지'와 '손녀'는 [연령]과 [성별] 두 개의 의미 요소가 다르기 때문에 반의 관계를 이룰 수 없어요.

따라서 '할아버지'의 반의어는 '할머니'예요. 반의 관계는 의미가 조금 다르다고 성립하는 것이 아니라 일정한 조건 아래에서 성립한다는 것을 알아 두세요.

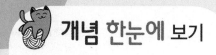

어휘의 체계와 양상

● 어휘의 체계

고유어	• 예부터 우리말에 있었거나 우리말에 기초하여 새로 만들어진 말 • 촉감, 색깔, 맛, 모양, 소리 등을 생생하게 표현할 수 있는 어휘가 많음. 　예 매끄럽다(촉감), 붉다(색깔), 달다(맛), 깡충깡충(모양), 주룩주룩(소리) • 우리 민족의 고유한 문화와 정서를 잘 표현함.
한자어	• 한자에 기초하여 만들어진 말 • 대개 고유어에 비해 좀 더 분화된 의미를 가지고 있어 고유어를 보완함. 　예 고치다 → 수리(修理)하다, 수정(修訂)하다, 치료(治療)하다 • 대체로 한 글자가 하나의 의미를 나타내 개념을 압축적으로 표현하기에 좋음. 　예 걸어서 길거리를 오가는 사람 → 보행자(步行者)
외래어	• 다른 나라에서 들어온 말 가운데 우리말로 인정되는 말 • 외국 문화와의 접촉을 통해 들어와 우리말 어휘를 보충해 줌. 　예 볼펜, 컴퓨터, 티셔츠

● 지역적 · 사회적 요인에 따른 어휘의 양상

지역 방언	• 지역에 따라 달라진 말 　예 '옥수수'를 일컫는 말 – 옥시기(강원도), 옥수수(경기도), 옥수깨이(충청도), 강낭수꾸(경상도), 옥수시(전라도) • 같은 지역 방언을 사용하는 사람들끼리 친근감과 유대감을 느끼게 함.
사회 방언	• 세대, 직업, 성별 등 사회적 요인에 따라 다르게 쓰이는 말 　ㅡ 세대에 따라 예 청소년층 – 생파(줄임 말), 고구마(유행어) / 노년층 – 영애(한자어) 　ㅡ 특정 분야에 따라 예 전문어 – 럽처(의학 용어), 클로즈업(영상 용어) 　ㅡ 특정 집단에 따라 예 은어 – 먹주(청과물 시장 상인의 은어), 데땡이(심마니의 은어) • 구성원들의 소속감, 동질감을 강화하거나 의사소통의 효율성을 높임.

● 의미 관계에 따른 어휘의 양상

유의어	말소리는 다르지만 의미가 서로 비슷한 관계에 있는 단어들 예 틈 – 사이, 막다 – 방어하다
반의어	의미가 서로 반대되는 관계에 있는 단어들 예 맞다 – 틀리다, 굵다 – 가늘다
상의어	한쪽이 의미상 다른 쪽을 포함하는 단어 → 일반적 · 포괄적인 의미를 지님.
하의어	한쪽이 의미상 다른 쪽에 포함되는 단어 → 구체적 · 한정적인 의미를 지님.
다의어	두 가지 이상의 의미가 있는 단어 → 사전에 하나의 단어로 실림.
동음이의어	소리는 같으나 의미가 다른 단어 → 사전에 각각 다른 단어로 실림.

개념 적용 훈련 문제

01 어휘에 대한 설명으로 적절하지 <u>않은</u> 것은?
① 공통된 특성을 지닌 단어의 집합이다.
② 의미 관계에 따라 다양한 양상을 보인다.
③ 우리말 어휘는 고유어, 한자어, 외래어로 나눌 수 있다.
④ 지역에 따라 달라진 말을 지역 방언이라고 한다.
⑤ 사회적 요인에 따라 유의어, 반의어, 상의어, 하의어 등으로 나뉜다.

02 ㉠~㉂을 어휘의 체계에 맞게 분류하세요.

> **체육관 이용 공지**
>
> 첫째, ㉠운동을 시작하기 전에 ㉡몸을 충분히 풀어 주세요.
> 둘째, 자신에게 맞는 ㉢헬스 기구를 고르세요.
> 셋째, 운동은 ㉣처음부터 무리하는 것보다 꾸준히 하는 것이 효과적이에요.
> 넷째, 운동을 끝내고 ㉤샤워를 할 때에는 ㉥수건을 한 장만 사용하세요.

• 고유어: (   )   • 한자어: (   )
• 외래어: (   )

03 다음 밑줄 친 단어를 통해 알 수 있는 고유어의 특성으로 적절한 것은?

> 아이들이 연못에 <u>풍당풍당</u> 돌을 던지자, 개구리들이 <u>폴짝</u> 뛰어오르며 물속으로 <u>풍덩풍덩</u> 뛰어들었다.

① 새로운 사물이나 현상을 나타내는 어휘가 많다.
② 같은 언어를 쓰는 사람끼리 친근감을 느끼게 한다.
③ 우리말로 굳어져 외래어나 한자어로 바꾸어 쓰기 어렵다.
④ 모양이나 소리 등을 생생하게 표현할 수 있는 어휘가 많다.
⑤ 한 글자가 하나의 의미를 나타내 개념을 압축적으로 표현한다.

04 다음 밑줄 친 고유어와 바꾸어 쓸 수 있는 한자어로 가장 적절한 것은?

> 지윤이가 글을 다시 읽고 <u>고쳤다</u>.

① 개선(改善)하다   ② 개정(改正)하다
③ 수선(修繕)하다   ④ 수정(修訂)하다
⑤ 치료(治療)하다

05 ㉠~㉤과 바꾸어 쓸 수 있는 한자어로 적절하지 <u>않은</u> 것은?

> 하루: 너 표정이 안 좋아 보여. 무슨 일이야?
> 가영: 지금은 ㉠말하고 싶지 않아.
> 하루: 내가 도움이 될 수도 있잖아. ㉡말해 봐.
> 가영: 친구가 내 ㉢말을 오해해서 좀 다퉜어. 의도와 달리 내 ㉣말이 잘못됐나 봐.
> 하루: 친구에게 가서 다시 솔직하게 ㉤말해 보면 어때?

① ㉠: 대화   ② ㉡: 계획   ③ ㉢: 의도
④ ㉣: 표현   ⑤ ㉤: 해명

06 〈보기〉의 밑줄 친 단어에 대한 설명으로 적절하지 <u>않은</u> 것은?

> **보기**
> • 정월 보름날 아침이면 <u>부럼</u>을 깨문다.
> • 할아버지께서는 <u>연세</u>가 어떻게 되십니까?
> • 나는 오늘 늦잠을 자서 <u>버스</u>를 놓쳤다.

① '연세'는 한자를 기초로 만들어진 말이다.
② '연세', '버스'는 우리말을 풍부하게 해 준다.
③ '연세', '버스'는 대체해 쓸 고유어가 존재한다.
④ '부럼'은 우리 민족의 문화와 관습을 나타내는 말이다.
⑤ '버스'는 다른 나라에서 들어온 말이지만 우리말로 인정된다.

07 다음 해설자의 말에 나타난 문제점으로 가장 적절한 것은?
중

> 해설자: 말씀드리는 순간, 정○○ 선수가 김□□에게 볼을 패스했습니다. 김□□ 선수, 이 선수는 파워가 뛰어날 뿐만 아니라 몸의 밸런스가 참 좋고 스피드가 남다르지요.

① 외래어를 지나치게 많이 사용하고 있다.
② 의미를 지나치게 압축적으로 표현하고 있다.
③ 특정 집단에 속하지 못한 사람들은 알아듣기 어렵다.
④ 실생활에서 잘 사용하지 않는 단어로 이야기하고 있다.
⑤ 지역에 따라 달라진 말을 사용하고 있어 의미를 해석하기 어렵다.

08 다음 대화 참여자들이 의사소통에 어려움을 겪는 이유로 가장 적절한 것은?
하

> 학생들이 제주도로 수학여행을 간 상황.
> 가이드: 먼 길들 오느라 피곤하지? 홀딱 속았수다.
> 학생 1: 저희는 속은 적 없는데요?
> 학생 2: 맞아요. 제대로 도착했잖아요.

① 계층   ② 세대   ③ 지역   ④ 직업   ⑤ 성별

09 ㉠과 ㉡에 대한 설명으로 적절하지 않은 것은?
중

> ㉠ 민우: (고향 친구에게) 내일 비가 겁나게 많이 온당께 조심해라잉.
> ㉡ 민우: (시청자에게) 내일은 장마 전선의 영향으로 전국이 흐리고 비가 많이 내리겠습니다.

① ㉠은 사적인 상황, ㉡은 공적인 상황이다.
② ㉠에서는 지역 방언, ㉡에서는 표준어를 사용한다.
③ ㉠의 어휘는 해당 지역의 특색과 정서를 드러낸다.
④ ㉡의 어휘는 원활한 의사소통을 위해서 정해진 것이다.
⑤ ㉠의 어휘는 의사소통에 어려움을 주기 때문에 사용하지 않는 것이 좋다.

10 다음 중 표준어를 사용하는 것이 더 적절한 상황은?
하

① 고향에서 친척들과 대화할 때
② 운동선수가 기자 회견을 할 때
③ 길에서 우연히 고향 친구를 만났을 때
④ 지방에서 해당 지역의 상품을 홍보할 때
⑤ 특정 지역을 배경으로 영화를 촬영할 때

11 〈보기〉의 밑줄 친 어휘의 특징으로 적절한 것은?
중

> **보기**
> 의사: 이 환자, 럽쳐는 아니니 엔세이드 쓰면서 얼음 찜질하면 되겠네요.
> 간호사: 네, 알겠습니다.

① 비교적 짧은 어느 한 시기에 쓰인다.
② 상대방에게 웃음과 재미를 줄 수 있다.
③ 당대의 시대적 상황을 생생하게 반영한다.
④ 해당 분야의 일을 효율적으로 수행하게 한다.
⑤ 모든 사람과 원활하고 효율적으로 의사소통할 수 있다.

12 다음 밑줄 친 어휘의 성격이 다른 하나는?
하

① 오늘 도희 생파 갈 거야?
② 우리 문상으로 영화 볼까?
③ 그간 평안하게 지내셨나요?
④ 아휴, 답답하기는. 너 고구마니?
⑤ 저는 생선으로 운동화 받고 싶어요.

13 〈보기〉에서 상인들이 밑줄 친 어휘를 사용하는 이유를 한 문장으로 쓰세요.
중

> **보기**
> 상인 1: 이 사과 한 상자당 대에 살 수 있을까요?
> 상인 2: 아뇨, 이거 알이 굵어서 삼패는 주셔야 해요.
> 손님: 무슨 말이지?

14 다음 대화에 대한 설명으로 적절하지 <u>않은</u> 것은?

① 할머니는 '본방 사수'라는 말을 이해하지 못한다.
② 손자는 '동짓달'과 '초하루'라는 말을 알지 못한다.
③ 할머니와 손자는 세대를 고려해 적절한 어휘를 사용해야 한다.
④ 할머니와 손자는 사회적 요인에 의해 달라진 어휘를 사용하고 있다.
⑤ 할머니는 사적인 상황에 맞지 않는 어휘를 사용해 대화에 어려움을 겪고 있다.

15 다음 단어들의 의미 관계를 <u>잘못</u> 파악한 것은?

① 틈 – 사이: 유의 관계
② 과일 – 사과: 상하 관계
③ 가끔 – 이따금: 반의 관계
④ 곱다 – 아름답다: 유의 관계
⑤ 빠르다 – 느리다: 반의 관계

16 다음 단어들의 의미 관계에 대한 설명으로 적절하지 <u>않은</u> 것은?

① 단어들의 의미상 상하 관계를 나타낸다.
② '재킷'과 '티셔츠'는 '윗옷'의 하의어이다.
③ '윗옷'은 '옷'이 지닌 의미를 모두 포함한다.
④ '치마', '바지'의 의미는 '아래옷'의 의미에 포함된다.
⑤ '아래옷'은 상의어도 될 수 있고 하의어도 될 수 있다.

17 ㉠, ㉡의 밑줄 친 단어들의 의미 관계로 적절한 것은?

㉠ 바람이 불어서 다리가 흔들려!
㉡ 무서워서 다리가 후들거려!

① ㉠, ㉡은 의미상 서로 관련이 있다.
② ㉠, ㉡은 소리는 같지만 의미가 다르다.
③ ㉠은 중심적 의미, ㉡은 주변적 의미이다.
④ ㉠, ㉡은 사전에 하나의 단어로 실려 있다.
⑤ 단어의 정확한 발음을 통해 의미를 파악해야 한다.

18 다음 밑줄 친 말 중에서 〈보기〉의 '머리'와 그 의미가 가장 비슷한 것은?

> **보기**
> 그는 똑똑하고 <u>머리</u>가 좋다.

① 내 <u>머리</u>가 많이 길었어.
② 잠을 못 잤더니 <u>머리</u>가 아파.
③ 내일 아침에 <u>머리</u>를 감아야지.
④ 그는 <u>머리</u>에 흰색 모자를 썼어.
⑤ 좋은 <u>머리</u>를 썩히지 말고 공부하자.

19 다음 밑줄 친 말의 반의어로 적절한 것은?

> 집에 도착해서 장화를 <u>벗다</u>.

① 메다 ② 신다 ③ 쓰다 ④ 씻다 ⑤ 입다

20 ㉠과 ㉡을 통해 알 수 있는 유의어의 특징을 한 문장으로 쓰세요.

㉠ 형이 방 (속(×)/안(○))에서 문을 안 열어요.
㉡ 어젯밤부터 (얇은(×)/가는(○)) 비가 내렸다.

교과서 실전 문제

학습활동응용 천재(박)

01 다음 밑줄 친 단어를 ㉠~㉢과 같이 분류할 때, ㉠~㉢에 대한 설명으로 가장 적절한 것은?

> 하늘 레스토랑이 새롭게 태어납니다!
> **좀 더 넓은 매장에서 세련된 인테리어로 여러분을 맞이하겠습니다.**
> 이벤트 1. 방문하시는 분 모두에게 기념품을 증정합니다.
> 이벤트 2. 식사 후, 홈페이지의 설문 조사에 참여해 주시면 추첨을 통해 선물을 드립니다.

> ㉠ 하늘, 모두 ㉡ 매장, 기념품
> ㉢ 레스토랑, 홈페이지

① ㉠: 대체로 글자마다 의미를 지녀 개념을 압축적으로 표현하기에 좋다.
② ㉡: 분화된 의미를 지녀 다양하고 풍부한 의미로 해석된다.
③ ㉡: 우리말에 기초하여 새로 만들어진 말로, 우리말의 일부이다.
④ ㉢: 외국 문화와의 접촉을 통해 들어온 말로, 우리말 어휘를 보충해 준다.
⑤ ㉢: 외국에서 들어왔지만 우리말로 인정된 말이므로 다른 말로 고치거나 없애서는 안 된다.

02 다음을 통해 알 수 있는 고유어의 특징으로 가장 적절한 것은?

> 그네 씨름 달맞이 강강술래

① 새로운 사물이나 현상을 나타내는 말이 많다.
② 모양, 색깔을 생생하게 나타내는 표현이 많다.
③ 우리 민족의 삶과 밀접한 관련이 있어 고유의 문화를 잘 담고 있다.
④ 같은 언어도 지역적으로 떨어져 오랜 시간이 흐르면 다양하게 변한다.
⑤ 직업, 나이, 성별 등 사회적 요인에 따라 각 집단에서 특징적으로 쓴다.

기출문제응용 고1 교육청

03 다음 대화 상황에 드러난 어휘의 양상에 대한 설명으로 적절한 것은?

① 성별에 따라 달리 사용되는 어휘가 나타난다.
② 특정 세대의 문화가 반영된 어휘가 나타난다.
③ 지역적으로 격리되면서 달라진 어휘가 나타난다.
④ 불쾌감을 유발하는 어휘와 이를 대신하는 어휘가 나타난다.
⑤ 전문적인 일을 효과적으로 수행하기 위한 어휘가 나타난다.

04 ㉠~㉣의 밑줄 친 어휘에 대한 설명으로 적절하지 않은 것은?

> ㉠ 엄마: 야야, 우리 강새이 어서 온나.
> ㉡ 할아버지: 자당께서는 별고 없으시냐?
> ㉢ 독립운동가: 꿩(친일파)을 반드시 잡아야 해.
> ㉣ 연출가: 클로즈업 준비해 주세요. 슛 들어갑니다.

① ㉠은 지역에 따라 달라진 말이다.
② ㉡은 세대, ㉢은 성별, ㉣은 직업적 요인에 따라 달라진 사회 방언이다.
③ ㉡에는 노년층에서 젊은 사람들은 잘 사용하지 않는 한자어를 쓰는 양상이 나타나 있다.
④ ㉢은 집단 외부의 사람에게 알려지면 더 이상 사용되기 어렵다.
⑤ ㉣은 특정 분야에서 전문적인 개념을 표현하는 말로, 전문 분야의 일을 수행하는 데 도움을 준다.

05 〈보기〉의 ⊙에 들어갈 수 있는 예문으로 적절하지 않은 것은?

기출문제응용 고2 교육청

보기

• **동음이의어**: 소리는 같으나 뜻이 다른 단어. 국어사전에는 제각기 다른 표제어로 수록됨.

발1	오래 걸었더니 발이 아프다.
발2	여름에는 문에 발을 친다.
배1	점심을 먹어서 배가 부르다.
배2	⊙

• **다의어**: 두 가지 이상의 의미를 가진 단어. 같은 어원에서 나왔지만 뜻이 분화되면서 여러 가지 의미를 갖게 됨. 국어사전에는 하나의 표제어로 수록됨.

| 다리 | 민희가 다리를 다쳤다. |
| | 책상 다리가 부러졌다. |

① 저 돌기둥은 배가 불룩하다.
② 이번 달에는 물가가 배로 올랐다.
③ 태풍 때문에 배가 뜨지 못하였다.
④ 할아버지는 달콤한 배를 좋아하신다.
⑤ 우리는 총장 배 야구 대회에서 우승을 하였다.

06 ⊙~⑩ 어휘의 의미 관계에 대한 설명으로 적절한 것은?

오늘은 고향에 내려가는 날이다. 어제 비가 많이 ⊙내려 걱정했는데, 새벽에 비구름이 ⓛ빠르게 지나가서 다행이다. 일을 빨리 마치고 고향으로 가는 ⓒ기차에 ⓔ올랐다. 두 시간 뒤 기차가 역에 도착하자, ⑩버스로 갈아타고 집으로 향했다.

① ⊙과 ⓔ은 반의 관계이다.
② ⓛ은 유의어인 '이르게'로 바꾸어 쓸 수 있다.
③ ⓒ은 '대중교통'의 상의어이다.
④ ⓔ은 유의어인 '탔다'로 바꾸어 쓸 수 있다.
⑤ ⑩은 ⓒ의 하의어로, 좀 더 구체적이고 한정된 의미를 지닌다.

⭐ 서술형 문제

07 요리사가 ⊙, ⓛ의 상황에서 같은 내용을 다르게 표현한 이유를 서술하세요.

학습활동응용 미래엔

⊙ 요리사: 요리사님, 당근은 쥘리엔으로, 감자는 콩카세로 준비해 주세요.
ⓛ 요리사: 어머님들, 당근은 채 썰어 주시고, 감자는 정사각형으로 아주 잘게 다져 주세요.

조건

• ⊙, ⓛ의 대화 상대의 특성을 포함하여 쓸 것.
• ⊙에서 사용한 어휘를 무엇이라 하는지 밝힐 것.
• 대조의 방법을 사용하여 서술할 것.

_____

_____

08 사회자가 ㉠와 ㉡에서 각각 다른 말을 사용한 이유를 서술하세요.

학습활동응용 천재(노)

사회자: ㉠ [전국에 계신 시청자 여러분, 안녕하십니까? 노래자랑과 함께해 주셔서 감사합니다. 먼저 첫 번째 참가자를 모시겠습니다. 어머니, 왜 이리 땀을 흘리시나요? 긴장되십니까?]
참가자: 하모예, 억수로 긴장됩니다.
사회자: ㉡ [어무이, 여거 다 동네 사람들이니 긴장 안 하셔도 됩니더. 마음 단디 먹고 잘하실 수 있겠지예?]

조건

• ㉠와 ㉡에서 사용한 말을 무엇이라 하는지 각각 밝힐 것.
• '사회자는 ㉠에서 ~ 수 있도록 ~을/를 사용했고, ㉡에서 ~ 수 있도록 ~을/를 사용했다.'의 형식으로 서술할 것.

_____

_____

IV

담화의 개념과 특성

 친구에게 전하고 싶은 생각이 있을 때 여러분은 어떻게 하나요? 그 친구에게 말이나 글로 전달하겠지요? 이처럼 우리는 날마다 주변 사람들과 말이나 글을 통해 생각과 느낌을 주고받으며 살아갑니다.

 그런데 말하는 사람의 의도를 제대로 이해하지 못하거나, 상황에 맞지 않게 엉뚱하게 반응하면 어떻게 될까요? 서로 의사소통이 제대로 이루어지지 못할 거예요. 이러한 일이 일어나지 않기 위해서는 '맥락'을 고려하여 '담화'를 해석해야 합니다. 이 단원에서는 '담화'가 무엇인지, 의사소통할 때 어떤 '맥락'을 고려해야 하는지 알아보기로 해요.

개념 미리 보기 📖

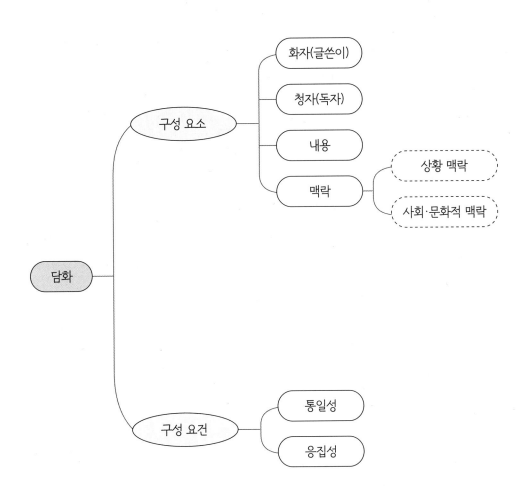

담화

- 구성 요소
  - 화자(글쓴이)
  - 청자(독자)
  - 내용
  - 맥락
    - 상황 맥락
    - 사회·문화적 맥락
- 구성 요건
  - 통일성
  - 응집성

10 담화의 개념과 특성 談 말씀 담 話 말씀 화

'담화'의 사전적 정의를 보면 '둘 이상의 문장이 연속되어 이루어지는 말의 단위.'라고 되어 있어요. 사실 담화가 무엇인지는 이 한 문장으로 이해하긴 어려워요. 다음 내용을 보며 담화가 무엇인지, 어떤 특성을 갖고 있는지 알아보기로 해요.

담화의 개념과 구성 요소

(1) **담화의 개념**: 화자와 청자가 주고받는 발화의 연속체

　※발화: 의사소통 과정에서 머릿속 생각이 음성 언어로 나타난 것

　　(예)

→ 위 대화에서 성현이와 윤미가 한 말 각각은 발화, 이들이 나눈 대화 전체를 담화라고 할 수 있음.

(2) **담화의 구성 요소** → 구어 의사소통을 중심으로 한 구성 요소

　① 화자: 자신의 의도를 담아 내용을 표현하는 사람 ┐
　② 청자: 자신의 경험과 배경지식을 토대로 내용의 의미를 해석하는 사람 ┘ 담화 참여자
　③ 내용: 의사소통을 통해 전달하고자 하는 내용
　④ 맥락: 담화가 이루어지는 상황 맥락과 사회·문화적 맥락

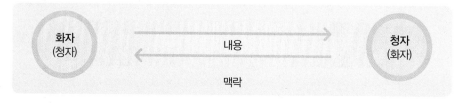

담화의 구성 요건

담화의 의미가 잘 전달되려면 통일성과 응집성을 갖추어야 함.

(1) **통일성**
- 발화들의 내용이 담화의 주제를 향해 밀접하게 연관되는 것
- 담화의 통일성을 높이려면 주제를 명확히 하고 주제와 어긋나는 부분은 삭제해야 함.

(2) **응집성**
- 담화를 구성하는 발화들이 형식적으로 긴밀하게 연결되는 것
- 담화의 응집성을 갖추려면 지시 표현과 접속 표현을 적절하게 사용하여 발화 사이를 잘 연결해야 함.

담화의 종류

담화의 기능에 따라 나눌 수 있음.

정보 제공 담화	강의, 뉴스, 보도, 보고서, 안내문, 신문 등
호소 담화	광고, 설교, 연설 등
약속 담화	맹세, 선서, 계약서, 합의서 등
사교 담화	잡담, 인사말, 소개, 문안 편지 등
선언 담화	휴전 선포, 선전 포고, 유언장, 임명장, 판결문 등

의사소통의 종류

- 구어(口語) 의사소통: 입으로 하는 말을 통해 이루어지는 의사소통.
- 문어(文語) 의사소통: 문자를 통해 이루어지는 의사소통. 구어 의사소통에서 담화 참여자가 '화자'와 '청자'라면, 문어 의사소통에서는 '글쓴이'와 '독자'임.

지시 표현과 접속 표현

- 지시 표현: 이, 그, 저, 이것, 그것, 저것, 이러한(이렇다), 그러한(그렇다), 저러한(저렇다) 등
- 접속 표현: 그리고, 더욱이, 또한, 그러나, 하지만, 따라서, 그러므로, 그런데, 한편 등

담화의 맥락

담화의 의미는 고정되어 있지 않고, 담화가 이루어지는 맥락 속에서 결정됨.

(1) 상황 맥락

- 담화의 해석에 영향을 미치는, 장면 자체와 관련된 맥락
- 화자와 청자의 관계, 시간과 장소, 의도나 목적 등을 포함함.

→ '팔이 아프지는 않으세요?'를 의미함.

→ '신발이 발에 잘 맞으세요?'를 의미함.

> 같은 발화이지만 상황 맥락에 따라 의미가 다르게 해석됨.

(2) 사회 · 문화적 맥락

- 담화의 해석에 영향을 미치는, 사회·문화적 배경, 관습 등과 관련된 맥락
- 지역, 세대, 문화, 역사적·사회적 배경 등을 포함함.

→ 나이 드신 분은 '달덩이 같다'를 긍정적 의미로 사용함.

→ 우리나라에는 손님에게 음식을 대접할 때 겸손하게 표현하는 문화가 있음.

> - 지역, 세대, 문화, 역사적·사회적 배경 등에 따라 같은 말도 다르게 이해할 수 있음.
> - 사회·문화적 맥락이 다른 사람과 의사소통할 때에는 상대방을 배려하는 태도를 지녀야 함.

원활한 의사소통을 위해 필요한 태도

- 담화의 맥락을 고려하여 의도하는 바를 적절하게 표현해야 함.
- 상대방의 의도를 정확하게 이해하려 노력해야 함.
  → 의사소통에서 생기는 불필요한 오해와 갈등들을 줄일 수 있음.

2
학년

담화를 해석할 때 고려해야 할 상황 맥락

화자와 청자의 관계	말하는 사람이 누구인지, 듣는 사람이 누구인지, 그들이 어떤 관계인지를 고려해야 함.
시간과 장소	담화가 이루어지는 시간적·공간적 상황을 고려해야 함.
의도나 목적	화자의 발화 의도나 목적이 무엇인지를 고려해야 함.

담화를 해석할 때 고려해야 할 사회 · 문화적 맥락

지역	공간적으로 떨어진 채 오랜 시간이 지나면서 어휘나 표현이 달라진 것이 있음을 고려해야 함.
세대 (나이)	세대(나이)에 따라 상대적으로 다른 세대(나이)에 비해 두드러지는 어휘나 표현상의 특징이 있음을 고려해야 함.
문화	언어는 문화의 영향을 받기 때문에 문화권별 특징이 나타나는 어휘나 표현 등이 있음을 고려해야 함.
역사적 · 사회적 배경	특정한 역사적·사회적 배경으로 한 담화는 화자와 청자가 그 배경을 공유하고 있을 때 의사소통이 원활하게 이루어질 수 있음을 고려해야 함.

1 다음 빈칸에 들어갈 알맞은 말을 쓰세요.

(1) 의사소통 과정에서 머릿속 생각이 음성 언어로 나타난 것을 □□라고 한다.

(2) 화자와 청자가 주고받는 □□의 연속체를 □□라고 한다.

(3) 담화의 구성 요소에는 화자, □□, 내용, □□이 있다.

(4) 담화의 의미가 잘 전달되려면 □□□과 응집성을 갖추어야 한다.

2 다음 설명이 가리키는 것을 바르게 연결하세요.

(1) 의사소통을 통해 전달하고자 하는 내용 · · ㉠ 화자

(2) 담화가 이루어지는 상황 맥락과 사회·문화적 맥락 · · ㉡ 청자

(3) 자신의 의도를 담아 내용을 표현하는 사람 · · ㉢ 내용

(4) 자신의 경험과 배경지식을 토대로 내용의 의미를 해석하는 사람 · · ㉣ 맥락

3 다음 설명이 가리키는 것이 무엇인지 〈보기〉에서 골라 기호를 쓰세요.

┌─ 보기 ─┐
㉠ 응집성   ㉡ 통일성
└────────┘

(1) 발화들의 내용이 담화의 주제를 향해 밀접하게 연관되는 것 (   )

(2) 담화를 구성하는 발화들이 지시 표현이나 접속 표현 등을 활용하여 형식적으로 긴밀하게 연결되는 것 (   )

4 〈보기〉의 담화 상황에 대한 설명으로 맞으면 ○, 틀리면 X를 하세요.

┌─ 보기 ─┐
윤미: 성현아, 배고픈데 같이 밥 먹고 가자.
성현: 그래, 윤미야. 분식집 어때?
└────────┘

(1) 이 담화에서 성현과 윤미가 한 말 각각은 발화이다. (   )

(2) 이 담화에서 화자와 청자는 윤미와 성현이다. (   )

(3) 이 담화가 이루어지는 장소는 분식집이다. (   )

5 다음 글에서 통일성을 해치는 문장을 찾아 첫 어절과 끝 어절을 쓰세요.

학생들이 할 수 있는 기부에는 어떤 것이 있을까? 먼저 자신의 재능을 기부해서 다른 사람들을 도울 수 있다. 또 안 쓰는 중고 학용품을 모아 국내외의 어려운 아이들에게 기부하는 방법도 있다. 국내에도 어려운 사람들이 많은데 굳이 해외에 기부를 할 필요가 있을까? 기부는 어려운 것이 아니다.

6 다음은 담화의 맥락에 대한 설명입니다. 빈칸에 들어갈 알맞은 말을 쓰세요.

(1) 담화의 해석에 영향을 미치는, 장면 자체와 관련된 맥락을 □□ 맥락이라고 한다.

(2) 담화를 해석할 때 고려해야 할 상황 맥락에는 화자와 청자의 관계, □□과 장소, 의도나 목적 등이 있다.

(3) 담화의 해석에 영향을 미치는, 사회·문화적 배경, 관습 등과 관련된 맥락을 □□·□□□ 맥락이라고 한다.

(4) 사회·문화적 맥락에는 지역, 세대, □□, 역사적·사회적 배경 등이 포함된다.

7 다음 설명이 맞으면 ○, 틀리면 X를 하세요.

(1) 담화의 의미는 항상 고정되어 있다.   (   )

(2) 의사소통을 할 때에는 상대방의 의도를 정확하게 이해하려 노력해야 한다.   (   )

(3) 담화의 맥락을 고려하여 의사소통을 하면 불필요한 오해와 갈등을 줄일 수 있다.   (   )

8 다음 상황에서 〈보기 1〉의 발화가 의미하는 것을 〈보기 2〉에서 찾아 기호를 쓰세요.

> 보기 1
>
> 불편하지는 않으세요?

> 보기 2
>
> ㉠ 신발이 발에 잘 맞나요?
> ㉡ 팔이 아프지는 않으세요?

(1) 병원에서 의사가 환자에게 깁스 처리를 하였을 때   (   )

(2) 신발 가게에서 손님이 신발을 신어 보았을 때   (   )

9 다음 말하는 이의 의도에 맞는 답변에 ○ 표시를 하세요.

(1) 선생님: (지각한 학생에게) 지금 도대체 몇 시니?

　㉠ 늦어서 죄송합니다.   (   )
　㉡ 네, 아홉 시 삼십 분입니다.   (   )

(2) 의사: (환자에게) 어떻게 오셨어요?

　㉠ 버스 타고요.   (   )
　㉡ 목이 아프고 열이 나서요.   (   )

(3) 학생: (지나가는 행인에게) 한국대에 가려면 어떻게 가야 하나요?

　㉠ 예습과 복습을 충실히 하세요.   (   )
　㉡ 저 앞 버스 정류장에서 ○○번 버스를 타세요.   (   )

10 다음 담화의 해석에 영향을 미치는 맥락을 〈보기〉에서 찾아 쓰세요.

> 보기
>
> 지역, 세대, 문화, 역사적·사회적 배경

(1) 할머니: (사랑스럽단 표정으로) 우리 손녀 얼굴이 달덩이같이 환하고 예쁘네.
　　손녀: (당황한 표정으로) 제 얼굴이 달덩이 같다고요?

(   )

(2) 정호: (음식이 가득 차려진 상을 가리키며) 파블로, 차린 것은 없지만 많이 먹어요.
　　파블로: 이렇게 먹을 게 많은데 차린 게 없다고요?

(   )

빈틈 **공략하기 Q&A**

Q 하나의 담화에서 '화자'와 '청자'는 정해져 있을까?

A 다음 대화를 한번 살펴보세요.

> 동생: 누나, 저 놀이기구 무서울 것 같아.
> 누나: 난 재미있을 것 같은데?
> 동생: 재미있을 것 같긴 한데, 그래도 조금 무서워.
> 누나: 나만 믿어. 자, 타러 가자.

위 대화에서 화자는 누구이고, 청자는 누구일까요? 동생이 먼저 말했으니까 '화자'일까요? 아니에요. 동생과 누나는 각각 화자가 되기도 하고 청자가 되기도 하면서 대화를 나누고 있습니다. 서로 말을 주고받기 때문에 화자와 청자가 계속 바뀌게 되는 것이지요. 이처럼 대화가 이어질 때에는 화자와 청자가 따로 정해져 있지 않답니다.

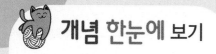

담화의 개념과 특성

◉ 발화와 담화의 개념

발화	의사소통 과정에서 머릿속 생각이 음성 언어로 나타난 것
담화	화자와 청자가 주고받는 발화의 연속체

◉ 담화의 구성 요소

화자	자신의 의도를 담아 내용을 표현하는 사람
청자	자신의 경험과 배경지식을 토대로 내용의 의미를 해석하는 사람
내용	의사소통을 통해 전달하고자 하는 내용
맥락	담화가 이루어지는 상황 맥락과 사회·문화적 맥락

◉ 담화의 구성 요건: 담화의 의미가 잘 전달되려면 통일성과 응집성을 갖추어야 함.

통일성	발화들의 내용이 담화의 주제를 향해 밀접하게 연관되는 것
응집성	• 담화를 구성하는 발화들이 형식적으로 긴밀하게 연결되는 것 • 지시 표현이나 접속 표현 등을 적절하게 사용하면 발화와 발화를 형식적으로 긴밀하게 연결할 수 있음.

◉ 담화의 맥락

상황 맥락	• 담화의 해석에 영향을 미치는, 장면 자체와 관련된 맥락 • 화자와 청자의 관계, 시간과 장소, 의도나 목적 등을 포함함. • 상황 맥락을 고려한 의미 해석의 예: "충분 남았는걸."	
	지각한 것 아니냐고 걱정하는 친구에게	지각이 아니니 괜찮다는 말임.
	점심시간에 운동장에 나가자는 친구에게	곧 수업이 시작되니 나가지 않겠다는 말임.
사회·문화적 맥락	• 담화의 해석에 영향을 미치는, 사회·문화적 배경, 관습 등과 관련된 맥락 • 지역, 세대, 문화, 역사적·사회적 배경 등을 포함함. • 사회·문화적 맥락을 고려한 의미 해석의 예: "달덩이 같다."	
	할머니가 손녀에게 한 말의 의미	복스럽고 보기 좋다는 의미임.
	손녀가 받아들이는 의미	얼굴에 살이 쪘다는 의미임.

개념 적용 훈련 문제

정답과 해설 20쪽

01 담화의 개념에 대한 설명으로 적절한 것은?
중
① 의사소통을 통해 전달하고자 하는 내용이다.
② 화자와 청자가 주고받는 발화의 연속체이다.
③ 자신의 의도를 담아 내용을 표현하는 사람이다.
④ 의사소통 과정에서 머릿속 생각이 음성 언어로 나타난 것이다.
⑤ 자신의 배경지식을 토대로 내용의 의미를 해석하는 사람이다.

02 다음 중 담화의 구성 요소가 아닌 것은?
하
① 화자   ② 청자   ③ 맥락
④ 통일성   ⑤ 전달하려는 내용

03 다음 담화의 구성 요소를 잘못 파악한 사람은?
상

① 동우: 화자는 식당의 주인이야.
② 지윤: 식당 주인이 청자인 손님들에게 말하고 있네.
③ 병선: 밤 9시 50분, 영업 종료 직전의 식당에서 이루어진 담화야.
④ 봄이: 외국과 한국의 사회·문화적 맥락 차이를 보여 주네.
⑤ 윤주: 식당 주인이 식사를 마무리해 달라는 내용을 전달하고 있어.

04 통일성과 응집성에 대한 설명으로 적절하지 않은 것은?
하
① 담화의 의미가 잘 전달되기 위해 필요한 요건이다.
② 응집성은 발화들이 형식적으로 긴밀하게 연결되는 것을 말한다.
③ 응집성을 갖추기 위해 '이, 그, 저' 등의 지시 표현을 활용한다.
④ 통일성은 발화들이 담화의 주제를 향해 밀접하게 연관되는 것을 말한다.
⑤ 통일성을 갖추기 위해 '그리고, 그러나, 한편' 등의 접속 표현을 활용한다.

05 다음 담화에서 통일성을 해치는 문장을 찾아 쓰세요.
중

> 운동은 몸에 좋다. 이것은 모두가 아는 사실이다. 하지만 운동이 몸을 해치는 경우도 있다. 자신에게 맞지 않는 방법으로 운동을 하거나 너무 무리하면 건강이 나빠질 수 있다. 운동을 많이 하면 피부가 좋아진다. 이 점을 기억하고, 적당하게 해야 한다.

_____

_____

06 다음 담화를 형식적으로 긴밀하게 연결하기 위해 수정할
중 부분을 찾아 알맞게 고쳐 쓰세요.

> 해설자: 달인표 떡볶이가 특별할 수밖에 없는 진짜 이유는 무엇일까요?
> 달인: 손님들이 오시면 맛있다고, 조미료는 어떤 것을 넣느냐고 합니다. 그래서 조미료는 하나도 안 들어갑니다.

_____

_____

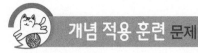

07 담화의 맥락에 대한 설명으로 적절하지 <u>않은</u> 것은?

① 상황 맥락은 담화의 해석에 영향을 미치는 장면 자체와 관련된 맥락이다.
② 상황 맥락은 화자와 청자의 관계, 시간과 장소, 의도나 목적 등을 포함한다.
③ 사회·문화적 맥락은 담화의 해석에 영향을 미치는 사회·문화적 배경이나 관습 등과 관련된 맥락이다.
④ 사회·문화적 맥락은 지역, 세대, 문화, 역사적·사회적 배경 등을 포함한다.
⑤ 담화를 해석할 때에는 항상 상황 맥락보다 사회·문화적 맥락을 우선적으로 고려해야 한다.

[08~09] 다음 대화를 읽고, 물음에 답하세요.

㉮ 유리: (미용실에서 나온 후) 내 머리 어때?
　　재호: 괜찮아.
㉯ 유리: (보건실에서) 몸은 좀 어때?
　　재호: 괜찮아.
㉰ 유리: (급식실에서) 내 반찬 좀 더 줄까?
　　재호: 괜찮아.

08 ㉮~㉰에 대한 설명으로 적절하지 <u>않은</u> 것은?

① ㉮~㉰는 각각 하나의 담화이다.
② ㉮~㉰의 상황 맥락은 모두 다르다.
③ ㉮~㉰의 화자는 유리, 청자는 재호이다.
④ ㉮~㉰에서 재호의 대답은 모두 다른 의미로 해석된다.
⑤ ㉮~㉰를 통해 상황 맥락이 의미 해석에 영향을 미침을 알 수 있다.

09 ㉮~㉰의 "괜찮아."의 의미를 〈보기〉에서 골라 쓰세요.

〈보기〉
㉠ 아프지 않아.
㉡ 주지 않아도 돼.
㉢ 너한테 잘 어울려.

• ㉮:　　　　• ㉯:　　　　• ㉰:

10 다음 담화의 의미를 제대로 해석할 수 없는 이유와 거리가 <u>먼</u> 것은?

가: 이번엔 잘 맞을까요?
나: 잘 맞을 것 같은데요.
가: 안 맞으면 어떡하죠?
나: 제가 볼 땐 잘 맞을 것 같아요.

① 화자와 청자가 누구인지 알 수 없다.
② 언제 이루어진 담화인지 알 수 없다.
③ 담화가 이루어지는 장소를 알 수 없다.
④ 고려할 수 있는 상황 맥락이 주어지지 않았다.
⑤ 사회·문화적 맥락이 계속 변하고 있어 알 수 없다.

11 〈보기〉의 ㉠~㉢은 미경이가 오늘 하루 들은 말들이다. 이에 대한 설명으로 적절하지 <u>않은</u> 것은?

〈보기〉
㉠ (진료실에서) 불편한 점은 없으신가요?
㉡ (식당에서) 불편한 점은 없으신가요?
㉢ (신발 가게에서) 불편한 점은 없으신가요?

① ㉠~㉢의 화자는 모두 다르다.
② ㉠~㉢의 발화는 모두 다르다.
③ ㉠~㉢의 상황 맥락은 모두 다르다.
④ ㉠에 대해 "잇몸이 좀 아파요."라고 답할 수 있다.
⑤ 담화의 의미가 다른 것은 담화 참여자의 관계가 다르기 때문이다.

12 다음 담화를 바르게 해석하지 <u>못한</u> 것은?

민희가 지각을 한 상황.
선생님: (교실에서) 지금 몇 시니?
민희: (시계를 보며) 아홉 시 삼십 분입니다.
선생님: (황당한 표정으로) 뭐라고?

① 민희의 발화 의도는 정보 전달이다.
② 민희는 상황 맥락을 고려하지 않았다.
③ 선생님의 발화 의도는 정보 획득이다.
④ 의사소통이 원활히 이루어지지 않았다.
⑤ 담화의 배경은 아침 9시 30분, 교실이다.

13 다음 담화에 대한 설명으로 적절하지 <u>않은</u> 것은?

> 서로 친구 사이인 한국인 승우와 윤재, 그리고 외국인 피터가 길을 가다 ㉠한 아주머니를 만난 상황.
>
> 승우: 인사드려, 피터! 이분은 ㉡우리 엄마셔.
> 피터: (승우와 윤재를 쳐다보며 놀란 목소리로) 너희 남매였어?

① 승우와 윤재는 남매 관계이다.
② ㉠의 '한 아주머니'는 승우의 어머니이다.
③ ㉡의 '우리'라는 단어 때문에 의사소통에 어려움이 생겼다.
④ 문화에 따라 담화의 의미가 다르게 해석될 수 있음을 보여 주는 사례이다.
⑤ 피터는 ㉡의 '우리'를 '말하는 이가 자기와 듣는 이, 또는 자기와 듣는 이를 포함한 여러 사람을 가리키는 일인칭 대명사'로 해석하였다.

14 다음 대화 내용에 대한 설명으로 적절한 것은?

> 승혁: 추석 때 뭐 하니?
> 현준: 난 제주도에 있는 큰집에 갈 거야.
> 예원: 난 임진각에 갈 거야. 할아버지께서 해마다 가시거든.
> 현준: 저런, 가슴 아픈 일이야.
> 승혁: 빨리 통일이 되어야 할 텐데.

① 예원이의 할아버지는 실향민일 것이다.
② 담화의 구성 요소 중 상황 맥락을 잘 보여 준다.
③ 현준이는 예원이의 발화 맥락을 제대로 파악하지 못하였다.
④ 승혁이는 청자들이 사회·문화적 맥락을 공유할 수 있도록 설명하고 있다.
⑤ 현준이는 추석 때 제주도로 여행을 가 규모가 큰 숙소에 머무를 계획이다.

15 〈보기〉에 대한 설명으로 적절하지 <u>않은</u> 것은?

> **보기**
>
> **㉮ 통영 고모 댁에 온 주하**
>
> 주하: 우아, 통영항 경치가 정말 멋있네요!
> 고모: 몬당*서 채리보이* 통영항 갱치가 참말로 쬑이제?
> 주하: 네? 무슨 말씀이세요?
>
> **㉯ 할아버지께 새 옷을 자랑하는 승재**
>
> 승재: 할아버지, 이번에 공구로 산 옷인데 어때요?
> 할아버지: 집에 있는 공구를 팔아서 샀다는 거냐?
>
> ● **몬당** '언덕'을 의미하는 통영 방언.
> ● **채리보이** '바라보니'를 의미하는 통영 방언.

① ㉮에서 주하는 고모가 사는 지역에서 쓰는 표현을 몰라 고모의 말을 이해하지 못하고 있다.
② ㉯에서는 세대에 따라 사용하는 언어 표현이 달라 의사소통이 제대로 되지 않았다.
③ ㉮에서는 공간적으로 떨어진 지 오래되어 어휘가 달라진 예가 제시되어 있다.
④ ㉯에서는 시간이 지난 지 오래되어 단어의 뜻이 달라진 예가 제시되어 있다.
⑤ ㉮와 ㉯를 통해 지역이나 세대가 담화의 해석에 영향을 준다는 점을 알 수 있다.

16 맥락을 고려하여 담화를 해석할 때 가져야 할 태도로 가장 적절한 것은?

① 청자의 반응보다 화자 자신의 전달 내용에만 집중하여 발화한다.
② 화자가 말하는 내용을 놓치지 않기 위해 대화할 때 소리를 내지 않고 집중한다.
③ 담화의 구체적인 뜻은 표면적 발화에서 결정되므로 정확히 발음하도록 노력한다.
④ 문화적 차이를 인정하는 것보다는 우리 문화의 가치와 고유성을 강조하는 방향으로 발화한다.
⑤ 자신과 문화가 다른 환경에서 자란 사람과 의사소통할 때에는 상대방의 문화를 이해하려 노력해야 한다.

01 담화에 대한 설명으로 적절하지 <u>않은</u> 것은?

① 의사소통 과정에서 머릿속 생각이 음성 언어로 나타난 것을 담화라고 한다.

② 담화의 구성 요소는 화자(글쓴이), 청자(독자), 내용, 맥락이다.

③ 담화의 의미가 잘 전달되려면 통일성과 응집성을 갖추어야 한다.

④ 통일성은 발화들의 내용이 담화의 주제를 향해 밀접하게 연관되는 것을 말한다.

⑤ 응집성은 담화를 이루는 발화들이 형식적으로 긴밀하게 연결되는 것을 말한다.

학습활동응용 미래엔

02 다음 담화의 구성 요소를 <u>잘못</u> 파악한 것은?

> 다연이는 하굣길에 한 사회 복지관에 들렀다.
>
> 다연: 저, 봉사 활동 신청을 하러 왔는데요.
>
> 복지관 담당자: 네, 신청 날짜는 언제인가요?
>
> 다연: 10월 9일 한글날이요.
>
> 복지관 담당자: 가능합니다. 그날 오전 9시까지 접수대로 오세요.
>
> 다연: 네, 안녕히 계세요.

① 화자와 청자가 끊임없이 뒤바뀌고 있다.

② 담화 참여자는 다연이와 복지관 담당자이다.

③ 담화 내용은 봉사 활동 신청 및 일정 잡기이다.

④ 담화 맥락 중 공간적 배경은 한 사회 복지관이다.

⑤ 담화 맥락 중 시간적 배경은 10월 9일 한글날이다.

학습활동응용 천재(박)

[03~04] 다음 글을 읽고, 물음에 답하세요.

영화를 보러 극장에 갔습니다. 극장이 10층에 있어서 승강기를 탔는데, 아저씨 한 분이 같이 탔습니다. 그런데 승강기가 움직이자마자 그 아저씨가 방귀를 '뽕!' 뀌었습니다. 갑작스러운 일이라 놀랐지만, 한편으로 우습기도 했습니다. ㉠갑작스러운 일이라 놀랐지만, 한편으로 우습기도 한 것은 아저씨도 마찬가지인 듯했습니다. 서로 어색한 웃음을 짓다가 아저씨가 미안하다고 말했고 저는 괜찮다고 말했습니다.

아저씨는 4층에서 내렸습니다. 4층에는 제가 좋아하는 장난감 매장이 있습니다. 저는 재미있는 일을 겪었다고 생각하며 속으로 웃었습니다.

03 윗글에서 통일성을 해치는 부분을 찾아 쓰세요.

_____

_____

04 윗글이 응집성을 갖추도록 ㉠을 적절한 지시 표현을 활용하여 고쳐 쓰세요.

_____

_____

기출문제응용 고2 교육청

05 〈보기〉를 참고할 때, 밑줄 친 발화 중 의도를 표현하는 방식이 <u>다른</u> 하나는?

> **보기**
>
> 화자는 의도를 직접적 또는 간접적으로 표현할 수 있다. 예컨대 "창문을 열어라."는 명령이라는 의도를 직접적으로 표현한 것이고, "조금 덥지 않니?"는 그 의도를 의문형을 활용해 간접적으로 표현한 것이다.

① 동생: <u>내일 같이 영화 보러 가자.</u>

　　형: 내일 약속이 있어서 같이 갈 수가 없어.

② 엄마: <u>내일 학교에 안 가니?</u>

　　자식: 죄송해요. 얼른 갈게요.

③ 할머니: <u>우리 손주 도시락 안 가져갔죠?</u>

　　할아버지: 내가 가져다줄게요.

④ 팀장: <u>우리 팀에서 일한 지 몇 년이 되었죠?</u>

　　사원: 앞으로 조심하겠습니다.

⑤ 교사: <u>시끄러워서 수업 집중이 잘 안 되네.</u>

　　학생: 죄송합니다. 조용히 할게요.

학습활동응용 지학사

06 다음 글에 대한 설명으로 적절하지 <u>않은</u> 것은?

> 김 선생이라는 사람이 우스갯소리를 잘했다. 일찍이 친구의 집을 찾아갔더니, 주인이 술상을 차렸는데 안주가 단지 채소뿐이었다. 〈중략〉 그때 마침 뭇 닭들이 마당에서 어지럽게 쪼고 있었다.
>
> 김 선생이 "벗을 사귈 때엔 천금을 아끼지 않나니, 내 말을 잡아서 술안주를 해야겠네."라고 했다.
>
> 주인이 "한 마리뿐인 말을 잡아 버리면 무엇을 타고 돌아가겠나?"라고 말했다.
>
> 김 선생이 ㉠"닭을 빌려서 타고 돌아가지."라고 대답하자, 주인이 크게 웃고 닭을 잡아 대접하고는 둘이서 크게 웃었다.
>
> – 서거정, 〈닭을 빌려 타고 가지〉

① ㉠의 화자는 김 선생, 청자는 주인이다.

② 친구가 인색한 태도를 보이는 상황에서 이루어진 담화이다.

③ ㉠은 자신의 탈것으로 닭을 빌려 달라는 의미이다.

④ 화자는 ㉠에서 자신의 의도를 직접적으로 말하지 않고 돌려 말하고 있다.

⑤ ㉠의 화자는 화를 내지 않고 재치 있는 입담으로 원하는 바를 이루었다.

학습활동응용 교학사

07 다음 중 사회·문화적 맥락을 찾을 수 있는 발화가 <u>아닌</u> 것은?

① (처음 들어간 식당에서 주문하며) 이모, 저희는 비빔밥이요.

② (아버지가 뜨거운 설렁탕을 드시면서) 국물이 진짜 시원하다!

③ (엄마가 용돈을 다 써 버린 아들에게) 잘했다, 이번이 몇 번째니?

④ (생일 선물로 '문상'을 받고 싶다는 손자에게) 문상? 누가 돌아가셨니?

⑤ (외국인을 초대하여 정성껏 음식을 준비한 후) 차린 건 없지만 많이 드세요.

서술형 문제

학습활동응용 비상

08 다음 푯말을 ㉠~㉢에 설치하려고 합니다. 상황 맥락을 고려하여 각 푯말의 의미가 무엇일지 서술하세요.

양심을 지킵시다.	→	㉠ 지하철 출입문 앞
		㉡ 시험장 입구
		㉢ 장애인 주차 구역

- ㉠:
- ㉡:
- ㉢:

학습활동응용 창비, 지학사

09 다음은 소설 〈동백꽃〉을 재구성한 연극 대본입니다. '나'가 점순의 감자를 거절한 이유를 서술하세요.

> 점순: (미소 띤 표정으로 따뜻한 감자를 내밀며) 느 집엔 이거 없지? 남들이 알면 안 되니까 여기서 얼른 먹어 버려. 너, 봄 감자가 맛있단다.
> 나: (기분 상한 표정으로) 난 감자 안 먹는다.
> (관객석을 향해) 주면 그냥 주었지, 그 표현은 뭐죠? 그리고 그렇지 않아도 자기네는 마름*이고 우리는 거기서 땅을 얻어 부쳐 일상 굽실거리는 소작인*인데, 점순이랑 내가 일을 저질렀다간…… 어휴, 우리는 땅도 떨어지고 집도 내쫓길 거예요.
>
> ● **마름** 땅 주인을 대신하여 소작인을 관리하는 사람.
> ● **소작인** 다른 사람의 농지를 빌려 농사를 짓고 그 대가로 사용료를 지급하는 사람.

조건

'마름'과 '소작인'을 통해 알 수 있는 사회·문화적 맥락을 고려하여 서술할 것.

단어의 발음과 표기

단어를 정확하게 발음하고 표기하는 것은 말과 글을 바르게 사용하는 데 매우 중요해요. 사람들이 자기 마음대로 말을 하고 글을 쓰면 의사소통이 잘될 수 없기 때문이지요. 따라서 서로 원활하게 의사소통하기 위해서는 단어를 올바르게 발음하고 표기해야 합니다.

우리나라에서 단어를 정확하게 발음하고 표기하려면 어떤 규칙을 따라야 할까요? 바로 표준 발음법과 한글 맞춤법이에요. 이 규칙에 맞게 우리말과 우리글을 발음하고 표기하면 올바른 발음과 표기라고 할 수 있지요. 그럼 지금부터 올바른 발음과 표기에 대해 알아볼까요?

개념 미리 보기 📖

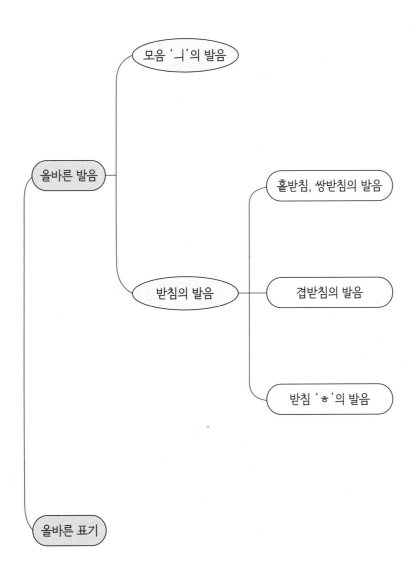

- 올바른 발음
  - 모음 'ㅢ'의 발음
  - 받침의 발음
    - 홑받침, 쌍받침의 발음
    - 겹받침의 발음
    - 받침 'ㅎ'의 발음
- 올바른 표기

교과서 개념 11 올바른 발음

'빗이', '빛이', '빚이'를 발음해 볼까요? 각각 어떻게 발음했나요? 모두 [비시]라고 발음하지는 않았나요? 단어를 정확하게 발음하기 위해서는 발음할 때 기준이 되는 규칙을 따라야 해요. 그럼 지금부터 단어의 발음 원리와 올바른 발음을 알아볼까요?

모음 'ㅢ'의 발음

모음 'ㅢ'의 발음을 들어 보세요!

- 'ㅢ'는 이중 모음 [ㅢ]로 발음함. 예 의사[의사], 의자[의자], 의약품[의약품]
- 다만 자음을 첫소리로 가지고 있는 음절*의 'ㅢ'는 [ㅣ]로 발음함.

| 무늬[무니] | 희망[히망] | 닁리리[닁리리] | 띄엄띄엄[띠엄띠엄] |

- 단어의 첫음절 이외의 '의'는 [ㅣ]로, 조사 '의'는 [ㅔ]로 발음함도 허용함.

| 주의[주의/주이] | 의의[의:의/의:이] |
| 우리의[우리의/우리에] | 논의의[노늬의/노늬에] |

받침의 발음

받침소리로는 'ㄱ, ㄴ, ㄷ, ㄹ, ㅁ, ㅂ, ㅇ'의 7개 자음만 발음함.

(1) 홑받침, 쌍받침의 발음

- 받침 'ㄲ, ㅋ', 'ㅅ, ㅆ, ㅈ, ㅊ, ㅌ', 'ㅍ'은 어말* 또는 자음 앞에서 각각 대표음 [ㄱ, ㄷ, ㅂ]으로 발음함.

홑받침, 쌍받침의 발음을 들어 보세요!

ㄱ, ㄲ, ㅋ	ㄴ	ㄷ, ㅌ, ㅅ, ㅆ, ㅈ, ㅊ	ㄹ	ㅁ	ㅂ, ㅍ	ㅇ
↓	↓	↓	↓	↓	↓	↓
[ㄱ]	[ㄴ]	[ㄷ]	[ㄹ]	[ㅁ]	[ㅂ]	[ㅇ]
박[박] 밖[박] 부엌[부억]	손[손]	낟[낟:] 낱[낟:] 낫[낟] 났다[낟따] 낮[낟] 낯[낟]	달[달]	감[감:]	삽[삽] 숲[숩]	강[강]

- 받침이 모음으로 시작된 조사나 어미, 접미사와 결합되는 경우, 제 소릿값대로 뒤 음절 첫소리로 옮겨 발음함.
  (조사나 어미, 접미사 → 형식 형태소)

| 깎아[까까] | 옷을[오슬] | 꽃애[꼬자] | 빛이[비치] |
| 부엌에[부어케] | 밭에[바테] | 무릎이[무르피] | 덮이다[더피다] |

- 받침 뒤에 모음 'ㅏ, ㅓ, ㅗ, ㅜ, ㅟ'들로 시작되는 실질 형태소가 연결되는 경우, 대표음으로 바꾸어서 뒤 음절 첫소리로 옮겨 발음함.

| 부엌 안[부어간] | 밭 아래[바다래] | 맛없다[마덥따] |
| 겉옷[거돋] | 헛웃음[허두슴] | 꽃 위[꼬뒤] |

단어의 발음 원리

- **표준 발음법**: 표준어를 발음할 때 기준이 되는 발음상의 규칙과 규범.
  - 제1항: 표준 발음법은 표준어의 실제 발음을 따르되, 국어의 전통성과 합리성을 고려하여 정함을 원칙으로 한다.

- **음절** '구'나 '름'과 같이 한 번에 발음할 수 있는 소리마디.

- '논의의'는 제시된 표준 발음 외에도 [노니의]와 [노늬에]로 발음하는 것을 허용함.

- **어말** 단어의 끝.

실질 형태소와 형식 형태소

- **실질 형태소**: 구체적인 대상이나 동작, 상태를 표시하는 형태소.
- **형식 형태소**: 실질 형태소에 붙어 주로 말과 말 사이의 관계를 표시하는 형태소. 조사, 어미, 접사 등이 있다.

'맛있다'와 '멋있다'의 표준 발음

'맛있다', '멋있다'는 '맛'과 '멋'의 받침이 대표음으로 바뀌어 [마딛따], [머딛따]로 발음하는 것이 원칙임. 그러나 사람들의 실제 발음을 고려하여 '맛'과 '멋'의 받침이 뒷말에 그대로 이어져 [마싣따], [머싣따]로 발음하는 것도 표준 발음으로 허용하고 있음.

(2) 겹받침의 발음

- 겹받침 'ㄳ', 'ㄵ', 'ㄼ, ㄽ, ㄾ', 'ㅄ'은 어말 또는 자음 앞에서 각각 [ㄱ, ㄴ, ㄹ, ㅂ]으로 발음함.

> 겹받침의 발음을 들어 보세요!

넋[넉]	넋과[넉꽈]	앉다[안따]
여덟[여덜]	넓다[널따]	곬[골]
핥다[할따]	값[갑]	없다[업ː따]

예외
- '밟-'은 자음 앞에서 [밥]으로 발음함. **예** 밟다[밥ː따], 밟지[밥ː찌]
- '넓-'은 다음과 같은 경우에 [넙]으로 발음함.
  예 넓죽하다[넙쭈카다], 넓둥글다[넙뚱글다], 넓적하다[넙쩌카다]

- 겹받침 'ㄺ, ㄻ, ㄿ'은 어말 또는 자음 앞에서 각각 [ㄱ, ㅁ, ㅂ]으로 발음함.

닭[닥]	흙과[흑꽈]	늙다[늑따]
맑지[막찌]	삶[삼ː]	젊다[짐따]
읊고[읍꼬]	읊다[읍따]	

예외 용언의 어간 말음 'ㄺ'은 'ㄱ' 앞에서 [ㄹ]로 발음함.
  예 맑게[말께], 밝게[발께], 묽고[물꼬], 읽고[일꼬]

- 겹받침이 모음으로 시작된 조사나 어미, 접미사와 결합되는 경우, 뒤엣것만을 뒤 음절 첫소리로 옮겨 발음함.(이 경우, 'ㅅ'은 된소리로 발음함.)

앉아[안자]	닭을[달글]	넓이[널비]	값을[갑쓸]

(3) 받침 'ㅎ'의 발음

- 'ㅎ(ㄶ, ㅀ)' 뒤에 'ㄱ, ㄷ, ㅈ'이 결합되는 경우에는, 뒤 음절 첫소리와 합쳐서 [ㅋ, ㅌ, ㅊ]으로 발음함.

> 받침 'ㅎ'의 발음을 들어 보세요!

놓고[노코]	좋던[조ː턴]	쌓지[싸치]
많고[만ː코]	않던[안턴]	끊지[끈치]
잃고[일코]	꿇던[꿀턴]	닳지[달치]

- 'ㅎ(ㄶ, ㅀ)' 뒤에 'ㅅ'이 결합되는 경우에는, 'ㅅ'을 [ㅆ]으로 발음함.

닿소[다ː쏘]	많소[만ː쏘]	싫소[실쏘]

- 'ㅎ' 뒤에 'ㄴ'이 결합되는 경우에는, [ㄴ]으로 발음함.

놓는[논는]	쌓는[싼는]	쌓네[싼네]

- 'ㅎ(ㄶ, ㅀ)' 뒤에 모음으로 시작된 어미나 접미사가 결합되는 경우에는, 'ㅎ'을 발음하지 않음.

낳은[나은]	쌓이다[싸이다]	많아[마ː나]
않은[아는]	닳아[다라]	끊이니까[끄리니까]

- **겹받침** 서로 다른 두 개의 자음으로 이루어진 받침.
- **곬** 한쪽으로 트여 나가는 방향이나 길.
- **말음** 음절의 구성에서 마지막 소리인 자음. '감', '공'에서 'ㅁ', 'ㅇ' 따위이다.

◉ **된소리로 발음되는 현상**
받침소리 'ㄱ(ㄲ, ㅋ, ㄳ, ㄺ), ㄷ(ㅅ, ㅆ, ㅈ, ㅊ, ㅌ), ㅂ(ㅍ, ㄼ, ㄿ, ㅄ)' 뒤에 연결되는 'ㄱ, ㄷ, ㅂ, ㅅ, ㅈ'은 된소리 [ㄲ, ㄸ, ㅃ, ㅆ, ㅉ]으로 발음함.
예 넋과[넉꽈], 맑지[막찌]
      꽂고[꼳꼬], 있던[읻떤]
      넓대[널때], 없다[업ː따]

◉ 받침 'ㅎ'은 어말에서 대표음 [ㄷ]으로 발음함. **예** 히읗[히읃]

◉ **'ㄶ, ㅀ' 뒤에 'ㄴ'이 결합되는 경우**
'ㄶ, ㅀ' 뒤에 'ㄴ'이 결합되는 경우에는, 'ㅎ'을 발음하지 않음.

많네[만ː네]	않는[안는]
뚫는[뚤는 → 뚤른]	

1 모음 'ㅢ'의 발음에 관한 설명으로 맞으면 ○, 틀리면 X를 하세요.

(1) 'ㅢ'는 [ㅢ]로 발음하는 것이 원칙이다. ( )

(2) 무늬는 [무늬] 또는 [무니]로 발음한다. ( )

(3) 주의는 [주의] 또는 [주이]로 발음한다. ( )

(4) 조사 '의'는 [ㅔ]로만 발음한다. ( )

2 모음 'ㅢ'가 포함된 각각의 글자가 어떻게 발음되는지 쓰세요.

(1) 띄엄띄엄[□엄□엄]

(2) 의의[□:□/□:□]

(3) 우리의[우리□/우리□] 희망[□망]

3 다음 빈칸에 들어갈 알맞은 말을 쓰세요.

(1) 받침소리로는 □, □, □, □, □, □, □의 7개 자음만 발음한다.

(2) 받침 'ㄲ, ㅋ', 'ㅅ, ㅆ, ㅈ, ㅊ, ㅌ', 'ㅍ'은 어말 또는 자음 앞에서 각각 대표음 [□, □, □]으로 발음한다.

(3) 받침이 모음으로 시작된 □□ 형태소와 결합되는 경우, □□□□대로 뒤 음절 첫소리로 옮겨 발음한다.

(4) 받침 뒤에 모음 'ㅏ, ㅓ, ㅗ, ㅜ, ㅟ'로 시작되는 □□ 형태소가 연결되는 경우, □□□으로 바꾸어서 뒤 음절 첫소리로 옮겨 발음한다.

4 다음 단어들을 받침소리가 같은 것끼리 묶어 보세요.

갓 곧 국 낮 밖 밥
솥 윷 무릎 있다 키읔 히읗

ㄱ	
ㄷ	
ㅂ	

5 다음 단어의 올바른 발음을 고르세요.

(1) 꽂아[꼬사, 꼬자]

(2) 덮이다[더비다, 더피다]

(3) 맛없다[마덥따, 마섭따]

(4) 부엌 안[부어간, 부어칸]

6 다음 단어의 올바른 발음을 쓰세요.

표기	밭	밭에	밭 아래	밭 위
발음	[ ]	[ ]	[ ]	[ ]

7 다음 겹받침을 기준에 따라 분류하여 쓰세요.

ㄳ, ㄵ, ㄺ, ㄻ, ㄼ, ㄽ, ㄾ, ㄿ, ㅄ

(1) 앞엣것이 발음되는 겹받침

(, , , ,)

(2) 뒤엣것이 발음되는 겹받침

(, ,)

(3) 앞엣것이 발음되기도 하고 뒤엣것이 발음되기도 하는 겹받침 (,)

8 받침소리가 같은 단어끼리 바르게 연결하세요.

(1) 박 · · ㉠ 숲 · · ⓐ 읊다

(2) 삽 · · ㉡ 부엌 · · ⓑ 넋

9 다음 단어의 올바른 발음을 쓰세요.

(1) 값 [ ] (5) 여덟 [ ]

(2) 닭 [ ] (6) 넋과 [ ]

(3) 삶 [ ] (7) 앉다 [ ]

(4) 곬 [ ] (8) 핥다 [ ]

10 다음 사례를 보고, 빈칸에 알맞은 말을 넣으세요.

표기	흙	흙도	굵게	묽고
발음	[흑]	[흑또]	[굴ː께]	[물꼬]

↓

발음 원리	겹받침 'ㄺ'은 어말 또는 자음 앞에서 [　](으)로 발음한다. 다만, 용언의 어간 말음 'ㄺ'은 'ㄱ' 앞에서 [　](으)로 발음한다.

11 다음 단어의 올바른 발음을 고르세요.

(1) 맑게[말께, 막께]

(2) 맑지[말찌, 막찌]

(3) 넓다[널따, 넙따]

(4) 밟지[발ː찌, 밥ː찌]

(5) 넓둥글다[널뚱글다, 넙뚱글다]

12 다음 빈칸에 들어갈 알맞은 말을 쓰세요.

겹받침이 모음으로 시작된 조사나 어미, 접미사와 결합되는 경우, [　　　]만을 뒤 음절 첫소리로 옮겨 발음한다. 이 경우, 'ㅅ'은 [　　　]로 발음한다.

• 조사와 결합되는 경우 예 값을[　　]

• 어미와 결합되는 경우 예 앉아[　　]

• 접미사와 결합되는 경우 예 넓이[　　]

13 다음은 받침 'ㅎ'의 발음에 대한 설명입니다. 빈칸에 들어갈 알맞은 말을 쓰세요.

(1) 받침 'ㅎ(ㄶ, ㅀ)' 뒤에 'ㄱ, ㄷ, ㅈ'이 결합되는 경우에는, 뒤 음절 첫소리와 합쳐서 [　], [　], [　]으로 발음한다.

(2) 받침 'ㅎ(ㄶ, ㅀ)' 뒤에 'ㅅ'이 결합되는 경우에는, 'ㅅ'을 [　]으로 발음한다.

(3) 받침 'ㅎ' 뒤에 'ㄴ'이 결합되는 경우에는, 'ㅎ'을 [　]으로 발음한다.

14 다음 밑줄 친 부분의 올바른 발음을 쓰세요.

(1) 옳지, 참 잘했다. → [　　　]

(2) 오늘은 일이 참 많소. → [　　　]

(3) 이건 바르지 않은 행동이야. → [　　　]

(4) 창고 앞에다가 물건을 쌓네. → [　　　]

(5) 나는 바다보다 산이 더 좋다. → [　　　]

(6) 하마터면 중심을 잃고 쓰러질 뻔했다. → [　　　]

15 다음 빈칸에 들어갈 알맞은 말을 쓰세요.

'맛있다', '멋있다'는 각각 [□□□], [□□□]로 발음하는 것이 원칙이지만, 사람들의 실제 발음을 고려하여 [□□□], [□□□]로 발음하는 것도 표준 발음으로 허용하고 있다.

빈틈 공략하기 Q&A

Q 시계의 올바른 발음은 [시계]일까, [시게]일까?

A 정답은 바로 둘 다예요. 시계는 [시계]로도, [시게]로도 발음할 수 있지요.

이중 모음 'ㅖ'는 이중 모음 [ㅖ]로 발음하는 것이 원칙이에요. 그런데 '예, 례'를 제외한 'ㅖ'는 이중 모음 대신 단모음 [ㅔ]로 발음되는 경우가 자주 있어요. 그래서 표준 발음법에서는 이러한 발음 현실을 감안하여 '예, 례' 이외의 'ㅖ'는 이중 모음 [ㅖ]로 발음하는 것을 원칙으로 하되, 단모음 [ㅔ]로도 발음하는 것을 허용하고 있어요.

예절[예절]	차례[차례]
개폐[개폐/개페]	혜성[혜ː성/혜ː성]

따라서 '시계, 개폐, 혜성' 등과 같은 단어는 사전에서 표준 발음을 복수로 제시하고 있으니 알아 두도록 해요.

교과서 개념 12 올바른 표기

친구한테 '나 어떡해…… 큰일 났어!'라는 메시지를 받았다거나, 할머니께 '할머니, 많이 보고 시퍼요.'라고 메시지를 보낸 적이 있나요? 두 문장은 과연 올바른 표기로 이루어진 문장일까요? 지금부터 단어의 표기 원리와 올바른 표기를 알아보아요.

∞ 자주 틀리는 표기

• 만듬*/만듦 *는 문법에 어긋난 표현임을 알려 주는 기호임.

> 음식을 만듬. (X)   음식을 만듦. (○)
>
> → 용언의 어간과 어미는 구별하여 적는 것이 원칙임.
> → 용언 '만들다'의 어간은 '만들-'이므로 명사형 어미 '-ㅁ'을 붙여 '만듦'이 올바른 표기임.

• 되/돼

되	돼
• 되-+-고=되고 → ~~돼고~~ • 되-+-는=되는 → ~~돼는~~ • 되-+-ㄴ다=된다 → ~~됀다~~	• 되-+-어=되어 → 돼 • 되-+-어서=되어서 → 돼서 • 되-+-었다=되었다 → 됐다

→ '돼'는 '되어'에서 줄어든 말이므로 '되-' 바로 뒤에 '-어'를 붙여 문맥이 자연스러우면 '돼'로, 문맥이 부자연스러우면 '되-'로 적음.

• 안/않

안	않
'아니'에서 줄어든 말. ◉ 책을 아니 읽다. → 책을 안 읽다.	'아니하-'에서 줄어든 말. ◉ 책을 읽지 아니하다. → 책을 읽지 않다.

→ '안'과 '않' 대신 각각 '아니', '아니하-'를 넣어 보면 둘 중에 어떤 표기가 옳은지 쉽게 알 수 있음.

• 왠지/웬지*, 웬일*/왠일

왠지	웬일
'왜인지'에서 줄어든 말로, '왜 그런지 모르게. 또는 뚜렷한 이유도 없이.'의 뜻을 지님. → '웬지'는 잘못된 표현임.	'웬'은 '어찌 된.'의 뜻을 지니므로 '웬일'은 '어찌 된 일.'을 뜻함. → '웬'은 '왜'와 관련이 없는 말이므로 '왠일'은 잘못된 표현임.

∞ 발음이 서로 같아 헷갈리는 표기

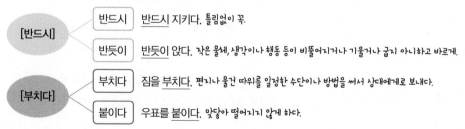

[반드시]
- 반드시 — 반드시 지키다. 틀림없이 꼭.
- 반듯이 — 반듯이 앉다. 작은 물체, 생각이나 행동 등이 비뚤어지거나 기울거나 굽지 아니하고 바르게.

[부치다]
- 부치다 — 짐을 부치다. 편지나 물건 따위를 일정한 수단이나 방법을 써서 상대에게로 보내다.
- 붙이다 — 우표를 붙이다. 맞닿아 떨어지지 않게 하다.

∞ 단어의 표기 원리

• 한글 맞춤법: 우리말을 한글로 적을 때에 지켜야 할 기준.
– 제1항: 한글 맞춤법은 표준어를 소리대로 적되, 어법에 맞도록 함을 원칙으로 한다.

> **소리대로 적는 경우**
> : 구름[구름], 나무[나무], 하늘[하늘]
>
> **어법에 맞게 적는 경우**
> : 꽃이[꼬치], 꽃만[꼰만], 꽃과[꼳꽈]
> → 소리대로 적으면 그 뜻이 얼른 파악되지 않으므로 단어의 본래 형태를 밝혀 적어야 함.

∞ '뵈/봬'의 표기

'뵈/봬'의 표기는 '되/돼'의 표기와 마찬가지임. '봬'는 '뵈어'가 줄어든 말이므로 '뵈요'와 같은 표현은 잘못된 표현임.

◉ • 그분은 지난번에 {뵀던/뵈었던/뵀던} 분이다.
　　　　　　　　　　　X　　○
• 다음 주 토요일에 {뵈요/뵈어요/봬요}.
　　　　　　　　　X　　○

∞ '낫다'와 '낳다'

'낫다'와 '낳다'는 '나으세요'와 '낳으세요'와 같은 활용형의 발음이 같아 잘못 표기하는 경우가 많으므로 잘 구분해서 써야 함.

∞ 잘못 사용하기 쉬운 단어

- 찌개(○)　　찌게(X)
- 떡볶이(○)　떡볶기(X)
- 설거지(○)　설겆이(X)
- 수제비(○)　수재비(X)
- 오뚝이(○)　오뚜기(X)
- 육개장(○)　육계장(X)

교과서 개념 익히기

1 다음은 단어의 표기 원리에 대한 설명입니다. 맞으면 ○, 틀리면 X를 하세요.

(1) 우리말을 한글로 적을 때 지켜야 할 기준을 한글 맞춤법이라고 한다. ( )

(2) 한글 맞춤법은 표준어를 어법에 맞도록 적되, 소리대로 적는 것을 원칙으로 하고 있다. ( )

(3) 한글 맞춤법에 따르면 '꼬치, 꼰만, 꼳꽈'와 같이 표기하지 않고, '꽃이, 꽃만, 꽃과'와 같이 표기해야 한다. ( )

2 〈보기〉의 ㉠∼㉾을 다음 기준에 따라 분류하세요.

> 보기
> ㉠ 길 　　　㉡ 꽃 　　　㉢ 공기
> ㉣ 매미 　　㉤ 귀고리 　㉥ 귀걸이

(1) 표기와 소리가 일치하는 경우 ( )

(2) 표기와 소리가 일치하지 않는 경우 ( )

3 다음 빈칸에 들어갈 알맞은 말을 쓰세요.

> 용언의 □□과 □□는 구별하여 적는다.
> 예 만들다 → 만들-+-ㅁ=□□
> 　　시들다 → 시들-+-ㅁ=□□

4 다음 밑줄 친 부분의 준말을 바르게 쓰세요.

(1) 여행을 가지 <u>아니하다</u>. → _____

(2) 오늘 저녁을 <u>아니</u> 먹었다. → _____

(3) 음식이 맛있게 <u>되어서</u> 좋아. → _____

5 다음 문장에서 올바른 표기를 모두 고르세요.

(1) 민경아, 그러면 (안 되 / 안 돼 / 않 되)!

(2) 나는 지난주에 선생님을 (봤다 / 뵈었다 / 뵀다).

(3) 감기 걸리셨어요? 빨리 (나으세요 / 낫으세요 / 낳으세요).

6 다음 문장에 들어갈 말을 바르게 연결하세요.

(1) 이게 (　　) 날벼락이람. · · ㉠ 웬

(2) 그 이야기를 듣자 (　　) 기분이 좋아졌다. · · ㉡ 웬일

(3) 네가 이렇게 일찍 일어나다니, 이게 (　　)이니? · · ㉢ 왠지

7 다음 문장에서 올바른 표기를 고르세요.

(1) 소라는 허리를 (반드시 / 반듯이) 폈다.

(2) 나는 그 책을 (반드시 / 반듯이) 다 읽을 것이다.

(3) 예지가 색종이를 오려 도화지에 (부쳤다 / 붙였다).

(4) 형이 우체국에서 편지를 (부치고 / 붙이고) 왔다.

8 다음 단어의 올바른 표기에 ✓표시를 하세요.

(1) 찌개 ☐ 　　찌게 ☐

(2) 떡볶기 ☐ 　　떡볶이 ☐

(3) 설거지 ☐ 　　설겆이 ☐

(4) 수재비 ☐ 　　수제비 ☐

(5) 오뚜기 ☐ 　　오뚝이 ☐

(6) 육개장 ☐ 　　육계장 ☐

빈틈 공략하기 Q&A

Q '어떡해'와 '어떻해' 중 어떤 것이 맞는 표기일까?

A 정답은 바로 '어떡해'예요. '어떡해'는 '어떻게(어떠하게) 해'의 준말로 문장이 종결될 때 써요. 이때 '어떻게'는 '어떻다'의 활용형인데, 문장에서 부사어로 기능하여 서술어를 수식해요.

> 이거 어떡해? = 이거 어떻게 해?

이처럼 준말로 표기할 때에는 줄어든 형태에 유의해야 한답니다.

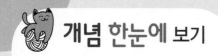

단어의 발음과 표기

◉ 올바른 발음

- **모음 'ㅢ'의 발음**: 이중 모음 [ㅢ]로 발음함을 원칙으로 함. 예 의사[의사]

    · 다만 자음을 첫소리로 가지고 있는 음절의 'ㅢ'는 [ㅣ]로 발음함. 예 닐리리[닐리리]

    · 단어의 첫음절 이외의 '의'는 [ㅣ]로, 조사 '의'는 [ㅔ]로 발음함도 허용함. 예 주의[주의/주이], 우리의[우리의/우리에]

- **받침의 발음**: 받침소리로는 'ㄱ, ㄴ, ㄷ, ㄹ, ㅁ, ㅂ, ㅇ'의 7개 자음만 발음함.

(1) 홑받침, 쌍받침의 발음

어말 또는 자음 앞	받침 'ㄲ, ㅋ', 'ㅅ, ㅆ, ㅈ, ㅊ, ㅌ', 'ㅍ' → 대표음 [ㄱ, ㄷ, ㅂ]으로 발음함. 예 밖[박], 낫[낟], 숲[숩]
모음으로 시작된 형식 형태소 앞	제 소릿값대로 뒤 음절 첫소리로 옮겨 발음함. 예 깎아[까까], 옷을[오슬]
모음으로 시작된 실질 형태소 앞	대표음으로 바꾸어서 뒤 음절 첫소리로 옮겨 발음함. 예 부엌 앤[부어간], 꽃 위[꼬뒤]

(2) 겹받침의 발음

어말 또는 자음 앞	• 겹받침 'ㄳ', 'ㄵ', 'ㄼ, ㄽ, ㄾ', 'ㅄ' → [ㄱ, ㄴ, ㄹ, ㅂ]으로 발음함. 예 넋[넉], 앉다[안따], 여덟[여덜], 곬[골], 핥다[할따], 값[갑] • 겹받침 'ㄺ, ㄻ, ㄿ' → [ㄱ, ㅁ, ㅂ]으로 발음함. 예 닭[닥], 삶[삼ː], 읊다[읍따]
모음으로 시작된 형식 형태소 앞	뒤엣것만을 뒤 음절 첫소리로 옮겨 발음함. 예 앉아[안자], 닭을[달글], 넓이[널비], 값을[갑쓸]

(3) 받침 'ㅎ'의 발음

- · 'ㅎ(ㄶ, ㅀ)' 뒤에 'ㄱ, ㄷ, ㅈ'이 결합되는 경우 뒤 음절 첫소리와 합쳐서 [ㅋ, ㅌ, ㅊ]으로 발음함.

    예 놓고[노코], 좋던[조ː턴], 쌓지[싸치]

- · 'ㅎ(ㄶ, ㅀ)' 뒤에 'ㅅ'이 결합되는 경우 'ㅅ'을 [ㅆ]으로 발음함. 예 닿소[다ː쏘], 많소[만ː쏘], 싫소[실쏘]

- · 'ㅎ' 뒤에 'ㄴ'이 결합되는 경우 [ㄴ]으로 발음함. 예 쌓는[싼는]

- · 'ㅎ(ㄶ, ㅀ)' 뒤에 모음으로 시작된 형식 형태소가 결합되는 경우 'ㅎ'을 발음하지 않음. 예 낳은[나은], 쌓이다[싸이다]

◉ 올바른 표기

만듬*/만듦	→ 용언의 어간과 어미는 구별하여 적으므로 '만듦'이 올바른 표기임.

되/돼	→ '되-' 뒤에 '-어'가 붙었을 때만 '돼'로 줄여 씀.

안/않	→ '안'은 '아니'의 준말이고, '않-'은 '아니하-'의 준말임.

왠지/웬지*	→ '왠지'는 '왜인지'의 준말로, '웬지'는 잘못된 표현임.

웬일*/왠일	→ '웬일'은 '어찌 된 일.'을 뜻하는 말로, 이때 '웬'을 '왠'으로 적는 것은 잘못임.

개념 적용 훈련 문제

01 단어를 정확하게 발음하고 표기해야 하는 이유로 적절하지 **않은** 것은?

① 내용을 제대로 전달하기 위해서
② 상대방과 원활하게 의사소통하기 위해서
③ 자신의 생각을 정확하게 표현하기 위해서
④ 자신이 교양 있는 사람임을 드러내기 위해서
⑤ 자신의 의도를 상대방이 오해하지 않도록 하기 위해서

02 ㉠과 ㉡을 비교할 때, ㉡과 같이 표기하는 이유로 가장 적절한 것은?

> ㉠ 꼬치 매우 아름다워서 꼰만 보게 되고 꼳꽈 함께 있고 싶어.
> ㉡ 꽃이 매우 아름다워서 꽃만 보게 되고 꽃과 함께 있고 싶어.

① 단어를 보다 정확하게 발음하기 위해서
② 단어의 의미를 보다 쉽게 파악하기 위해서
③ 환경에 따라 달라지는 발음을 확인하기 위해서
④ 한 단어가 지닌 다양한 표기 형태를 드러내기 위해서
⑤ 단어의 형태를 밝혀 적을 때 발생하는 문제를 피하기 위해서

03 다음과 같이 단어를 분류한 기준으로 적절한 것은?

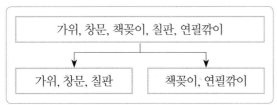

① 발음과 표기의 일치 여부
② 한자에서 유래하였는지의 여부
③ 주격 조사와의 결합이 가능한지의 여부
④ 둘 이상의 어근이 결합하여 이루어졌는지의 여부
⑤ 교양 있는 사람들이 사용하는 현대 서울말인지의 여부

04 다음 문장에서 **잘못** 표기한 표현을 찾아 바르게 고쳐 쓰세요.

> ㉠ 오늘은 웬지 수재비가 먹고 싶더라.
> ㉡ 이게 왠 떡이지?

• ㉠: (   ) → (   )
    (   ) → (   )
• ㉡: (   ) → (   )

05 〈보기 1〉을 참고하여 〈보기 2〉에 제시된 단어의 정확한 발음을 순서대로 쓰세요.

보기 1
• 'ㅢ'는 이중 모음 [ㅢ]로 발음한다.
• 다만 자음을 첫소리로 가지고 있는 음절의 'ㅢ'는 [ㅣ]로 발음한다.
• 단어의 첫음절 이외의 '의'는 [ㅣ]로, 조사 '의'는 [ㅔ]로 발음함도 허용한다.

보기 2
의사, 희망, 주의, 우리의

06 다음 중 받침소리가 **다른** 것끼리 묶은 것은?

① 입, 앞
② 빗, 낮
③ 죽, 밖
④ 곧, 옷
⑤ 겹, 곁

07 〈보기〉의 단어와 받침의 발음이 같은 것은?

보기
여덟

① 삶
② 맑다
③ 읊다
④ 짧다
⑤ 핥다

08 〈보기〉를 참고할 때, '옷'의 받침 'ㅅ'이 제 소릿값대로 발음될 수 있는 조건으로 가장 적절한 것은?

┌─ 보기 ─────────────────────┐
• 옷[옫]   • 옷 위[오뒤]
• 옷이[오시]   • 옷차림[옫차림]
└─────────────────────────┘

① 이어지는 말이 없을 때
② 자음으로 시작하는 말이 이어질 때
③ 모음으로 시작하는 말이 이어질 때
④ 모음으로 시작하는 실질 형태소가 이어질 때
⑤ 모음으로 시작하는 형식 형태소가 이어질 때

09 다음 밑줄 친 부분의 발음이 올바른 것은?

① 꽃을 꺾지 마세요. → [꼬슬]
② 막내는 겉옷을 벗었다. → [거도슬]
③ 넘어져서 무릎이 까졌어. → [무르비]
④ 아빠가 부엌에서 설거지를 하신다. → [부어게서]
⑤ 웃어른의 말씀은 잘 새겨들어야 해. → [우더르니]

10 다음 단어의 발음이 올바르지 않은 것은?

① 넋과[넉꽈]   ② 맑지[막찌]   ③ 읽고[익꼬]
④ 흙과[흑꽈]   ⑤ 없다[업ː따]

11 다음 단어의 발음이 올바르지 않은 것은?

① 넓다[널따]   ② 밟다[밥ː따]
③ 넓이[널비]   ④ 밟아[발바]
⑤ 넓적하게[널쩌카게]

12 〈보기〉의 규정을 참고할 때, 단어의 발음이 올바른 것은?

┌─ 보기 ─────────────────────┐
　겹받침이 모음으로 시작된 조사나 어미, 접미사와 결합되는 경우에는, 뒤엣것만을 뒤 음절 첫소리로 옮겨 발음한다.(이 경우, 'ㅅ'은 된소리로 발음함.)
└─────────────────────────┘

① 몫은[모근]   ② 닭을[다글]   ③ 삶이[사ː미]
④ 앉아[안자]   ⑤ 젊어[저머]

13 다음 밑줄 친 부분의 발음이 올바른 것은?

① 그쪽에 쌓지 마! → [쌀치]
② 저렇게 쌓아도 돼? → [싸하도]
③ 블록 쌓기는 정말 재미있어! → [싸키는]
④ 저렇게 쌓다가는 무너질 텐데……. → [쌀따가는]
⑤ 균형을 유지하면서 쌓는 게 중요하지. → [쌀는]

14 다음 중 받침 'ㅎ'을 발음하지 않는 예로 적절한 것은?

① 좋던   ② 많고   ③ 닳지
④ 끓이다   ⑤ 이렇게

15 다음 밑줄 친 부분의 받침소리가 다른 하나는?

① 듣기 싫소!
② 오리는 다리가 짧다.
③ 달이 밝게 빛나고 있다.
④ 그 청년은 젊고 아름답게 자랐다.
⑤ 신문의 내용을 차근차근 훑어 내려갔다.

16 다음 밑줄 친 부분의 발음이 올바르지 <u>않은</u> 것은?

> 아빠: 예지야, 미안한데 ㉠<u>의자</u> 위에 있는 아빠 넥타이 좀 가져오겠니?
>
> 예지: 네, 아빠! 여기 있어요.
>
> 아빠: 둘 중에 어떤 넥타이를 맬까? ㉡<u>너의</u> 안목으로 골라 주려무나.
>
> 예지: ㉢<u>흰</u> 셔츠에는 이 ㉣<u>무늬</u>가 잘 어울릴 것 같아요.
>
> 아빠: 그래, 그럼 오늘은 이 넥타이를 매야겠다. (잠시 후) 버스 올 시간이 ㉤<u>거의</u> 다 되었네! 어서 나가야겠다.
>
> 예지: 다녀오세요!

① ㉠: [의자] ② ㉡: [너에]

③ ㉢: [흰] ④ ㉣: [무니]

⑤ ㉤: [거이]

17 다음 괄호 안에서 올바른 표기만을 골라 바르게 묶은 것은?

> ㉠ 빈자리 {없슴/없음}.
>
> ㉡ 오늘따라 아기가 {움/욺}.
>
> ㉢ 언니, 많이 보고 {시퍼/싶어}.
>
> ㉣ 다희와 선희가 함께 {만듬/만듦}.

① 없슴, 움, 시퍼, 만듬

② 없슴, 욺, 시퍼, 만듦

③ 없음, 움, 싶어, 만듬

④ 없음, 움, 싶어, 만듦

⑤ 없음, 욺, 싶어, 만듦

18 다음 밑줄 친 부분의 준말로 올바르지 <u>않은</u> 것은?

① 어제 바람을 <u>쐬었다</u>. → 쐤다

② 나사를 <u>죄어</u> 봐도 소용없어. → 좨

③ 지난번에 <u>뵈었는데</u> 또 뵙는군요. → 뵀는데

④ 토요일에 이모 댁에 놀러 가도 <u>되어요</u>? → 되요

⑤ 생각하는 로댕은 턱을 오른손으로 <u>괴었지</u>! → 괬지

19 〈보기 1〉을 참고하여 〈보기 2〉의 문장을 부정 표현으로 만들 때, 빈칸에 들어갈 준말을 순서대로 쓰세요.

> **보기 1**
>
> 부정을 나타내는 표현에서 '아니'의 준말은 '안'이고, '아니하-'의 준말은 '않-'이다.

> **보기 2**
>
> • 이 옷은 너에게 (   ) 어울려.
>
> • 지우는 어제 짜장면을 시키지 (   ).

20 다음 밑줄 친 단어의 사용이 올바르지 <u>않은</u> 것은?

① <u>무난한</u> 차림새로 할아버지께 <u>문안</u>하였다.

② 교복이 누렇게 <u>바래도</u> 우리의 우정은 영원하길 <u>바라</u>.

③ 병이 <u>낫지</u> 않았다고 아기를 <u>낳지</u> 말아야 한다는 법은 없어.

④ 선생님은 시곗바늘을 <u>가르치며</u> 아이들에게 시계 보는 법을 <u>가리키고</u> 계셨다.

⑤ 문제를 풀고 나서 친구와 답을 <u>맞추어</u> 보니 한 문제만 틀리고 모두 <u>맞히었다</u>.

21 ㉠~㉤의 표기가 올바른 것은?

> 오늘은 친구 주연이와 함께 전통 시장에 갔다. 생긴 지 110년이 넘은 시장인데 ㉠<u>음식에 맛이 좋기로</u> 유명한 곳이다. 빈대떡, ㉡<u>육계장</u> 등 싸고 맛있는 음식도 많이 팔고 있었다.
>
> 우리는 맛집으로 유명한 식당에서 ㉢<u>순두부찌게</u>를 먹는데 반찬으로 나온 ㉣<u>오이소박이</u>가 정말 시원하고 맛있었다. 평소에 오이를 ㉤<u>건들이지도 않는</u> 주연이도 감탄한 맛이었다.

① ㉠ ② ㉡ ③ ㉢ ④ ㉣ ⑤ ㉤

학습활동응용 천재(노)

01 다음 대화를 읽고 학생들이 떠올린 생각으로 적절하지 않은 것은?

> 학생 1: 화분을 빛이[비시] 많은 곳에 두자.
> 학생 2: 그걸 왜 빗이[비시] 많은 곳에 둬야 돼?

① 학생 1은 '빛이'의 발음을 잘못 알고 있군.
② 학생 2는 '되어'의 준말을 정확하게 알고 있군.
③ 부정확한 발음이 원활한 의사소통을 방해하고 있군.
④ '빗'과 '빛'은 단독으로 발음할 때 각각 다르게 발음되겠군.
⑤ '빗'은 뒤에 모음으로 시작된 조사가 이어지니 제 소릿값대로 발음되는군.

학습활동응용 천재(노)

02 다음 밑줄 친 부분의 표기와 발음이 올바르지 않은 것은?

> 억그제 내가 너 조타고 고백했잖아.
>
> 그런데 왜 아직도 답이 업서?
>
> 설마 내가 시른 건 아니지?
>
> 나의 마음을 받아드릴 수 없는 거니?

	표기	발음
①	엊그제	[억끄제]
②	좋다고	[조:타고]
③	없어	[업:써]
④	싫은	[시른]
⑤	받아들일	[바다드릴]

03 다음 중 발음과 표기가 일치하는 것은?

① 겨울옷 ② 구슬땀 ③ 꽃다발
④ 물안개 ⑤ 흙장난

04 다음 단어의 발음에 대한 설명으로 적절하지 않은 것은?

> 낟 낫 낮 낯 낱개 히읗 났다

① 받침 'ㄷ'은 제 소릿값으로 발음된다.
② 단어들의 받침이 모두 같은 소리로 발음된다.
③ 받침으로 사용된 자음들의 대표음은 [ㅅ]이다.
④ 받침 'ㅌ, ㅆ'은 자음 앞에서 [ㄷ]으로 발음된다.
⑤ 받침 'ㅅ, ㅈ, ㅊ, ㅌ, ㅎ, ㅆ'은 대표음으로 바뀌어 발음된다.

학습활동응용 천재(노)

05 ㉠~㉤의 발음 중 올바르지 않은 것은?

> 휴일인 오늘 ㉠맑고 파란 하늘이 기분을 더욱 좋게 만들어 줍니다. 나들이 가시는 분이 ㉡많으실 텐데요. 다만 오늘 전국에서 자외선 지수가 매우 높습니다. ㉢볕에 수십 분만 노출돼도 피부가 화상을 입을 수 있으므로 자외선 차단을 잘해 주셔야겠습니다.
> 오늘 전국이 대체로 맑지만, 미세 먼지 농도가 '나쁨' ㉣단계로 외출 뒤에는 ㉤깨끗이 씻으셔야겠습니다.
>
> – KBS 《뉴스 12》, 2017년 6월 11일 자

① ㉠: [말꼬] ② ㉡: [만ː흐실]
③ ㉢: [벼테] ④ ㉣: [단계로]
⑤ ㉤: [깨끄시]

학습활동응용 미래엔

06 ㉠~㉤의 밑줄 친 부분의 표기가 올바른 것끼리 묶은 것은?

> ㉠ 봉투에 우표를 부쳐야 편지를 붙이지.
> ㉡ 씨앗이 자라 꽃이 돼는 과정이 경이롭다.
> ㉢ 어제 먹은 떡볶이와 김치찌개가 생각난다.
> ㉣ 문구점이 닫히기 전에 색연필을 사러 가자.
> ㉤ 빨리 않 가면 마지막 버스를 놓칠 수도 있어.

① ㉠, ㉡ ② ㉡, ㉢ ③ ㉡, ㉣
④ ㉢, ㉣ ⑤ ㉣, ㉤

학습활동응용 창비

07 〈보기 1〉을 참고할 때, 〈보기 2〉에 제시된 단어의 발음이 올바르지 않은 것은?

┌─ 보기 1 ─────────────────────┐
- '의'는 이중 모음이므로 [ᅴ]로 발음하는 것이 원칙이다.
- 단어의 첫음절 이외의 '의'는 [ᅵ]로 발음하는 것이 원칙이지만 [ㅣ]로 발음함도 허용한다.
- 조사 '의'는 [ᅴ]로 발음하는 것이 원칙이지만 [ㅔ]로 발음함도 허용한다.
└────────────────────────────┘

┌─ 보기 2 ─────────────────────┐
　　　　　　민주주의의 의의
└────────────────────────────┘

① [민주주의의 의ː의]　　② [민주주이의 의ː의]
③ [민주주이이 의ː의]　　④ [민주주의에 의ː이]
⑤ [민주주이에 의ː이]

08 다음 단어의 발음이 올바르지 않은 것은?

① 칡으로[칠그로]　　② 괜찮다[괜찬타]
③ 사이좋게[사이조케]　　④ 여덟이다[여덜비다]
⑤ 재미있다[재미이따]

기출문제응용 고3 교육청

09 〈보기〉의 내용과 관련된 예에 해당하는 것은?

┌─ 보기 ───────────────────────┐
　'ㅎ'이 끝소리인 어간이 모음으로 시작하는 어미나 접미사와 결합하면 'ㅎ'을 발음하지 않는다. '낳으세요'를 [나으세요]로 발음하거나 '쌓이다'를 [싸이다]로 발음하는 것도 이와 관련된다.
└────────────────────────────┘

① '닿소'를 [다ː쏘]라고 발음한다.
② '하얗다'를 [하ː야타]라고 발음한다.
③ '놓는다'를 [논는다]라고 발음한다.
④ '그렇죠'를 [그러쵸]라고 발음한다.
⑤ '좋아요'를 [조아요]라고 발음한다.

★ **서술형 문제**

10 다음 학습 활동지의 빈칸에 들어갈 알맞은 내용을 서술하세요.

┌─────────────────────────────┐
♥ **학습 활동지 – 겹받침 'ㄶ'의 발음**
㉠ 값[갑], 값과[갑꽈], 값도[갑또]
㉡ 값을[갑쓸], 값이[갑씨]
➡ 결론: 겹받침 'ㄶ'은 　　ⓐ　　에서 [ㅂ]으로 발음한다. 그런데 　　ⓑ　　에는 뒤엣것 'ㅅ'만을 뒤 음절 첫소리로 옮겨 발음한다. 이때 'ㅅ'은 된소리로 발음한다.
└─────────────────────────────┘

┌─ 조건 ───────────────────────┐
- ㉠, ㉡을 통해 알 수 있는 겹받침 'ㄶ'의 발음 조건을 각각 ⓐ, ⓑ에 서술할 것.
- ⓑ의 경우 ㉡의 예를 활용하여 구체적인 단어의 품사를 밝힐 것.
└────────────────────────────┘

- ⓐ: ＿＿＿＿＿＿＿＿＿＿＿＿＿

- ⓑ: ＿＿＿＿＿＿＿＿＿＿＿＿＿

11 ㉮는 '넓다'를 어간과 어미를 구별하여 적은 것이고, ㉯는 소리 나는 대로 적은 것이다. ㉮처럼 적는 이유를 서술하세요.

┌─ 보기 ───────────────────────┐
㉮ 넓다　넓고　넓지만　넓음
㉯ 널따　널꼬　널찌만　널븜
└────────────────────────────┘

┌─ 조건 ───────────────────────┐
- ㉯처럼 적을 때의 단점과 비교하여 ㉮처럼 적을 때의 장점을 서술할 것.
- '㉯처럼 적으면 ~지만, ㉮처럼 적으면 ~ 때문이다.'의 형식으로 서술할 것.
└────────────────────────────┘

VI

한글의 창제 원리

> '세계 어느 나라의 문자에서도 볼 수 없는 가장 과학적인 표기 체계', '천년 한자 역사 속에서 탄생한 세계 문자사의 기적', '인간의 창조성을 증명한 위대한 문자'……. 이 찬사들이 가리키는 것은 무엇일까요? 바로 우리가 사용하는 글자 '한글'입니다. 한 글은 어떻게 만들어졌기에 이런 찬사를 받는 것일까요? 한글이 어떤 원리로 만들어졌 는지, 다른 문자와 비교하여 어떤 특성이 있는지 살펴보기로 해요.

개념 미리 보기 🔍

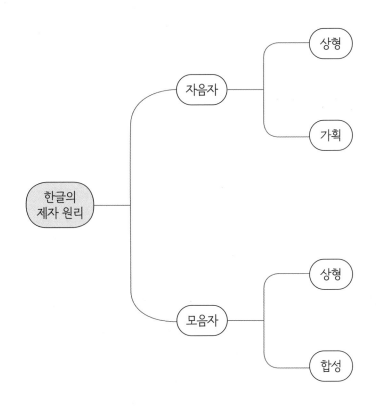

자음자의 제자 원리

세종 대왕이 창제한 훈민정음의 자음자는 총 몇 글자일까요? 바로 17글자입니다. 그럼 이 글자들이 어떤 원리로 만들어졌는지 살펴보기로 해요.

자음자의 제자 원리 ① _ 상형 象 모양 상 形 모양 형

발음 기관*의 모양을 본떠서 자음자의 기본자 'ㄱ, ㄴ, ㅁ, ㅅ, ㅇ'을 만듦.

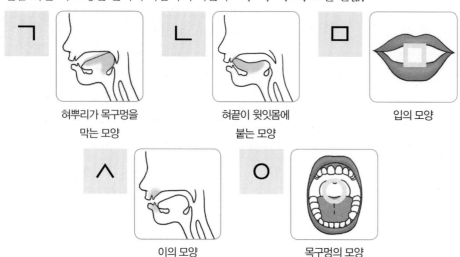

혀뿌리가 목구멍을 막는 모양	혀끝이 윗잇몸에 붙는 모양	입의 모양
이의 모양	목구멍의 모양	

자음자의 제자 원리 ② _ 가획 加 더할 가 劃 새길 획

• 소리가 세짐에 따라 자음자의 기본자에 획을 추가하여 만듦.
• 가획된 자음자와 그 기본자는 발음할 때 소리 나는 위치가 같음.

기본자	획을 더하여 만든 글자(가획자)	
ㄱ	➡ ㅋ	
ㄴ	➡ ㄷ	➡ ㅌ
ㅁ	➡ ㅂ	➡ ㅍ
ㅅ	➡ ㅈ	➡ ㅊ
ㅇ	➡ ㆆ	➡ ㅎ

훈민정음의 자음자

ㄱ, ㄴ, ㅁ, ㅅ, ㅇ, ㅋ, ㄷ, ㅌ, ㅂ, ㅍ,
ㅈ, ㅊ, ㆆ, ㅎ, ㆁ, ㄹ, ㅿ

• 자음자 17개 가운데 'ㆁ(옛이응)', 'ㄹ', 'ㅿ(반치음)'은 소리의 성질이 더 세지 않은데도 자음자의 기본자에 획을 더하여 만들었으므로, 따로 '이체*자(異體字)'라 부름.

'한글'과 '훈민정음'

'한글'은 세종 대왕이 우리말을 표기하기 위하여 창제한 '훈민정음(訓民正音)'을 20세기 이후에 달리 이르는 명칭임.

● **발음 기관** 음성을 내는 데 쓰는 신체의 각 부분을 말함. 성대, 입천장, 이, 잇몸, 혀, 입 등이 있음.

● **이체** 체제나 형상이 다른 것.

오늘날 쓰이지 않는 글자

훈민정음 자음자 17자 가운데 'ㆁ(옛이응)', 'ㅿ(반치음)', 'ㆆ(여린히읗)'은 오늘날 쓰이지 않음.

병서(竝書)와 연서(連書)

더 많은 소리를 표현하기 위해 자음자 17자를 가로로 나란히 붙이거나 세로로 이어 쓴 방법. 훈민정음 28자에는 속하지 않음.

병서자	둘 이상의 같거나 다른 자음자를 가로로 나란히 쓴 글자. 예 ㄲ, ㄸ, ㅃ, ㅆ, ㅉ, ㆅ, ㅺ, ㅴ, ㅵ
연서자	두 개의 자음자를 세로로 이어 쓴 글자. 예 ㅸ, ㅱ, ㆄ, ㅹ

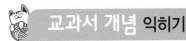
1 다음 설명이 맞으면 ○, 틀리면 X를 하세요.

(1) '한글'은 '훈민정음'을 달리 가리키는 말이다.

( )

(2) 세종 대왕이 창제한 훈민정음의 자음자는 총 19개이다. ( )

(3) 다양한 소리를 표현하기 위해 이미 만든 글자를 가로나 세로로 나란히 붙여 쓰기도 했다. ( )

2 다음은 한글 자음자에 대한 설명입니다. 빈칸에 들어갈 알맞은 말을 쓰세요.

(1) 자음자의 주요 제자 원리는 □□과 가획이다.

(2) 자음자의 기본자는 □□ □□의 모양을 본떠 만들었다.

(3) 소리가 세짐에 따라 자음자의 기본자에 □을 더하여 다른 자음자를 만들었다.

3 자음자의 기본자와 그것을 만들 때 본뜬 모양을 바르게 연결하세요.

기본자	본뜬 모양
(1) ㄱ	㉠ 혀뿌리가 목구멍을 막는 모양
(2) ㄴ	㉡ 목구멍의 모양
(3) ㅁ	㉢ 이의 모양
(4) ㅅ	㉣ 혀끝이 윗잇몸에 붙는 모양
(5) ㅇ	㉤ 입의 모양

4 다음 글자에서 획을 더하여 만든 글자를 〈보기〉에서 찾아 쓰세요.

보기
ㄷ ㅂ ㅈ ㅊ ㅋ ㅌ ㅍ ㆆ ㅎ

(1) 'ㄴ'에 획을 더하여 만든 글자 → ( )

(2) 'ㅁ'에 획을 더하여 만든 글자 → ( )

(3) 'ㅇ'에 획을 더하여 만든 글자 → ( )

5 〈보기〉의 글자들을 아래 항목에 맞게 분류하세요.

보기
ㅿ ㅈ ㅉ ㅋ ㄹ ㅊ ㅆ

가획자	이체자	병서자

6 다음 중 이체자이면서 오늘날 쓰이지 않는 글자에 ○ 표시를 하세요.

ㄱ, ㄴ, ㅁ, ㅅ, ㅇ, ㅋ, ㄷ, ㅌ, ㅂ, ㅍ,
ㅈ, ㅊ, ㅎ, ㆆ, ㆁ, ㄹ, ㅿ

 빈틈 공략하기 Q&A

Q 세종 대왕이 우리말을 만들었다?

A 정답은 '아니다'예요. 앞에서 세종 대왕이 훈민정음을 창제했다고 했는데 왜 아닐까요?

세종 대왕이 만든 것은 우리말이 아니라 우리글이기 때문이에요. 말과 글을 혼동하지 않아야 합니다. 우리말은 우리 민족이 생기면서부터 우리나라 사람이 써 온 말이고, 세종 대왕이 만든 것은 그러한 우리말을 적는 우리나라의 글자예요. 세종 대왕이 우리글을 만들기 전에는 우리말을 적는 글자가 따로 없어서 한자를 빌려 썼던 것입니다. 말과 글의 차이를 다시 한번 확인해 보세요.

모음자의 제자 원리

훈민정음의 모음자는 총 11자예요. 이 모음자들도 자음자처럼 일정한 제자 원리에 따라 만들어졌답니다. 자음자를 만든 원리와 비슷한 점도 있고 다른 점도 있어요. 어떤 점이 비슷하고 다른지 알아보기로 해요.

모음자의 제자 원리 ① _ 상형 象 모양상 形 모양형

하늘, 땅, 사람을 본떠서 모음자의 기본자 '·, ㅡ, ㅣ'를 만듦.
└ '아래아'라고 부름.

·	하늘의 둥근 모양을 본뜸.
ㅡ	땅의 평평한 모양을 본뜸.
ㅣ	사람이 서 있는 모양을 본뜸.

모음자의 기본자가 표현하는 소리

·	혀가 오그라들고 깊게 나는 소리
ㅡ	혀가 조금 오그라들고 깊지도 얕지도 않게 나는 소리
ㅣ	혀가 오그라들지 않고 얕게 나는 소리

모음자의 제자 원리 ② _ 합성 合 합할합 成 이룰성

모음자의 기본자를 합하여 다른 모음자를 만듦.

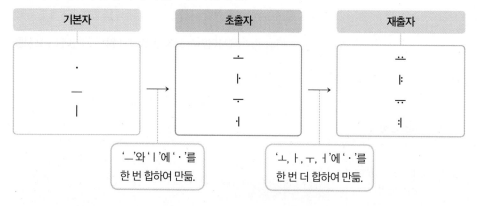

'ㅡ'와 'ㅣ'에 '·'를 한 번 합하여 만듦.

'ㅗ, ㅏ, ㅜ, ㅓ'에 '·'를 한 번 더 합하여 만듦.

기본자의 제자 원리에 나타난 공통점과 차이점

공통점	자음자와 모음자 모두 '상형'의 원리로 기본자를 만듦.
차이점	자음자는 '발음 기관'의 모양을, 모음자는 '하늘, 땅, 사람'의 모양을 본떠 만듦.

오늘날 쓰이지 않는 글자

훈민정음 모음자 11자 가운데 '·(아래아)'는 오늘날 쓰이지 않음.

훈민정음의 모음자

·, ㅡ, ㅣ, ㅗ, ㅏ, ㅜ, ㅓ, ㅛ, ㅑ, ㅠ, ㅕ

글자를 이루는 원리: 모아쓰기

• 자음자와 모음자를 합쳐 글자를 만듦. 예 ㅅ + ㅏ → 사
• 자음자를 초성으로, 모음자를 중성으로, 자음자를 종성으로 더해 글자를 만들기도 함.
  예 ㄹ + ㅏ + ㅇ → 랑

합용

훈민정음 모음자 11자 가운데 둘이나 세 글자를 서로 합하여 다양한 모음자를 만듦. 훈민정음 28자에는 속하지 않음.
• 초출자끼리 결합함. 예 ㅘ, ㅝ
• 기본자, 초출자, 재출자와 'ㅣ'가 결합함. 예 ㅢ, ㅐ, ㅚ
• 초출자끼리 결합한 것에 다시 'ㅣ'가 결합함. 예 ㅙ, ㅞ

교과서 개념 익히기

1 다음 설명이 맞으면 ○, 틀리면 X를 하세요.

(1) 훈민정음 모음자는 총 11자이다. ( )

(2) 훈민정음 창제 당시 만들어진 모음자는 현재도 모두 사용하고 있다. ( )

(3) 모음자를 초성으로, 자음자를 중성으로, 모음자를 종성으로 더해 글자를 만들 수 있다. ( )

2 다음은 한글 모음자에 대한 설명입니다. 빈칸에 들어갈 알맞은 말을 쓰세요.

(1) 모음자의 주요 제자 원리는 상형과 ⬜⬜이다.

(2) 하늘, 땅, ⬜⬜을 본떠 모음자의 기본자를 만들었다.

(3) 모음자의 기본자를 합하여 다른 모음자를 만들었는데, 'ㆍ'를 한 번 합하면 ⬜⬜⬜이고, 두 번 합하면 재출자이다.

3 모음자의 기본자와 그것을 만들 때 본뜬 모양을 바르게 연결하세요.

기본자		본뜬 모양
(1) ㆍ	•	㉠ 사람이 서 있는 모양
(2) ㅡ	•	㉡ 땅의 평평한 모양
(3) ㅣ	•	㉢ 하늘의 둥근 모양

4 다음 글자들이 초출자이면 '초', 재출자이면 '재'라고 쓰세요.

(1) | ㅏ, ㅓ, ㅗ, ㅜ | ( )

(2) | ㅑ, ㅕ, ㅛ, ㅠ | ( )

5 〈보기〉를 참고하여 빈칸에 알맞은 모음자를 쓰세요.

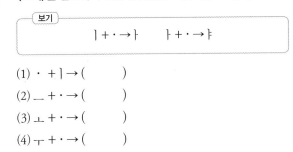

보기

ㅣ + ㆍ → ㅏ   ㅏ + ㆍ → ㅑ

(1) ㆍ + ㅣ → ( )

(2) ㅡ + ㆍ → ( )

(3) ㅗ + ㆍ → ( )

(4) ㅜ + ㆍ → ( )

6 〈보기〉의 자음자와 모음자를 모아써서 단어를 완성하세요.

보기

ㅎ ㅏ ㄴ ㅡ ㄹ

_____

빈틈 공략하기 Q&A

Q '훈민정음'은 문자 이름일까, 책 이름일까?

A '훈민정음(訓民正音)'은 '백성을 가르치는 바른 소리'라는 뜻이에요. 1443년 세종 대왕이 창제한 문자의 이름이기도 하면서, 1446년에 훈민정음 스물여덟 자를 세상에 반포할 때 찍어 낸 책의 이름이기도 합니다. 책 《훈민정음》은 1997년에 유네스코 '세계 기록 유산'으로 지정되기도 했습니다.

한편 세종 대왕이 만든 글자 '훈민정음'은 경우에 따라 다음과 같이 다른 이름으로 불렸어요.

언문, 암글, 아햇글, 한글

언문, 암글, 아햇글은 조선 시대 때 한글을 한문에 비해 낮잡아 보았기 때문에 불린 이름이에요. 양반이 아닌 사람들, 부녀자, 아이들이 쓰는 글이라고 해서 이렇게 불렸답니다. '한글'은 지금 현재 우리글을 가리키는 이름이에요. 창제 당시 훈민정음은 자음자 17자, 모음자 11자, 총 28자이지만, 현재 한글은 자음자 14자, 모음자 10자, 총 24자입니다.

15 한글의 특성

세종 대왕이 창제한 한글은 훌륭한 문자로 세계에서 인정받고 있다고 했어요. 이런 한글에는 어떤 특성이 있는지 알아보기로 해요. 그 전에 먼저 한글이 어떤 취지로 만들어진 것인지, 그 창제 정신을 살펴볼까요?

◉◉ 한글의 창제 정신 → 한글의 창제 정신은 '훈민정음 어제 서문'에 실려 있음.

창제한 이유	창제 정신
모든 사람으로 하여금 쉽게 익혀서 날마다 편리하게 쓰도록 하겠음.	실용 정신
우리말은 중국 말과 달라, 한자가 아닌 우리의 독창적인 문자가 필요함.	자주정신
글을 잘 모르는 백성이 글로 자신의 뜻을 표현하지 못하는 것이 안타까움.	애민°정신

◉◉ 한글의 특성

• 적은 수의 글자를 조합하여 많은 소리를 나타낼 수 있음.
  → 한자는 각 글자가 일정한 뜻을 나타내는 문자이므로 글자 수가 많지만, 한글은 말소리를 기호로 나타낸 문자이므로 글자 수가 적음.

• 하나의 글자가 하나의 소리로 발음됨.

한글	영어 알파벳
사과[사과]	apple[애플]
나이[나이]	age[에이지]
아버지[아버지]	father[파더]

→ 영어 알파벳 'a'는 [애], [에이], [아] 등 다양한 소리로 발음되지만 한글 'ㅏ'는 모두 [아]로 발음됨.

• 소리가 비슷한 글자는 모양도 비슷함.

한글	영어 알파벳
ㄱ - ㅋ	g - k
ㄴ - ㄷ - ㅌ	n - d - t
ㅁ - ㅂ - ㅍ	m - b - p

→ 한글은 가획의 원리에 따라 만들어져서 소리 나는 위치가 같은 글자들의 모양이 서로 비슷하지만, 영어 알파벳은 그렇지 않음.

• 한글은 자음자와 모음자를 가로세로로 묶어서 음절 단위로 모아씀.

ㅎㅏㄴㄱㅡㄹ ㅅㅏㄹㅏㅇ → 한글 사랑
풀어쓰기 　　　　　모아쓰기

→ 글을 읽기도 편하고 의미도 쉽게 파악할 수 있음.

• 정보화 시대에 맞는 우수성을 지니고 있음.

중국 한자	컴퓨터에 입력할 때 알파벳으로 발음을 입력하고 나서 해당 문자로 변환해야 함.
한글	컴퓨터에 입력할 때 자판을 누르면 별도의 변환 과정 없이 그대로 입력됨.

→ 한글은 한자를 입력할 때보다 입력 속도가 빠르고 간편함.

◉◉ **훈민정음 창제 이전 백성들의 문자 생활**

중국어를 적는 문자인 한자로 우리말을 표기하고 있었음. 그러나 한자로는 우리말을 온전히 적을 수 없었고, 한자는 글자 수가 많고 배우기가 어려워 백성들은 문자로 소통하기가 어려웠음.

● **애민(愛民)** 백성을 사랑함.

◉◉ **한글의 제자 원리가 담긴 휴대 전화 자판**

• 가획의 원리가 적용된 자판

예 ㄴ + 획 추가 → ㄷ

• 합성의 원리가 적용된 자판

예 · + ㅣ → ㅓ

교과서 개념 익히기

1 다음 설명이 맞으면 ◯, 틀리면 X를 하세요.

(1) 한글이 생기기 전에는 모든 백성이 한자로 자신들의 생각을 표현했다. ( )

(2) 세종 대왕은 모든 사람이 쉽게 익혀서 편하게 쓰게 하기 위해 한글을 만들었다. ( )

(3) 한글은 적은 수의 글자로 많은 소리를 나타낼 수 있다. ( )

2 다음은 한글의 특성에 대한 설명입니다. 빈칸에 들어갈 알맞은 말을 쓰세요.

(1) 한자는 각 글자가 일정한 ☐을 가진 문자인 반면, 한글은 ☐☐☐를 기호로 나타낸 문자이다.

(2) 한글은 대개 하나의 글자가 ☐☐의 소리로만 발음된다.

(3) 한글은 자음자와 모음자를 가로세로로 묶어서 ☐☐ 단위로 모아쓴다.

3 한글의 창제 이유와 창제 정신을 바르게 연결하세요.

창제 이유		창제 정신
(1) 우리말은 중국과 달라, 한자가 아닌 우리만의 문자가 필요하다.	• • ㉠	실용 정신
(2) 글을 모르는 백성이 글로 자신의 생각을 표현하지 못하는 것이 안타깝다.	• • ㉡	자주정신
(3) 모든 사람이 쉽게 익혀서 날마다 편리하게 쓰도록 하겠다.	• • ㉢	애민 정신

4 〈보기〉의 풀어쓴 문장을 모아쓴 문장으로 바꾸어 쓰세요.

보기
ㄱㅏ ㄹㅅㅜ ㄹㄱㄱㅌㅐㅅㅏㄴ

_____

_____

5 다음 설명이 맞으면 ◯, 틀리면 X를 하세요.

(1) 중국 한자를 컴퓨터에 입력하려면 알파벳으로 발음을 먼저 입력해야 한다. ( )

(2) 한글을 컴퓨터에 입력할 때 자판을 누르면 한글이 바로 입력된다. ( )

(3) 컴퓨터 자판으로 한자를 입력할 때 한글보다 입력 속도가 빠르고 간편하다. ( )

빈틈 공략하기 Q&A

Q 한글 자음자와 모음자의 이름은 뭘까?

A 한글 자모 이름에 관한 내용은 한글 맞춤법에 담겨 있어요.

한글 맞춤법 제4항 한글 자모의 수는 스물넉 자로 하고, 그 순서와 이름은 다음과 같이 정한다.

ㄱ(기역)	ㄴ(니은)	ㄷ(디귿)	ㄹ(리을)	ㅁ(미음)
ㅂ(비읍)	ㅅ(시옷)	ㅇ(이응)	ㅈ(지읒)	ㅊ(치읓)
ㅋ(키읔)	ㅌ(티읕)	ㅍ(피읖)	ㅎ(히읗)	
ㅏ(아)	ㅑ(야)	ㅓ(어)	ㅕ(여)	ㅗ(오)
ㅛ(요)	ㅜ(우)	ㅠ(유)	ㅡ(으)	ㅣ(이)

자음자의 이름은 '니은'이라는 글자와 같이 'ㄴ'이 있는 자리, 즉 '니'의 초성 자리와 '은'의 종성 자리에 자음자를 넣으면 자음자의 이름이 돼요. 그런데 모든 법칙에는 예외가 있는 법! 'ㄱ'은 '기역', 'ㄷ'은 '디귿', 'ㅅ'은 '시옷'이라고 표기하므로 이 점에 유의하세요.

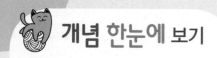

한글의 창제 원리

◉ **훈민정음:** 세종 대왕이 창제한 훈민정음은 자음자 17자, 모음자 11자, 총 28자로 구성되었음.

자음자	ㄱ, ㄴ, ㅁ, ㅅ, ㅇ, ㅋ, ㄷ, ㅌ, ㅂ, ㅍ, ㅈ, ㅊ, ㆆ, ㅎ, ㆁ, ㄹ, ㅿ
모음자	·, ㅡ, ㅣ, ㅗ, ㅏ, ㅜ, ㅓ, ㅛ, ㅑ, ㅠ, ㅕ

◉ **자음자 17자의 제자 원리**

• **상형:** 발음 기관의 모양을 본떠 기본자를 만듦.

기본자	
혀뿌리가 목구멍을 막는 모양	ㄱ
혀끝이 윗잇몸에 붙는 모양	ㄴ
입의 모양	ㅁ
이의 모양	ㅅ
목구멍의 모양	ㅇ

• **가획:** 소리가 세짐에 따라 기본자에 획을 추가하여 만듦.

획을 더하여 만든 글자		
	ㅋ	
	ㄷ	ㅌ
	ㅂ	ㅍ
	ㅈ	ㅊ
	ㆆ	ㅎ

※ 'ㆁ', 'ㄹ', 'ㅿ'은 소리의 성질이 더 세지 않음에도 자음자의 기본자에 획을 더하여 만들었으므로 따로 '이체자'라 부름.

◉ **모음자 11자의 제자 원리**

• **상형:** 하늘, 땅, 사람을 본떠 기본자를 만듦.

기본자	
하늘의 둥근 모양을 본뜸.	·
땅의 평평한 모양을 본뜸.	ㅡ
사람이 서 있는 모양을 본뜸.	ㅣ

• **합성:** 모음 기본자를 합하여 다른 모음자를 만듦.

초출자	재출자
ㅗ	ㅛ
ㅏ	ㅑ
ㅜ	ㅠ
ㅓ	ㅕ

'ㅡ'와 'ㅣ'에 '·'를 한 번 합함.

'·'를 한 번 더 합함.

◉ **한글의 특성**

• 적은 수의 글자를 조합하여 많은 소리를 낼 수 있음.

• 하나의 글자가 하나의 소릿값을 지니고 있어서 영어 알파벳보다 쉽게 읽을 수 있음.

• 초성, 중성, 종성을 합쳐서 모아쓰기 때문에 읽기 편하고 의미도 쉽게 파악할 수 있음.

• 정보화 시대에 적합한 문자임. ← 체계적인 창제 원리를 적용하여 컴퓨터나 휴대 전화 자판을 이용할 때 정보를 효율적으로 입력할 수 있음.

개념 적용 훈련 문제

01 세종 대왕이 훈민정음을 창제한 까닭으로 적절하지 <u>않은</u>
것은?

① 한자를 없애고 새 문자로 표기하기 위해서이다.

② 글자를 모르는 백성들을 불쌍하게 생각해서이다.

③ 누구나 쉽게 익혀서 편하게 쓸 수 있는 문자를 만들고 싶어서이다.

④ 글자를 모르는 백성들이 새 글자로 자신의 생각을 표현하게 하기 위해서이다.

⑤ 우리말은 중국 말과 달라 한자로는 우리말을 제대로 표현할 수 없기 때문이다.

02 자음자의 기본자에 대한 설명으로 적절하지 <u>않은</u> 것은?

① 자음자의 기본자는 'ㄱ, ㄴ, ㅁ, ㅅ, ㅇ'이다.

② 자음자의 기본자는 발음 기관의 모양을 본떠 만들었다.

③ 'ㄱ'은 혀뿌리가 목구멍을 막는 모양을 본떠 만들었다.

④ 'ㅁ'은 입의 모양을, 'ㅅ'은 이의 모양을 본떠 만들었다.

⑤ 자음자의 기본자는 발음 기관 모양을 본떴다 하여 '이체자'라고 한다.

03 다음 발음 기관 중 자음자의 기본자 제자 원리와 관련 <u>없는</u>
것은?

① 입   ② 이   ③ 코   ④ 혀   ⑤ 목구멍

04 다음 ㉠과 ㉡에 들어갈 알맞은 말을 쓰세요.

가획자는 소리가 (㉠)에 따라 자음 기본자에 (㉡)을 더하여 만든 글자이다.

• ㉠: _____   • ㉡: _____

05 다음 중 소리 나는 위치가 같은 글자끼리 알맞게 짝지어진
것을 모두 고르면?

① ㄱ - ㄴ   ② ㄴ - ㄷ   ③ ㄹ - ㅁ

④ ㅁ - ㅂ   ⑤ ㅂ - ㅅ

06 다음 중 글자가 만들어진 원리가 <u>다른</u> 하나는?

① ㅁ   ② ㄷ   ③ ㅌ   ④ ㅈ   ⑤ ㅎ

07 〈보기〉의 글자에 대한 설명으로 적절하지 <u>않은</u> 것은?

보기

ㄲ ㄸ ㅃ ㅆ ㅅ ㅄ ㅄ
ㅁ ㅸ ㅃ ㆄ

① 훈민정음 28자에 속하는 글자이다.

② 자음자를 세로로 이어 쓴 것을 연서라고 한다.

③ 자음자를 가로로 나란히 붙여 쓴 것을 병서라고 한다.

④ 좀 더 다양한 소리를 표현하기 위해 만든 글자이다.

⑤ 이미 만든 글자를 가로로 나란히 쓰거나 세로로 이어 써서 만든 글자이다.

08 한글 자음자에 대한 설명으로 적절한 것은?

① 가획된 자음자는 그 기본자보다 소리가 약하다.

② '합성'은 모양을 본떠서 글자를 만드는 원리이다.

③ '상형'은 기본자를 합하여 글자를 만드는 원리이다.

④ 'ㆁ, ㆆ, ㅿ'은 '이체자'라고 하며 오늘날 쓰이지 않는다.

⑤ 가획된 자음자와 그 기본자는 발음할 때 소리 나는 위치가 같다.

09 모음자의 기본자가 본뜬 대상이 바르게 연결된 것은?

	·	─	ㅣ
①	땅	사람	백성
②	임금	백성	하늘
③	하늘	땅	사람
④	하늘	사람	땅
⑤	백성	하늘	땅

10 〈보기〉의 모음자를 아래 표에 알맞게 분류하세요.

> **보기**
> ·, ㅏ, ㅑ, ㅓ, ㅕ, ㅗ, ㅛ, ㅜ, ㅠ, ─, ㅣ

⬇

기본자	합성자	
	초출자	재출자

11 다음 모음자에 대한 설명으로 알맞은 것은?
① 'ㅗ'와 '·'를 합하여 'ㅛ'를 만들었다.
② 'ㅏ'와 '·'를 합하여 'ㅐ'를 만들었다.
③ '·'와 'ㅡ'를 합하여 'ㅜ'를 만들었다.
④ 'ㅡ'와 '·'를 합하여 'ㅗ'를 만들었다.
⑤ '·'와 'ㅣ'를 합하여 'ㅓ'를 만들었다.

12 훈민정음 창제 당시 만들어진 글자 28자 가운데 오늘날 사용하지 <u>않는</u> 글자를 모두 쓰세요.

• 자음자: _____

• 모음자: _____

13 한글의 창제 원리에 대한 설명으로 적절하지 <u>않은</u> 것은?
① 기본자는 모두 상형의 원리로 만들었다.
② 모음 기본자는 하늘과 땅, 사람을 본떠 만들었다.
③ 자음 기본자는 발음 기관의 모양을 본떠 만들었다.
④ 더 많은 소리를 표현하기 위해 창제 당시에는 없던 글자를 현대에 와서 새로 만들었다.
⑤ 기본자에 획을 더하거나 기본자를 합해 글자를 만들어 훈민정음의 글자 수는 총 28자가 되었다.

14 〈보기〉를 통해 알 수 있는 한글의 특성으로 적절한 것은?

> **보기**
> 한자는 각 글자가 '의미'를 나타내는 문자입니다. 세상에 존재하는 의미의 수만큼 글자가 많이 필요하지요. 알려진 글자 수가 5만 자에 이른다고 해요.
> 반면에 한글은 '소리'를 나타내는 문자라서 한자보다 글자 수가 적지요. 같은 소리를 내는 글자는 의미와 상관없이 같은 글자로 적으니까요.

① 한글은 이전에는 없던 새롭고 체계적인 문자이다.
② 한글은 자음자와 모음자의 수가 비슷한 문자이다.
③ 한글은 만든 사람과 창제 시기를 알 수 있는 문자이다.
④ 한글은 적은 수의 글자로 많은 소리를 표현할 수 있는 문자이다.
⑤ 한글은 글자의 모양을 보고 글자들의 관계나 소리의 특징을 파악할 수 있는 문자이다.

15 〈보기〉에 대한 설명으로 적절하지 <u>않은</u> 것은?

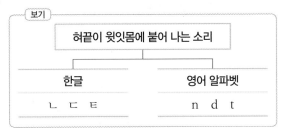

① 한글 'ㄴ, ㄷ, ㅌ'과 영어 알파벳 'n, d, t'는 모두 혀끝이 윗잇몸에 붙어 나는 소리를 표기한 것이다.

② 한글은 같은 위치에서 소리 나는 글자들의 모양이 비슷하지만, 영어 알파벳은 그렇지 않다.

③ 한글은 가획의 원리에 따라 만들어졌기 때문에 소리 나는 위치가 같은 글자들의 모양이 서로 비슷하다.

④ 영어 알파벳은 글자의 모양과 발음 사이에 공통점이 거의 없다.

⑤ 영어 알파벳은 글자의 모양을 통해 글자들의 관계를 짐작할 수 있다.

16 ㉠과 ㉡에 대한 설명으로 적절하지 <u>않은</u> 것은?

> ㉠ ㅎㅏㄴㄱㅡㄹㅅㅏㄹㅏㅇ
> ㉡ 한글 사랑

① ㉠은 풀어쓰기 방식으로 한글을 적은 것이다.

② ㉡은 모아쓰기 방식으로 한글을 적은 것이다.

③ ㉠은 첫소리, 가운뎃소리, 끝소리를 차례대로 늘어놓아 쓰는 방식이다.

④ ㉡은 모음자를 자음자의 아래쪽에만 붙여 모아쓰는 방식이다.

⑤ ㉡은 ㉠에 비해 읽기 편하고 의미를 쉽게 파악할 수 있다.

17 다음을 통해 알 수 있는 한글의 특성으로 적절한 것은?

한글	영어 알파벳
사과[사과]	apple[애플]
아침[아침]	baby[베이비]
아버지[아버지]	father[파더]

① 글자 하나하나가 의미를 가지고 있다.

② 발음의 특성을 고려하여 글자를 만들었다.

③ 영어 알파벳에 비해 모음자의 숫자가 적다.

④ 모든 글자가 초성과 중성으로 이루어져 있다.

⑤ 하나의 글자가 하나의 소릿값을 가지고 있다.

18 다음을 통해 알 수 있는 한글의 장점을 한자와 비교하여 쓰세요.

> 컴퓨터로 중국어 한자를 입력하려면, 로마자로 발음을 입력한 뒤에 한자로 변환하는 과정을 거쳐야 하지만, 한글은 자판을 누르면 별도의 변환 과정 없이 그대로 입력된다.

19 정보화 시대에 두드러지는 한글의 우수성으로 적절하지 <u>않은</u> 것은?

① 영선: 한글은 글자 수가 적어서 컴퓨터 자판에 거의 모든 글자를 배열해서 입력할 수 있어.

② 지안: 한글의 체계적인 창제 원리로 휴대 전화 자판을 이용할 때 정보를 효율적으로 입력할 수 있다고.

③ 창우: 한글은 다른 여느 문자들과 다르게 만든 사람과 창제 시기, 창제의 목적을 알 수 있는 문자야.

④ 가영: 한글은 모아쓰기 때문에 정보를 빠르게 파악할 수 있고 정보를 전달하는 데 실용적이야.

⑤ 주원: 한글은 문자와 소리가 대체로 일치하여 기계 번역이나 음성 인식 컴퓨터 등의 정보화에 유리해.

2 학년

학습활동응용 천재(박)

01 〈보기〉에 대한 설명으로 적절하지 **않은** 것은?

> [보기]
>
> 우리나라 말이 중국과 달라 한자와 서로 통하지 아니하여서, 이런 까닭으로 어리석은 백성이 말하고자 하는 바가 있어도 끝내 제 뜻을 펴지 못하는 사람이 많다. 내가 이것을 가엾게 생각하여 새로 스물여덟 글자를 만드니, 모든 사람으로 하여금 날마다 쓰는 데 편하게 하고자 할 따름이다.

① 한글을 만든 까닭을 밝히고 있는 글이다.
② 세종 대왕이 창제한 글자는 총 28자이다.
③ 백성들이 한자를 모르는 현실에 분노하고 있다.
④ 모든 사람이 편하게 쓸 수 있는 글자를 만들고자 한다.
⑤ 우리말은 중국 말과 다르므로, 우리만의 문자가 필요하다는 생각이 드러난다.

기출문제응용 고1 교육청

02 〈보기〉를 바탕으로 '훈민정음 자음자의 제자 원리'를 탐구한 것으로 적절하지 **않은** 것은?

> [보기]
>
> 훈민정음의 자음자는 발음 기관을 상형하여 기본자 'ㄱ, ㄴ, ㅁ, ㅅ, ㅇ'을 만들고, 기본자에 획을 더하여 기본자보다 소리가 더 세게 나는 가획자를 만들었다. 각각의 기본자와 가획자는 같은 위치에서 나는 소리를 나타낸다.
> 그런데 'ㆁ, ㄹ, ㅿ'은 소리의 성질이 더 세지 않은데도 자음자의 기본자에 획을 더하여 만들었으므로, 따로 '이체자'라고 한다.

① 'ㅋ'은 기본자 'ㄱ'에 가획을 한 것이겠군.
② 'ㄷ, ㅌ'은 모두 기본자 'ㄴ'에 가획을 한 것이겠군.
③ 이체자 'ㅿ'은 기본자 'ㅅ'보다 소리의 성질이 세겠군.
④ 'ㅎ'은 가획자이므로 'ㅇ'보다 소리가 더 세게 나겠군.
⑤ 자음자의 기본자는 모두 모양을 본뜨는 방식을 사용하여 만들었군.

03 다음 중 가획의 순서가 올바르지 **않은** 것은?

① ㄱ → ㅋ → ㄲ
② ㄴ → ㄷ → ㅌ
③ ㅁ → ㅂ → ㅍ
④ ㅅ → ㅈ → ㅊ
⑤ ㅇ → ㆆ → ㅎ

04 ㉠~㉢에 해당하는 글자가 알맞게 짝지어진 것은?

> 훈민정음의 모음자는 총 11자로, 상형의 원리로 만든 기본자 (㉠), 합성의 원리로 만든 초출자 (㉡), 재출자 (㉢)가 있다.

	㉠	㉡	㉢
①	·	ㅡ	ㅣ
②	ㅡ	ㅗ	ㅜ
③	ㅣ	ㅏ	ㅕ
④	ㅓ	ㅣ	ㅐ
⑤	ㅑ	ㅛ	ㅠ

05 ㉠~㉣과 관련된 설명으로 적절하지 **않은** 것은?

> ㉠ 자음자와 모음자의 기본자는 상형의 원리에 따라 만들어졌다.
> ㉡ 기본자에 가획하여 새로운 자음자를 만들었다.
> ㉢ 자음자를 나란히 써 또 다른 자음자로 사용했다.
> ㉣ 기본자 외의 모음자는 기본자를 합하여 만들었다.

① ㉠: 'ㄱ'은 혀뿌리가 목구멍을 막는 모양을 본떴다.
② ㉠: 'ㅡ'는 땅의 평평한 모양을 본떠 만들었다.
③ ㉡: 'ㅂ, ㅍ'은 'ㅁ'에 획을 더해 만들었는데, 'ㅁ'이 소리의 세기가 가장 강하고 'ㅍ'이 가장 약하다.
④ ㉢: 'ㄲ'처럼 같은 글자를 나란히 쓰기도 하고, 'ㄺ'처럼 다른 글자를 나란히 쓰기도 했다.
⑤ ㉣: 휴대 전화 자판 중에 기본자 '·, ㅡ, ㅣ'만으로 모든 모음자를 입력하는 것도 있다.

06 〈보기〉와 관련 있는 한글의 특성으로 적절한 것은?

> 보기
>
> 'house, maison, casa'는 각각 영어, 프랑스어, 이탈리아어로 '사람이나 동물이 들어 살기 위하여 지은 건물.'을 가리킨다. 이와 같은 뜻의 한국어 단어를 쓸 때에는 'ㅈㅣㅂ'이 아니라 '집'으로 쓴다.

① 사물의 모양을 본떠 글자를 만들었다.

② 같은 위치에서 소리 나는 글자가 있다.

③ 한글의 표기 방식은 시대에 따라 달라졌다.

④ 글자를 풀어쓰기 때문에 의미 파악이 쉽다.

⑤ 자음자와 모음자를 모아 음절 단위로 모아쓴다.

07 ㉠~㉤에 들어갈 내용을 <u>잘못</u> 제시한 사람은?

한글	한자
㉠	의미를 나타냄.

↓

㉡

한글	영어 알파벳
㉢	하나의 글자가 다양하게 발음됨.
글자의 모양을 통해 글자들의 관계나 소리의 특징을 짐작할 수 있음.	㉣

↓

㉤

① 상서: ㉠에는 "소리를 나타냄."이 들어가야지.

② 유찬: ㉡에는 한글이 적은 수의 글자로 수많은 음절을 표현할 수 있다는 말이 들어갈 수 있어.

③ 선민: ㉢에는 하나의 소리가 여러 글자로 적힌다는 내용이 들어가야겠어.

④ 상현: ㉣에는 글자의 모양과 그 소리가 관련되지 않는다는 말이 들어가야지.

⑤ 규혁: ㉤에는 한글이 체계적으로 만들어져 쉽게 배울 수 있다는 점을 적어야겠어.

08 한글의 기본자가 만들어진 원리를 서술하세요.

> 조건
>
> • 자음자의 기본자와 모음자의 기본자가 만들어진 원리의 공통점과 차이점을 밝힐 것.
> • 자음자의 기본자와 모음자의 기본자가 무엇인지 밝힐 것.

_____

_____

09 ㉮와 ㉯의 글자판으로 입력한 단어를 보고, 각 글자판에 적용된 한글의 창제 원리가 무엇인지 서술하세요.

> 조건
>
> ㉮는 모음자를 입력할 때 적용한 원리를, ㉯는 자음자를 입력할 때 적용한 원리를 밝힐 것.

_____

_____

VII

음운의 체계와 특성

우리가 다른 사람과 대화하는 모습을 떠올려 보세요. 사람마다 목소리도 다르고, 발음하는 방식 등도 조금씩 다른데, 우리는 그 내용을 이해하는 데 큰 어려움이 없어요. 아주 큰 목소리로 '밥!'이라고 말하거나, 아주 작은 목소리로 '밥'이라고 말할 때, 또는 말꼬리를 늘여 '밥~~'이라고 말해도 우리는 그것을 모두 '밥'이라는 의미로 받아들이지요. 언어의 기본인 말소리가 같기 때문이에요.

이런 말소리는 대개 모음과 자음 등의 음운으로 이루어져 있어요. 언어마다 말소리를 이루는 모음과 자음이 다르고, 그 체계도 다르지요. 이 단원에서는 우리말의 음운과 그 체계를 알아보기로 해요.

개념 미리 보기 📖

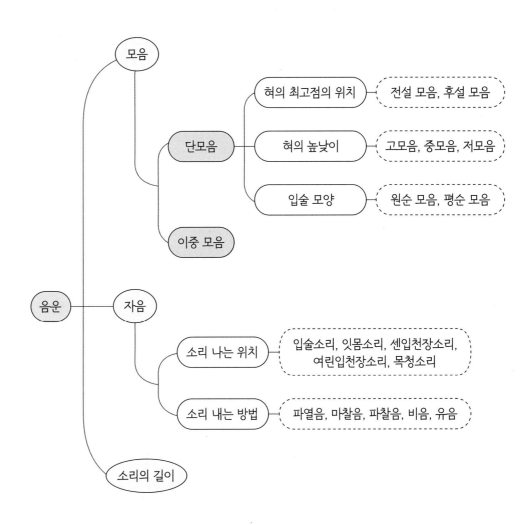

- 음운
  - 모음
    - 단모음
      - 혀의 최고점의 위치 — 전설 모음, 후설 모음
      - 혀의 높낮이 — 고모음, 중모음, 저모음
      - 입술 모양 — 원순 모음, 평순 모음
    - 이중 모음
  - 자음
    - 소리 나는 위치 — 입술소리, 잇몸소리, 센입천장소리, 여린입천장소리, 목청소리
    - 소리 내는 방법 — 파열음, 마찰음, 파찰음, 비음, 유음
  - 소리의 길이

음운의 개념

'나'와 '너'를 구별해 주는 것은 무엇일까요? 또 '사람'과 '사랑'을 다른 뜻으로 인식하게 만들어 주는 것은 무엇일까요? 지금부터 이런 말의 뜻을 구별하게 해 주는 것에 대해 살펴보기로 해요.

◉◉ 음운 音 소리 음 韻 소리 운

- 말의 뜻을 구별해 주는 소리의 가장 작은 단위
- 국어의 음운에는 모음, 자음, 소리의 길이 등이 있음.

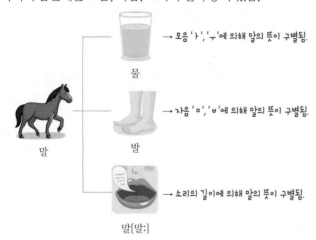

→ 모음 'ㅏ', 'ㅜ'에 의해 말의 뜻이 구별됨.

물

→ 자음 'ㅁ', 'ㅂ'에 의해 말의 뜻이 구별됨.

말 / 발

→ 소리의 길이에 의해 말의 뜻이 구별됨.

말[말:]

◉◉ 모음 母 어머니 모 音 소리 음

- 소리를 낼 때 공기의 흐름이 입안에서 장애를 받지 않고 나오는 소리
- 우리말에는 21개의 모음이 있음.

> ㅏ, ㅐ, ㅑ, ㅒ, ㅓ, ㅔ, ㅕ, ㅖ, ㅗ, ㅘ, ㅙ, ㅚ,
> ㅛ, ㅜ, ㅝ, ㅞ, ㅟ, ㅠ, ㅡ, ㅢ, ㅣ

◉◉ 자음 子 아들 자 音 소리 음

- 소리를 낼 때 공기의 흐름이 목 안 또는 입안에서 장애를 받고 나오는 소리
- 우리말에는 19개의 자음이 있음.

> ㄱ, ㄲ, ㄴ, ㄷ, ㄸ, ㄹ, ㅁ, ㅂ, ㅃ, ㅅ, ㅆ,
> ㅇ, ㅈ, ㅉ, ㅊ, ㅋ, ㅌ, ㅍ, ㅎ

◉◉ 소리의 길이

- 소리의 길이가 길고 짧음에 따라 단어의 뜻이 구별되는 경우가 있음.
  > 예 눈[눈]: 빛의 자극을 받아 물체를 볼 수 있는 감각 기관.
  >   눈[눈:]: 대기 중의 수증기가 찬 기운을 만나 얼어서 땅 위로 떨어지는 얼음의 결정체.
- 뜻을 구별하여 준다는 점에서 모음이나 자음과 마찬가지로 음운의 역할을 함.

◉◉ 음절과 음운

- 음절: 모음, 모음과 자음, 자음과 모음, 자음과 모음과 자음이 어울려 한 덩어리로 내는 말소리의 단위.
- 음운은 더 이상 쪼갤 수 없는 소리의 가장 작은 단위이지만, 음절은 음운 단위로 쪼갤 수 있음.
- 국어의 음절 구성 방식

모음	예 아
모음+자음	예 악
자음+모음	예 가
자음+모음+자음	예 각

◉◉ 소리의 길이를 알아보는 방법

어떤 단어가 길게 발음되는지 구별하기 어렵다면 국어사전을 찾아 알아볼 수 있음. 사전 풀이 중 발음 부분에 [말:]과 같이 ':' 표시가 있으면 해당 글자를 길게 발음하라는 의미임.

◉◉ 소리의 길이가 길고 짧음에 따라 뜻이 구별되는 단어의 예

[밤] / [밤:]
[벌] / [벌:]
[병] / [병:]

1 다음은 음운에 관한 설명입니다. 빈칸에 들어갈 알맞은 말을 쓰세요.

(1) 음운은 말의 뜻을 구별해 주는 □□의 가장 작은 단위이다.

(2) 국어의 음운에는 □□, 자음, 소리의 길이 등이 있다.

(3) □□은 소리를 낼 때 공기의 흐름이 입안에서 장애를 받고 나오는 소리이다.

(4) 소리의 길이는 단어의 뜻을 구별해 준다는 점에서 □□의 역할을 한다.

2 다음은 우리말 모음입니다. 빠진 모음이 몇 개인지, 빠진 모음은 무엇인지 쓰세요.

| ㅏ ㅐ ㅒ ㅓ ㅔ ㅕ ㅖ ㅘ ㅙ ㅚ |
| ㅛ ㅜ ㅝ ㅞ ㅟ ㅠ ㅡ ㅣ |

• 빠진 모음의 개수:

• 빠진 모음:

3 다음은 우리말 자음입니다. 빠진 자음이 몇 개인지, 빠진 자음은 무엇인지 쓰세요.

| ㄱ ㄴ ㄷ ㄸ ㅁ ㅂ ㅃ ㅅ ㅆ |
| ㅇ ㅈ ㅉ ㅋ ㅌ ㅍ |

• 빠진 자음의 개수:

• 빠진 자음:

4 다음 짝을 이룬 두 단어의 뜻을 구별해 주는 소리를 찾아 쓰세요.

(1) 불 : 풀 →

(2) 곰 : 감 →

(3) 서리 : 허리 →

5 다음 단어를 〈보기〉와 같이 분석해 보세요.

> **보기**
> • 산 → ㅅ + ㅏ + ㄴ
> • 바둑 → ㅂ + ㅏ + ㄷ + ㅜ + ㄱ

(1) 솜 →

(2) 달 →

(3) 건물 →

(4) 도토리 →

6 다음 밑줄 친 단어 중 길게 발음되는 것을 찾아 ○ 표시를 하세요.

(1) ㄱ 하늘에서 흰 눈이 내린다.
   ㄴ 실내가 건조해서 눈이 아프다.

(2) ㄱ 오늘 밤은 너무 추워.
   ㄴ 방에서 따뜻한 밤을 까먹었다.

(3) ㄱ 약을 먹었더니 병이 나았다.
   ㄴ 수아는 병에 든 물을 조금 따라 마셨다.

빈틈 공략하기 Q&A

Q '우정'에 쓰인 음운의 개수는 몇 개일까?

A 혹시 5개라고 생각한 친구 있나요? 'ㅇ, ㅜ, ㅈ, ㅓ, ㅇ'이니까 5개라고 생각할 수 있어요. 하지만 정답은 5개가 아니라 4개입니다. 왜냐고요?

'ㅇ'은 받침에서 쓰일 때만 소리가 나기 때문이에요. '우'는 자음 'ㅇ'과 모음 'ㅜ'가 결합한 것이 아니라 모음 'ㅜ'로만 이루어진 소리입니다. 우리말에서 모음은 단독으로 쓰여도 발음될 수 있어요. 그래서 '우정'에 쓰인 음운은 'ㅜ, ㅈ, ㅓ, ㅇ' 이렇게 4개예요.

다른 글자들도 한번 살펴볼까요?

• 아우 → ㅏ, ㅜ	• 이사 → ㅣ, ㅅ, ㅏ
• 거위 → ㄱ, ㅓ, ㅟ	• 추억 → ㅊ, ㅜ, ㅓ, ㄱ
• 오늘 → ㅗ, ㄴ, ㅡ, ㄹ	• 외출 → ㅚ, ㅊ, ㅜ, ㄹ

이처럼 우리말에는 '모음'만으로 이루어지거나, '모음+자음'으로 이루어진 글자도 있다는 것을 잊지 마세요.

17 우리말의 모음 체계

'애'와 '오'를 번갈아 가며 발음해 보세요. 입술 모양이나 혀의 위치가 조금씩 다르지요? 이처럼 모음은 발음할 때 입술 모양이나 혀의 위치 등이 다르기 때문에 그에 맞게 분류할 수 있어요. 그럼 모음들을 어떻게 나눌 수 있는지 살펴보기로 해요.

∞ 단모음과 이중 모음

• 단모음: 발음할 때 입술 모양이나 혀의 위치가 변하지 않는 모음으로, 우리말에는 10개의 단모음이 있음.

> ㅏ, ㅐ, ㅓ, ㅔ, ㅗ, ㅚ, ㅜ, ㅟ, ㅡ, ㅣ

• 이중 모음: 발음할 때 입술 모양이나 혀의 위치가 변하는 모음으로, 우리말에는 11개의 이중 모음이 있음.

> ㅑ, ㅒ, ㅕ, ㅖ, ㅘ, ㅙ, ㅛ, ㅝ, ㅞ, ㅠ, ㅢ

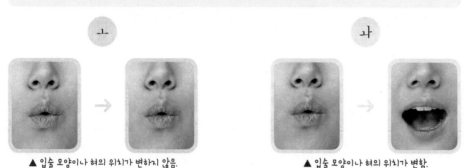

ㅗ

▲ 입술 모양이나 혀의 위치가 변하지 않음.

ㅘ

▲ 입술 모양이나 혀의 위치가 변함.

∞ 모음 'ㅚ, ㅟ'

모음 'ㅚ, ㅟ'는 원칙적으로 단모음에 속하지만, 사람들이 단모음 대신 이중 모음으로 발음하는 경우가 많음. 이런 현실을 감안하여 표준 발음법에서는 'ㅚ, ㅟ'를 이중 모음으로 발음하는 것도 허용하고 있음.
그러나 단모음이냐 이중 모음이냐로 분류할 때 이 두 모음은 항상 단모음임.

∞ 단모음의 분류

단모음은 발음할 때 혀의 최고점의 위치, 혀의 높낮이, 입술 모양에 따라 다음과 같이 나뉨.

• 발음할 때 혀의 최고점의 위치에 따라 전설 모음, 후설 모음으로 나뉨.

전설 모음 前 앞전 舌 혀설	입천장의 중간점을 기준으로, 혀의 최고점의 위치가 앞쪽에 있음.	ㅣ, ㅔ, ㅐ, ㅟ, ㅚ
후설 모음 後 뒤후 舌 혀설	입천장의 중간점을 기준으로, 혀의 최고점의 위치가 뒤쪽에 있음.	ㅡ, ㅓ, ㅏ, ㅜ, ㅗ

∞ 혀의 최고점의 위치를 느끼는 방법

'ㅣ'를 길게 발음한 다음 입 모양을 움직이지 않고 혀만 움직여 'ㅡ'를 발음하면 혀가 뒤쪽으로 가면서 혀의 최고점의 위치가 입천장의 중간보다 뒤에 있음을 느낄 수 있음.

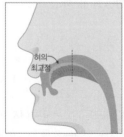

▲ 전설 모음

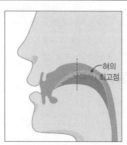

▲ 후설 모음

• 발음할 때 혀의 높낮이에 따라 고모음, 중모음, 저모음으로 나뉨.

고모음 高 높을 고	혀의 높이가 높음.	ㅣ, ㅟ, ㅡ, ㅜ
중모음 中 가운데 중	혀의 높이가 중간 정도임.	ㅔ, ㅚ, ㅓ, ㅗ
저모음 低 낮을 저	혀의 높이가 낮음.	ㅐ, ㅏ

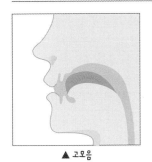
▲ 고모음

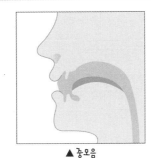
▲ 중모음

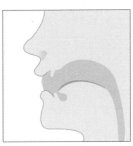
▲ 저모음

• 발음할 때 입술 모양에 따라 원순 모음, 평순 모음으로 나뉨.

원순 모음 圓 둥글 원 脣 입술 순	입술이 둥글게 오므라짐.	ㅟ, ㅚ, ㅜ, ㅗ
평순 모음 平 평평할 평 脣 입술 순	입술이 둥글게 오므라지지 않음.	ㅣ, ㅔ, ㅐ, ㅡ, ㅓ, ㅏ

▲ 원순 모음

▲ 평순 모음

🔵 단모음 체계표

혀의 최고점의 위치 입술 모양 혀의 높낮이	전설 모음		후설 모음	
	평순 모음	원순 모음	평순 모음	원순 모음
고모음	ㅣ	ㅟ	ㅡ	ㅜ
중모음	ㅔ	ㅚ	ㅓ	ㅗ
저모음	ㅐ		ㅏ	

● 혀의 높이 차이를 느끼는 방법

혀의 높이가 높을수록 입은 작게 벌어지고, 혀의 높이가 낮을수록 입은 크게 벌어짐.
입이 가장 작게 벌어져서 혀의 높이가 가장 높은 고모음 'ㅡ'를 발음한 뒤, 이어서 입이 가장 크게 벌어져서 혀의 높이가 가장 낮은 'ㅏ'를 발음해 보면 혀의 높이 차이를 더 잘 느낄 수 있음.

● 양성 모음과 음성 모음

모음은 소리의 밝기에 따라 '양성 모음'과 '음성 모음'으로 구분할 수도 있음.

양성 모음	밝고, 가볍고, 맑고, 작은 느낌을 주는 모음. 예 ㅏ, ㅗ, ㅑ, ㅛ, ㅘ, ㅚ, ㅐ
음성 모음	어둡고, 무겁고, 탁하고, 큰 느낌을 주는 모음. 예 ㅓ, ㅜ, ㅕ, ㅠ, ㅔ, ㅝ, ㅟ, ㅖ

양성 모음이 쓰인 '반짝반짝'과 음성 모음이 쓰인 '번쩍번쩍'을 비교하면 '반짝반짝'이 밝고 작은 느낌을 주는 반면, '번쩍번쩍'은 상대적으로 무겁고 큰 느낌을 줌.

1 우리말 모음에 관한 설명으로 맞으면 ○, 틀리면 X를 하세요.

(1) 우리말의 모음은 크게 단모음과 이중 모음으로 나눌 수 있다. ( )

(2) 단모음과 이중 모음을 나누는 기준은 소리가 나는 위치이다. ( )

(3) 모음 'ㅐ'를 발음할 때 입술 모양이나 혀의 위치가 변한다. ( )

2 다음 괄호에서 알맞은 말을 골라 ○ 표시를 하세요.

(1) 발음할 때 입술 모양이나 혀의 위치가 변하지 않는 모음은 (단모음 / 이중 모음)이다.

(2) 우리말에는 (10 / 11)개의 단모음이 있다.

3 다음 모음이 단모음이면 '단', 이중 모음이면 '이'라고 쓰세요.

(1) ㅏ ( )
(2) ㅑ ( )
(3) ㅔ ( )
(4) ㅘ ( )
(5) ㅛ ( )
(6) ㅟ ( )

4 다음 빈칸에 들어갈 알맞은 말을 쓰세요.

(1) ☐☐☐은 발음할 때 혀의 최고점의 위치, 혀의 높낮이, 입술 모양에 따라 분류할 수 있다.

(2) 발음할 때 혀의 최고점의 위치가 입천장의 중간보다 앞쪽이면 ☐☐모음, 뒤쪽이면 ☐☐모음이다.

(3) 발음할 때 혀의 높이가 높으면 ☐☐☐, 중간 정도면 중모음, 낮으면 저모음이다.

(4) 단모음은 발음할 때 입술 모양에 따라 원순 모음과 ☐☐ 모음으로 나뉜다.

5 다음 설명이 맞으면 ○, 틀리면 X를 하세요.

(1) 'ㅣ'를 발음할 때는 'ㅡ'를 발음할 때보다 혀의 최고점이 뒤쪽에 있다. ( )

(2) 'ㅐ'와 'ㅔ'는 둘 다 발음할 때 혀의 최고점이 입천장의 중간점보다 앞쪽에 있다. ( )

6 〈보기〉의 모음들을 전설 모음과 후설 모음으로 나누어 보세요.

> **보기**
>
> ㅏ, ㅐ, ㅓ, ㅔ, ㅗ, ㅚ, ㅜ, ㅟ, ㅡ, ㅣ

(1) 전설 모음 ( )
(2) 후설 모음 ( )

7 다음 괄호에서 알맞은 말을 골라 ○ 표시를 하세요.

(1) 'ㅡ, ㅓ, ㅏ'를 차례대로 발음할 때 혀의 높이는 점점 (낮아진다 / 높아진다).

(2) 'ㅣ'를 발음할 때에는 'ㅐ'를 발음할 때보다 입이 더 (작게 / 크게) 벌어진다.

8 다음 모음들을 발음할 때 혀의 높이가 어떠한지를 찾아 연결하세요.

(1) | ㅐ, ㅏ | •

(2) | ㅣ, ㅟ, ㅡ, ㅜ | •

(3) | ㅔ, ㅚ, ㅓ, ㅗ | •

• ㉠ 혀의 높이가 낮음.

• ㉡ 혀의 높이가 중간 정도임.

• ㉢ 혀의 높이가 높음.

9 다음 빈칸에 들어갈 알맞은 말을 쓰세요.

(1) ☐☐ 모음은 발음할 때 입술이 둥글게 오므라진다.

(2) 발음할 때 입술이 둥글게 오므라지지 않는 것은 ☐☐ 모음이다.

10 〈보기〉의 모음들을 원순 모음과 평순 모음으로 나누어 보세요.

> **보기**
> ㅏ, ㅐ, ㅓ, ㅔ, ㅗ, ㅚ, ㅜ, ㅟ, ㅡ, ㅣ

(1) 원순 모음 (   )
(2) 평순 모음 (   )

11 다음 모음의 종류에 해당하는 것을 〈보기〉에서 모두 찾아 기호로 쓰세요.

> **보기**
> ㉠ 고모음   ㉡ 중모음   ㉢ 저모음
> ㉣ 전설 모음   ㉤ 후설 모음
> ㉥ 원순 모음   ㉦ 평순 모음   ㉧ 이중 모음

(1) ㅏ (   )
(2) ㅐ (   )
(3) ㅓ (   )
(4) ㅔ (   )
(5) ㅗ (   )
(6) ㅞ (   )
(7) ㅓ (   )
(8) ㅡ (   )
(9) ㅢ (   )
(10) ㅣ (   )

12 다음 설명에 해당하는 모음을 쓰세요.

(1) 발음할 때 혀의 최고점이 앞쪽에 있고, 혀의 높이가 낮으며, 입술이 둥글게 오므라지지 않는다.
(   )

(2) 발음할 때 혀의 최고점이 앞쪽에 있고, 혀의 높이가 중간 정도이며, 입술이 둥글게 오므라진다.
(   )

(3) 발음할 때 혀의 최고점이 뒤쪽에 있고, 혀의 높이가 높으며, 입술이 둥글게 오므라진다. (   )

(4) 발음할 때 혀의 최고점이 뒤쪽에 있고, 혀의 높이가 높으며, 입술이 둥글게 오므라지지 않는다.
(   )

빈틈 공략하기 Q&A

Q 이 피자는 '내' 것, 아니면 '네' 것?

A 다음 대화를 한번 읽어 보세요.

> 효정: 이 피자 네[내] 거야.
> 주현: 응? 이거 내[내] 거 아니야? 아까 나한테 먹으라고 줬잖아. 야, 치사하게 줬다 뺏냐?
> 효정: 아니, 나 아니고 네[내]가 먹을 거라고.

위 대화는 왜 원활하게 이루어지지 않았을까요? 그 이유는 효정이가 '네'를 [내]로 잘못 발음했기 때문이에요. 효정이뿐만 아니라 우리 주변에도 '내'와 '네'를 구별해서 발음하지 못하는 사람이 많아요.

'내'와 '네'를 잘 구별하여 발음하려면 어떻게 해야 할까요? 'ㅐ'는 저모음이라서 발음할 때 입이 크게 벌어지고 혀의 높이가 낮죠. 반면 'ㅔ'는 중모음이라서 'ㅐ'를 발음할 때보다 입이 좀 더 작게 벌어지고 혀의 높이가 조금 높답니다. 평소 발음대로 '내/네'를 발음하되 혀를 더 낮추고 입을 더 벌리면 [내]에 가까운 소리가 되고, 혀를 더 높이고 입을 덜 벌리면 [네]에 가까운 소리가 될 거예요.

3 학년

우리말의 자음 체계

모음을 혀의 최고점의 위치나 혀의 높낮이, 입술 모양에 따라 나누었다면, 자음은 어디에서 소리 나는지, 어떻게 소리 내는지 등에 따라 나눌 수 있어요. 자음을 하나하나 발음해 보면서 자음의 소리 나는 위치와 소리 내는 방법에 따라 분류해 보아요.

자음의 분류 ① _ 소리 나는 위치에 따른 분류

입술소리	두 입술 사이에서 나는 소리	ㅁ, ㅂ, ㅃ, ㅍ
잇몸소리	혀끝과 윗잇몸 사이에서 나는 소리	ㄴ, ㄷ, ㄸ, ㄹ, ㅅ, ㅆ, ㅌ
센입천장소리	혓바닥과 센입천장 사이에서 나는 소리	ㅈ, ㅉ, ㅊ
여린입천장소리	혀 뒷부분과 여린입천장 사이에서 나는 소리	ㄱ, ㄲ, ㅇ, ㅋ
목청소리	목청 사이에서 나는 소리	ㅎ

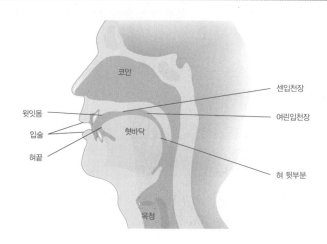

자음의 분류 ② _ 소리 내는 방법에 따른 분류

(1) **파열음** 破 깨뜨릴 파 裂 찢을 열 音 소리 음
  - 입안의 어떤 위치에서 공기의 흐름을 막았다가 그 막은 자리를 일시에 터뜨리면서 내는 소리
  - 'ㄱ, ㄲ, ㄷ, ㄸ, ㅂ, ㅃ, ㅋ, ㅌ, ㅍ'이 해당됨.

(2) **마찰음** 摩 갈 마 擦 비빌 찰 音 소리 음
  - 입안이나 목청 사이의 통로를 좁히고 그 틈 사이로 공기를 내보내어 마찰을 일으키면서 내는 소리
  - 'ㅅ, ㅆ, ㅎ'이 해당됨.

(3) **파찰음** 破 깨뜨릴 파 擦 비빌 찰 音 소리 음
  - 공기의 흐름을 막았다가 막았던 자리를 조금 열고 좁은 틈 사이로 공기를 내보내어 마찰을 일으키면서 내는 소리 → 파열음과 마찰음의 두 성질을 다 갖고 있음.
  - 'ㅈ, ㅉ, ㅊ'이 해당됨.

자음을 발음하는 방법
자음은 홀로 발음될 수 없으므로 모음 'ㅡ'를 붙여서 '그, 느, 드…'와 같이 발음함.

자음이 소리 나는 위치를 찾는 방법
같은 글자를 반복적으로 발음해 보면 그 글자가 어디에서 소리 나는지 좀 더 쉽게 찾을 수 있음. 예를 들어 '므, 므, 므'를 여러 번 반복하면 두 입술이 계속 붙었다 떨어지므로 'ㅁ'이 입술 사이에서 나는 소리임을 알 수 있음.

울림소리와 안울림소리
자음은 '입안이나 코안의 울림 여부'에 따라 '울림소리'와 '안울림소리'로 나누기도 함.

울림소리	발음할 때 입안이나 코안이 울리는 소리. 비음, 유음이 있음.
안울림소리	발음할 때 입안이나 코안이 울리지 않는 소리. 파열음, 마찰음, 파찰음이 있음.

(4) **비음** 鼻 코 비 音 소리 음
- 입안의 통로를 막았다가 코로 공기를 내보내면서 내는 소리
- 'ㅁ, ㄴ, ㅇ'이 해당됨.

(5) **유음** 流 흐를 유 音 소리 음
- 혀끝을 잇몸에 가볍게 대었다가 떼거나 혀끝을 윗잇몸에 댄 채 공기를 그 양옆으로 흘려보내면서 내는 소리
- 'ㄹ'이 해당됨.

◑◑ 자음의 분류 ③ _ 소리의 세기에 따른 분류

파열음과 파찰음은 소리의 세기에 따라 예사소리, 된소리, 거센소리로 나뉘고, 마찰음은 예사소리와 된소리로 나뉨.

예사소리	• 성대를 편안히 둔 상태에서 발음됨. • 숨이 거세게 나오지 않음.	ㄱ, ㄷ, ㅂ, ㅅ, ㅈ
된소리	• 성대 근육이 긴장됨. • 숨이 거세게 나오지 않음.	ㄲ, ㄸ, ㅃ, ㅆ, ㅉ
거센소리	• 성대 근육이 긴장됨. • 숨이 거세게 나옴.	ㅋ, ㅌ, ㅍ, ㅊ

◑◑ 자음 체계표

소리 내는 방법 / 소리 나는 위치		입술소리	잇몸소리	센입천장소리	여린입천장소리	목청소리
파열음	예사소리	ㅂ	ㄷ		ㄱ	
	된소리	ㅃ	ㄸ		ㄲ	
	거센소리	ㅍ	ㅌ		ㅋ	
마찰음	예사소리		ㅅ			
	된소리		ㅆ			ㅎ
	거센소리					
파찰음	예사소리			ㅈ		
	된소리			ㅉ		
	거센소리			ㅊ		
비음		ㅁ	ㄴ		ㅇ	
유음			ㄹ			

◉ 비음과 유음 구별하기
'ㄴ, ㄹ, ㅁ, ㅇ'을 '은, 을, 음, 응'과 같이 끝소리로 발음하다가 엄지손가락과 집게손가락으로 코를 막았을 때 정확한 소리가 나지 않으면 비음, 정확한 소리가 나면 유음임.
비음은 코로 공기를 내보내면서 내는 소리인데, 코를 막으면 코를 통과하는 공기가 막히기 때문에 소리가 제대로 나지 못하는 것임.

◉ 소리의 세기에 따른 어감의 차이

예사소리	부드러운 느낌을 줌.
된소리	강하고 단단한 느낌을 줌.
거센소리	크고 거친 느낌을 줌.

'깜깜하다'는 '감감하다'보다 강하고 단단한 느낌을, '캄캄하다'는 '감감하다'보다 크고 거친 느낌을 줌.

◉ 우리말 음운 체계의 특성
언어마다 서로 다른 음운 체계를 가지고 있는데, 우리말 음운 체계의 두드러지는 특성은 자음이 예사소리, 된소리, 거센소리로 나뉜다는 점임. 외국어 중에는 예사소리, 된소리, 거센소리를 구별하지 않고 하나의 소리로 인식하여 하나의 음운으로 보는 경우가 있음.
예 '불', '뿔', '풀'
→ 한국 사람은 'ㅂ', 'ㅃ', 'ㅍ'의 세 소리를 서로 다른 소리로 구별하지만, 외국인은 이 세 소리를 구별하기 힘든 경우가 있음.

1 다음 설명이 맞으면 ○, 틀리면 X를 하세요.

(1) 우리말의 자음 19개는 소리가 나는 위치에 따라 5종류로 나눌 수 있다. (　　)

(2) 입술과 잇몸 사이에서 나는 소리를 잇몸소리라고 한다. (　　)

(3) 여린입천장소리는 혀 뒷부분과 여린입천장 사이에서 나는 소리이다. (　　)

2 다음 자음의 종류를 〈보기〉에서 골라 쓰세요.

> **보기**
> ㉠ 입술소리　　㉡ 잇몸소리　　㉢ 센입천장소리
> ㉣ 여린입천장소리　　㉤ 목청소리

(1) ㄱ (　　)　　　(2) ㄷ (　　)

(3) ㅁ (　　)　　　(4) ㅆ (　　)

(5) ㅈ (　　)　　　(6) ㅍ (　　)

3 ㉠~㉢ 위치에서 소리 나는 자음을 〈보기〉에서 골라 쓰세요.

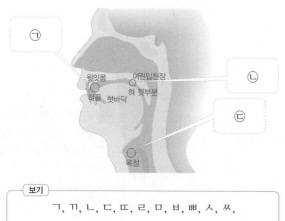

> **보기**
> ㄱ, ㄲ, ㄴ, ㄷ, ㄸ, ㄹ, ㅁ, ㅂ, ㅃ, ㅅ, ㅆ,
> ㅇ, ㅈ, ㅉ, ㅊ, ㅋ, ㅌ, ㅍ, ㅎ

(1) ㉠: _____

(2) ㉡: _____

(3) ㉢: _____

4 다음 빈칸에 들어갈 알맞은 말을 쓰세요.

(1) ☐☐은 입안의 통로를 막았다가 코로 공기를 내보내면서 내는 소리이다.

(2) ☐☐☐은 입안의 어떤 위치에서 공기의 흐름을 막았다가 그 막은 자리를 일시에 터뜨리면서 내는 소리이다.

(3) 마찰음은 입안이나 목청 사이의 통로를 좁히고 그 틈 사이로 공기를 내보내어 ☐☐을 일으키면서 내는 소리이다.

(4) 혀끝을 잇몸에 가볍게 대었다가 떼거나 혀끝을 윗 잇몸에 댄 채 공기를 그 양옆으로 흘려보내면서 내는 소리를 ☐☐이라 한다.

(5) ☐☐☐은 공기의 흐름을 막았다가 막았던 자리를 조금 열고 좁은 틈 사이로 공기를 내보내어 마찰을 일으키면서 내는 소리이다.

5 다음 자음들의 종류를 바르게 연결하세요.

(1) | ㅅ, ㅆ, ㅎ |　·　　　·　㉠ | 파열음 |

(2) | ㅈ, ㅉ, ㅊ |　·　　　·　㉡ | 마찰음 |

(3) | ㄱ, ㄲ, ㄷ, ㄸ, ㅂ, ㅃ, ㅋ, ㅌ, ㅍ |　·　　　·　㉢ | 파찰음 |

6 〈보기〉의 자음을 비음과 유음으로 나누어 보세요.

> **보기**
> ㄴ, ㄹ, ㅁ, ㅇ

(1) 비음 (　　　　　)

(2) 유음 (　　　　　)

7 다음 설명이 맞으면 ○, 틀리면 X를 하세요.

(1) 예사소리는 성대를 편하게 둔 상태에서 발음되는 소리이다. ( )

(2) 된소리는 성대 근육이 긴장되면서 나는 소리로, 발음할 때 숨이 거세게 나온다. ( )

(3) 거센소리와 된소리는 모두 성대 근육이 긴장되면서 나는 소리이다. ( )

8 〈보기〉의 자음들을 예사소리, 된소리, 거센소리로 나누어 보세요.

> 보기
> ㄱ, ㄲ, ㄷ, ㄸ, ㅂ, ㅃ, ㅅ, ㅆ,
> ㅈ, ㅉ, ㅊ, ㅋ, ㅌ, ㅍ

(1) 예사소리 ( )
(2) 된소리 ( )
(3) 거센소리 ( )

9 다음 소리를 발음할 때 드는 느낌이 어떠한지를 찾아 연결하세요.

(1) 예사소리 · · ㉠ 부드러운 느낌
(2) 된소리 · · ㉡ 크고 거친 느낌
(3) 거센소리 · · ㉢ 강하고 단단한 느낌

10 다음 조건에 해당하는 자음을 모두 쓰세요.

(1) 잇몸소리+유음 ( )
(2) 입술소리+파열음 ( )
(3) 목청소리+마찰음 ( )
(4) 잇몸소리+된소리 ( )
(5) 파열음+거센소리 ( )
(6) 여린입천장소리+비음 ( )
(7) 센입천장소리+파찰음 ( )

11 ㉠~㉢에 해당하는 자음을 쓰세요.

> ㉠ 혀 뒷부분과 여린입천장 사이에서 소리 나며, 입안의 어떤 위치에서 공기를 막았다가 그 막은 자리를 일시에 터뜨리면서 소리를 낸다. 이때 성대 근육이 긴장되지 않는다.
> ㉡ 두 입술 사이에서 소리 나며, 입안의 통로를 막았다가 코로 공기를 내보내며 소리가 난다.
> ㉢ 혀끝과 윗잇몸 사이에서 소리 나며, 입안이나 목청 사이의 통로를 좁혀 그 틈 사이로 공기를 내보내어 마찰을 일으키며 소리를 낸다. 이때 성대 근육이 긴장되고 숨이 거세게 나오지 않는다.

(1) ㉠:
(2) ㉡:
(3) ㉢:

빈틈 공략하기 Q&A

Q '학교'에는 어떤 모음과 자음이 쓰였을까?

A '학교'는 'ㅎ, ㅏ, ㄱ, ㄱ, ㅛ'로 분석할 수 있으니까 모음은 'ㅏ, ㅛ', 자음은 'ㅎ, ㄱ'이 쓰인 것 같죠. 하지만 여기서 생각해 보아야 하는 것! 바로 음운은 '소리'의 단위라는 점이에요. 그러니까 어떤 단어에 쓰인 음운을 분석할 때는 그 단어의 표기가 아니라 발음을 먼저 살펴본 뒤, 발음에 따라 분석해야 한답니다.

'학교'를 발음하면 [학꾜]가 돼요. 이걸 모음과 자음으로 분류해 보면 다음과 같아요.

> 학교[학꾜]
> • 모음: ㅏ, ㅛ   • 자음: ㅎ, ㄱ, ㄲ

이처럼 음운은 표기가 아니라 '소리'와 관련된 개념이라는 것을 잊지 마세요.

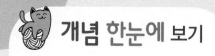 개념 한눈에 보기

음운의 체계와 특성

◎ 음운: 말의 뜻을 구별해 주는 소리의 가장 작은 단위. 우리말의 음운에는 모음과 자음, 소리의 길이 등이 있음.

◎ 단모음과 이중 모음: 발음할 때 입술 모양이나 혀의 위치가 변하지 않는 단모음과 변하는 이중 모음으로 나뉨.

단모음	ㅏ, ㅐ, ㅓ, ㅔ, ㅗ, ㅚ, ㅜ, ㅟ, ㅡ, ㅣ
이중 모음	ㅑ, ㅒ, ㅕ, ㅖ, ㅘ, ㅙ, ㅛ, ㅝ, ㅞ, ㅠ, ㅢ

◎ 단모음 체계표

혀의 최고점의 위치 입술 모양 혀의 높낮이	전설 모음		후설 모음	
	평순 모음	원순 모음	평순 모음	원순 모음
고모음	ㅣ	ㅟ	ㅡ	ㅜ
중모음	ㅔ	ㅚ	ㅓ	ㅗ
저모음	ㅐ		ㅏ	

◎ 자음 체계표

소리 나는 위치 소리 내는 방법		입술소리	잇몸소리	센입천장소리	여린입천장소리	목청소리
파열음	예사소리	ㅂ	ㄷ		ㄱ	
	된소리	ㅃ	ㄸ		ㄲ	
	거센소리	ㅍ	ㅌ		ㅋ	
마찰음	예사소리		ㅅ			
	된소리		ㅆ			ㅎ
	거센소리					
파찰음	예사소리			ㅈ		
	된소리			ㅉ		
	거센소리			ㅊ		
비음		ㅁ	ㄴ		ㅇ	
유음			ㄹ			

◎ 소리의 길이: 소리의 길이가 길고 짧음에 따라 단어의 뜻이 구별됨. 예 눈[눈](目) – 눈[눈ː](雪)

01 다음 중 음운에 대한 설명으로 적절하지 <u>않은</u> 것은?
^중
① 음운이 모여서 음절을 형성한다.
② 언어에 따라 서로 다른 음운 체계를 지닌다.
③ 말의 뜻을 구별해 주는 소리의 최소 단위이다.
④ 우리말 음운에는 모음과 자음, 소리의 길이가 있다.
⑤ 우리말 음절은 둘 이상의 음운이 결합하여 이루어진다.

02 〈보기〉를 참고할 때 다음 중 음절을 이루는 구성 방식이 다른 하나는?
^중

> **보기**
> 음절은 모음, 모음과 자음, 자음과 모음, 자음과 모음과 자음이 어울려 한 덩어리로 내는 말소리의 단위이다.

① 가   ② 다   ③ 라   ④ 바   ⑤ 아

03 다음 중 짝을 이룬 두 단어의 뜻을 구별해 주는 음운을 잘<u>못</u> 분석한 것은?
^중
① 발 : 벌 → 'ㅏ'와 'ㅓ'
② 불 : 물 → 'ㅂ'과 'ㅁ'
③ 손 : 산 → 'ㅗ'와 'ㅏ'
④ 감 : 강 → 'ㅁ'과 'ㅇ'
⑤ 다리 : 도리 → '다'와 '도'

04 단어에 쓰인 자음과 모음을 알맞게 분석한 것은?
^중
① 땅 → ㄷ, ㄷ, ㅏ, ㅇ
② 과제 → ㄱ, ㅘ, ㅈ, ㅔ
③ 헤엄 → ㅎ, ㅔ, ㅇ, ㅓ, ㅁ
④ 튀김 → ㅌ, ㅜ, ㅣ, ㄱ, ㅣ, ㅁ
⑤ 살짝 → ㅅ, ㅏ, ㄹ, ㅉ, ㅉ, ㅏ, ㄱ

05 〈보기〉에서 설명하고 있는 음운이 사용된 개수가 가장 적은 것은?
^상

> **보기**
> 발음할 때 공기의 흐름이 목 안 또는 입안에서 장애를 받고 나오는 소리

① 사자   ② 새장   ③ 아기   ④ 이슬   ⑤ 하늘

06 〈보기〉의 단어와 자음 개수가 같은 단어는?
^상

> **보기**
> 담장

① 마루   ② 온실   ③ 자음
④ 다람쥐   ⑤ 호랑이

07 우리말 모음에 대한 설명으로 적절하지 <u>않은</u> 것은?
^중
① 우리말에는 21개의 모음이 있다.
② 우리말에는 단모음이 11개, 이중 모음이 10개가 있다.
③ 발음할 때 공기의 흐름이 장애를 받지 않고 나오는 소리이다.
④ 발음하는 도중에 입술 모양이나 혀의 위치가 변하는 모음을 이중 모음이라고 한다.
⑤ 발음하는 도중에 입술 모양이나 혀의 위치가 변하지 않는 모음을 단모음이라고 한다.

08 〈보기〉에서 설명하고 있는 모음으로 알맞은 것은?
^하

> **보기**
> 발음하는 도중에 입술 모양이나 혀의 위치가 변하는 모음

① ㅏ   ② ㅑ   ③ ㅔ   ④ ㅚ   ⑤ ㅟ

09 다음 중 단모음만으로 구성된 단어는?
중
① 교문 ② 규칙 ③ 상처 ④ 여자 ⑤ 의사

10 다음은 우리말 단모음의 분류 기준을 정리한 것입니다. 빈
하 칸에 들어갈 알맞은 말을 쓰세요.

> 우리말의 단모음은 다음과 같이 세 가지 기준으로
> 나눌 수 있다.
> • 입술 모양
> • 혀의 최고점의 위치
> • (　　　　　　　)

11 〈보기〉와 같이 모음을 분류한 기준으로 적절한 것은?
중
> ┌ 보기 ┐
> ㅣ, ㅔ, ㅐ, ㅟ, ㅚ : ㅡ, ㅓ, ㅏ, ㅜ, ㅗ

① 혀의 높낮이
② 입술 모양의 차이
③ 소리 길이의 차이
④ 혀의 최고점의 위치
⑤ 입술 모양이나 혀의 위치의 변화 여부

12 다음 중 전설 모음이 사용되지 않은 것은?
상
① 가지 ② 동산 ③ 왼손 ④ 위로 ⑤ 쟁반

13 다음 중 〈보기〉처럼 발음되지 않는 것은?
상
> ┌ 보기 ┐
> 첫 번째 글자를 발음할 때에는 혀의 최고점이 입
> 천장의 중간점을 기준으로 뒤쪽에 있다가, 두 번째
> 글자를 발음할 때 혀의 최고점이 입천장의 중간점보
> 다 앞쪽에 있다.

① 아에 ② 애이 ③ 으이 ④ 우위 ⑤ 오외

14 다음 모음들의 공통점으로 가장 적절한 것은?
중
> ㅣ, ㅟ, ㅡ, ㅜ

① 발음할 때 혀의 높이가 낮다.
② 발음할 때 혀의 높이가 높다.
③ 발음할 때 혀의 높이가 중간이다.
④ 발음하는 도중에 혀의 위치가 변한다.
⑤ 발음하는 도중에 입술 모양이 변한다.

15 모음들을 다음과 같은 순서로 발음할 때 일어나는 현상으
중 로 적절한 것은?

> ㅡ → ㅓ → ㅏ

① 혀의 높이가 낮았다가 점점 높아진다.
② 혀의 높이가 높았다가 점점 낮아진다.
③ 입술 모양이 동그랗다가 점점 평평해진다.
④ 입술 모양이 평평하다가 점점 동그랗게 된다.
⑤ 혀의 최고점이 앞쪽에서 점점 뒤쪽으로 이동한다.

16 다음 대화의 빈칸에 들어갈 말로 적절한 것은?

> 지우: 이번 주는 네[내]가 주번이야.
> 선영: 응? 이번 주 주번이 나인 줄 알았는데, 너였어?
> 지우: 아니, 나 아니고 너라니까!
> 선영: 발음 때문에 헷갈렸잖아. '너'를 가리키는 '네'는 '나'를 가리키는 '내'보다 (   ) 발음해야지.

① 입술 모양을 평평하게
② 입술 모양을 둥그렇게
③ 입을 작게 벌리고 혀를 높여서
④ 입을 크게 벌리고 혀를 낮춰서
⑤ 혀의 최고점의 위치를 앞쪽으로

17 〈보기〉와 같이 모음을 분류한 기준이 무엇인지 쓰세요.

> 보기
> ㅏ, ㅐ, ㅓ, ㅔ, ㅡ, ㅣ : ㅗ, ㅚ, ㅜ, ㅟ

18 다음 중 평순 모음이 사용되지 <u>않은</u> 글자는?

① 게   ② 금   ③ 문   ④ 벌   ⑤ 산

19 〈보기〉에 해당하는 모음이 쓰이지 <u>않은</u> 것은?

> 보기
> 발음할 때 입술 모양이 둥글게 오므라진다.

① 가족   ② 나무   ③ 소외   ④ 주위   ⑤ 흔적

20 ㉠～㉢에 해당하는 모음끼리 알맞게 연결된 것은?

> ㉠ 발음할 때 혀의 최고점의 위치가 앞쪽에 있음.
> ㉡ 발음할 때 혀의 높이가 높음.
> ㉢ 발음할 때 입술 모양이 둥글게 오므라짐.

	㉠	㉡	㉢
①	ㅏ	ㅣ	ㅒ
②	ㅓ	ㅏ	ㅡ
③	ㅝ	ㅚ	ㅗ
④	ㅣ	ㅡ	ㅜ
⑤	ㅔ	ㅐ	ㅚ

21 우리말의 모음 체계에 대한 설명으로 적절하지 <u>않은</u> 것은?

① 'ㅔ'와 'ㅐ'는 발음할 때 혀의 높이가 다르다.
② 'ㅣ'는 평순 모음, 전설 모음, 고모음에 속하는 모음이다.
③ 'ㅟ'와 'ㅚ'는 각각 발음할 때 입술 모양이나 혀의 위치가 달라진다.
④ 'ㅣ'와 'ㅡ'는 발음할 때 입술 모양과 혀의 높이에서 공통성을 지니는 모음이다.
⑤ 'ㅐ'와 'ㅏ'는 발음할 때 입술이 평평해진다는 공통점이 있지만, 혀의 최고점의 위치가 다르다.

22 우리말 자음에 대한 설명으로 적절하지 <u>않은</u> 것은?

① 우리말 자음은 19개이다.
② 자음은 홀로 발음될 수 없어 모음을 붙여서 발음해야 한다.
③ 소리 내는 방법에 따라 파열음, 마찰음, 파찰음, 비음, 유음으로 나뉜다.
④ 우리말 자음 19개는 소리의 세기에 따라 예사소리, 된소리, 거센소리로 나뉜다.
⑤ 소리 나는 위치에 따라 입술소리, 잇몸소리, 센입천장소리, 여린입천장소리, 목청소리로 나뉜다.

개념 적용 훈련 문제

23 다음 중 〈보기〉의 ○ 표시한 부분에서 소리 나는 자음이 <u>아</u>
<u>닌</u> 것은?

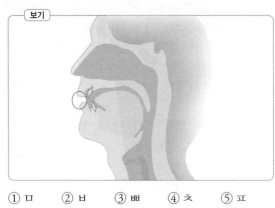

보기

① ㅁ　　② ㅂ　　③ ㅃ　　④ ㅊ　　⑤ ㅍ

24 다음 중 소리 나는 위치가 <u>다른</u> 자음은?

① ㄱ　　② ㄲ　　③ ㅋ　　④ ㅇ　　⑤ ㅎ

25 소리 나는 위치가 〈보기〉의 자음과 <u>다른</u> 것은?

보기

ㄴ

① ㄹ　　② ㅅ　　③ ㅈ　　④ ㄸ　　⑤ ㅌ

26 〈보기〉에 해당하는 자음이 쓰인 단어는?

보기
　이 자음은 혓바닥과 센입천장 사이에서 소리가 난다.

① 서울　② 동해　③ 청주　④ 목포　⑤ 부산

27 다음 중 파열음에 대한 설명으로 적절한 것은?

① 입안의 통로를 막았다가 코로 공기를 내보내면서
　내는 소리
② 입안의 어떤 위치에서 공기의 흐름을 막았다가 그
　막은 자리를 일시에 터뜨리면서 내는 소리
③ 입안이나 목청 사이의 통로를 좁히고 그 틈 사이로
　공기를 내보내어 마찰을 일으키면서 내는 소리
④ 혀끝을 잇몸에 가볍게 대었다가 떼거나 혀끝을 윗
　잇몸에 댄 채 공기를 그 양옆으로 흘려보내면서 내
　는 소리
⑤ 공기의 흐름을 막았다가 막았던 자리를 조금 열고
　좁은 틈 사이로 공기를 내보내어 마찰을 일으키면
　서 내는 소리

28 소리 내는 방법이 〈보기〉의 자음과 <u>다른</u> 것은?

보기

ㄱ

① ㄷ　　② ㅂ　　③ ㅊ　　④ ㅌ　　⑤ ㅍ

29 다음 중 마찰음끼리 묶인 것은?

① ㄱ, ㅋ, ㅇ　　② ㄴ, ㄷ, ㄸ　　③ ㅁ, ㅂ, ㅃ
④ ㅅ, ㅆ, ㅎ　　⑤ ㅈ, ㅉ, ㅊ

30 〈보기〉에서 설명하는 '이것'이 쓰인 단어들끼리 알맞게 묶
인 것은?

보기
　이것은 감기에 걸려 코가 막혔을 때 발음하는 데
어려움을 겪는 소리이다. 왜냐하면 이것은 입안의
통로를 막았다가 코로 공기를 내보내면서 내는 소리
이기 때문이다.

① 새, 교복　　② 풀, 소리　　③ 나무, 운명
④ 바다, 수업　　⑤ 형제, 바위

31 다음 중 예사소리, 된소리, 거센소리에 대한 설명으로 적절하지 <u>않은</u> 것은?

① 파열음, 마찰음, 파찰음은 모두 예사소리, 된소리, 거센소리로 나뉜다.

② 된소리는 발음할 때 성대 근육이 긴장되지만, 숨이 거세게 나오지는 않는다.

③ 예사소리는 발음할 때 성대를 긴장시키지 않고, 숨이 거세게 나오지 않는다.

④ 거센소리는 예사소리에 비해 크고 거친 느낌을 준다.

⑤ 된소리는 예사소리에 비해 강하고 단단한 느낌을 준다.

32 다음 중 발음할 때 성대 근육이 긴장되지 <u>않는</u> 자음은?

① ㄲ   ② ㅌ   ③ ㅍ   ④ ㅈ   ⑤ ㅆ

33 다음에서 설명하고 있는 자음이 쓰이지 <u>않은</u> 것은?

> 성대 주위의 근육을 긴장시켜 내는 소리 중, 숨이 거세게 나오지 않는 소리

① 뼈   ② 꼬리   ③ 땀샘   ④ 쑥국   ⑤ 찬바람

34 〈보기〉의 ㉠~㉢을 모두 만족하는 자음이 쓰인 단어는?

> 보기
> ㉠ 혀끝과 윗잇몸 사이에서 나는 소리
> ㉡ 입안의 어떤 위치에서 공기의 흐름을 막았다가 그 막은 자리를 일시에 터뜨리며 내는 소리
> ㉢ 성대 근육이 긴장되며, 숨이 거세게 나오는 소리

① 꿀   ② 뿔   ③ 쌀   ④ 철   ⑤ 탈

35 다음 밑줄 친 단어 중 짧게 발음해야 하는 것은?

① 엄마가 맛있는 <u>밤</u>을 삶아 주었다.

② 벌에 쏘인 자리가 자꾸 따끔거린다.

③ 그는 <u>눈</u>을 크게 뜨고 주변을 살폈다.

④ 그는 일주일 동안 <u>병</u>으로 앓아누웠다.

⑤ 가루는 칠수록 고와지고 말은 할수록 거칠어진다.

36 〈보기〉의 조건을 모두 만족하는 글자를 쓰세요.

> 보기
> • 첫소리: 잇몸소리＋파열음＋예사소리
> • 가운뎃소리: 후설 모음＋저모음＋평순 모음
> • 끝소리: 입술소리＋비음

37 〈보기〉의 단어에 대한 설명으로 적절하지 <u>않은</u> 것은?

> 보기
> 형제

① 단모음 하나, 이중 모음 하나가 쓰였다.

② 전설 모음이자 중모음인 글자가 쓰였다.

③ 목청 사이에서 나는 소리가 쓰였다.

④ 성대를 편안히 둔 상태에서 발음되는 소리가 쓰였다.

⑤ 혀끝을 윗잇몸에 댄 채 공기를 그 양옆으로 흘려보내면서 내는 소리가 쓰였다.

01 〈보기〉의 음운 카드를 활용하여 학습한 내용으로 적절하지 **않은** 것은?

> **보기**
>
> | ㄱ | ㅁ | ㅏ | ㅗ |

① 'ㅁ', 'ㅏ', 'ㄱ'을 차례대로 사용하면 '막'이라는 단어를 만들 수 있어.

② '막'의 가운뎃소리인 'ㅏ' 대신 'ㅗ'를 사용해서 새로운 단어를 만들 수 있어.

③ '막:곰'에서 알 수 있듯이 첫소리가 끝소리에, 끝소리가 첫소리에도 쓰일 수 있어.

④ '막, 목, 곰, 감'처럼 음운의 결합에 따라 의미가 다른 여러 단어를 만들 수 있어.

⑤ '막:곰'에서 알 수 있듯이 첫소리에 자음, 가운뎃소리에 모음, 끝소리에 자음이 와야 음절을 이룰 수 있어.

02 〈보기〉를 참고할 때, 같은 음절 구조를 지닌 단어들끼리 알맞게 묶인 것은?

> **보기**
>
> 국어의 음절은 반드시 모음을 가지고 있어야 하지만, 자음은 있어도 되고 없어도 된다. 모음은 혼자서도 음절을 이루지만 자음은 그렇지 않기 때문에, 음절과 모음의 숫자는 일치한다. 국어의 음절은 보통 '(자음)+모음+(자음)'의 구조를 지니고 있다.

① 산, 봄, 물 ② 담, 중, 끼 ③ 묵, 옥, 적

④ 다, 잠, 꿈 ⑤ 숲, 잎, 앞

03 다음 단어에 쓰인 음운을 분석해 보세요.

> 티끌 모아 태산

ㅌ, _____

_____

04 〈보기〉는 '음운'에 대한 학습 활동지 중 일부이다. ⓐ에 들어갈 내용으로 적절한 것은?

> **보기**
>
> (ㄱ) '발'의 초성, 중성, 종성을 다른 음운으로 바꾸어 여러 단어를 만들어 보자.
> - 초성을 바꾼 경우 → 달, 살
> - 중성을 바꾼 경우 → 볼, 불
> - 종성을 바꾼 경우 → 밥, 방
>
> (ㄴ) '눈'을 길게 발음할 때와 짧게 발음할 때의 차이를 이용해 문장을 만들어 보자.
>
> | 길게 발음할 때 | 짧게 발음할 때 |
> | --- | --- |
> | 눈이 펑펑 내린다. | 아이 눈이 초롱초롱하다. |
>
> ⬇
>
> (ㄱ)과 (ㄴ)을 함께 고려할 때 [ⓐ   ]는 사실을 알 수 있다.

① 음운은 문자로 표기할 수 있다

② 음운은 단어의 뜻을 구별해 준다

③ 음운은 일정한 조건에서 변화한다

④ 음운은 어떤 위치든 나타날 수 있다

⑤ 음운은 감정의 차이를 표현할 수 있다

05 우리말 단모음에 대한 설명으로 적절하지 **않은** 것은?

① 'ㅐ, ㅏ'를 발음할 때에는 입이 크게 벌어지고 혀의 높이가 낮다.

② 'ㅣ, ㅟ, ㅡ, ㅜ'는 발음할 때 입안에서 혀의 높이가 높은 모음이다.

③ 'ㅔ'와 'ㅚ'는 발음할 때 혀의 높이는 비슷하지만 입술 모양에서 차이가 있다.

④ 'ㅟ, ㅚ'는 발음할 때 입술이 둥글게 오므라지고 혀의 최고점이 뒤쪽에 위치한다.

⑤ 'ㅣ, ㅔ, ㅐ'와 'ㅡ, ㅓ, ㅏ'는 모두 평순 모음이지만 발음할 때 혀의 최고점의 위치가 서로 다르다.

06 〈보기〉의 설명에 해당하는 음운이 포함된 단어들끼리 알맞게 묶인 것은?

> 보기
> 발음할 때 혀의 최고점의 위치가 앞쪽에 있다.

> ㉠산골짝에 ㉡다람쥐 아기 다람쥐
> ㉢도토리 ㉣점심 가지고 ㉤소풍을 간다.

① ㉠, ㉣   ② ㉠, ㉤   ③ ㉠, ㉡, ㉢
④ ㉡, ㉢, ㉣   ⑤ ㉢, ㉣, ㉤

07 우리말의 자음 체계에 대한 설명으로 적절하지 <u>않은</u> 것은?

① 'ㅁ'과 'ㅂ'은 소리 나는 위치와 소리 내는 방법이 비슷하다.
② 'ㄱ'과 'ㅇ'은 소리 나는 위치는 같지만 소리 내는 방법에서 차이를 보인다.
③ 'ㄷ'과 'ㅌ'은 소리 나는 위치와 소리 내는 방법이 같지만, 소리의 세기에서 차이를 보인다.
④ 'ㅅ'과 'ㅆ'은 발음 기관의 통로를 좁혀 그 틈 사이로 공기를 내보내어 마찰을 일으키며 내는 소리이다.
⑤ 'ㅈ'과 'ㅊ'은 혓바닥과 센입천장 사이에서 나는 소리이면서 파열음과 마찰음의 성격을 동시에 지니고 있다.

08 다음 중 ㉠의 방법으로 ㉡의 위치에서 소리 나는 자음이 쓰인 단어는?

> ㉠ 입안의 어떤 위치에서 공기의 흐름을 막았다가 그 막은 자리를 일시에 터뜨리면서 소리를 냄.
> ㉡ 혀끝과 윗잇몸 사이에서 소리가 남.

① 가랑비   ② 시골길   ③ 고라니
④ 당나귀   ⑤ 소나무

09 다음 글을 읽고 떠올린 생각으로 적절하지 <u>않은</u> 것은?

> 우리말의 음운 체계에서 두드러지는 특성은 자음이 예사소리, 된소리, 거센소리로 나뉜다는 점이다. 우리말을 사용하는 사람들은 '불', '뿔', '풀'이라는 단어의 발음을 듣고 서로 다른 말로 알아듣는다. [ㅂ], [ㅃ], [ㅍ]의 소리를 구분하기 때문이다. 그런데 영어를 사용하는 사람들에게 단어 '뿔'의 발음을 들려주면, '불' 또는 '풀'과 뜻이 다른 말로 받아들이는 데 어려움을 겪는다. 우리말과 달리 영어의 음운 체계에서는 [b]와 [p]의 구분만 존재하기 때문이다.

① 'ㅂ', 'ㅃ', 'ㅍ'이 음운의 역할을 하지 못하는 외국어도 존재하겠군.
② 외국어 중에도 우리말처럼 'ㅂ', 'ㅃ', 'ㅍ'이 음운의 역할을 하는 경우도 있겠군.
③ 'ㅂ'과 마찬가지로 'ㄱ, ㄷ, ㅅ, ㅈ'에 대응하는 된소리와 거센소리가 존재하겠군.
④ 'ㅂ-ㅃ-ㅍ'과 같은 자음 때문에 우리말 자음은 삼중 체계를 이룬다고 할 수 있겠군.
⑤ 'ㅂ', 'ㅃ', 'ㅍ'을 각각 다른 소리로 인식하지 못하는 외국어는 우리말과는 다른 자음 체계를 지니고 있겠군.

10 〈보기〉의 조건을 모두 만족하는 음절에 해당하지 <u>않는</u> 것은?

> 보기
> • 세 개의 음운으로 이루어진 한 음절 단어임.
> • 첫소리는 혀끝과 윗잇몸 사이에서 소리가 남.
> • 가운뎃소리는 혀의 높이가 중간쯤이고 혀의 최고점의 위치가 뒤쪽에 있음.
> • 끝소리는 혀의 뒷부분과 여린입천장 사이에서 소리가 남.

① 성   ② 동   ③ 썩   ④ 떡   ⑤ 놀

11 다음에서 설명하는 음운으로만 이루어진 단어는?

> • 혓바닥과 센입천장 사이에서 소리 나는 자음
> • 발음할 때 입술이 둥글게 오므라지지 않는 모음

① 탱고 ② 재즈 ③ 삼바 ④ 첼로 ⑤ 대금

기출문제응용 고3 교육청

12 〈보기〉를 참고하여 철수에게 해 줄 수 있는 조언으로 가장 적절한 것은?

보기

국어의 단모음 체계

혀의 최고점의 위치	전설 모음		후설 모음	
입술 모양 혀의 높낮이	평순	원순	평순	원순
고모음	ㅣ	ㅟ	ㅡ	ㅜ
중모음	ㅔ	ㅚ	ㅓ	ㅗ
저모음	ㅐ		ㅏ	

> 철수: 영희야, 넌 '게'와 '개'를 정확하게 구분해서 발음할 수 있니? 난 잘 안 돼서 말할 때마다 머뭇거리게 돼. 어떻게 하면 좋을까?

① '개'를 발음할 때는 '게'와 달리 입술을 동그랗게 오므려야 해.
② '개'를 발음할 때는 '게'에 비해 입을 더 크게 벌려서 혀의 높이를 낮추어야 해.
③ '개'를 발음할 때는 '게'에 비해 입술을 더 평평하게 하고 입을 조금만 벌려야 해.
④ '게'를 발음할 때는 '개'와 달리 소리 내는 동안 입술과 혀를 움직이지 말아야 해.
⑤ '게'를 발음할 때는 '개'와 달리 혀의 최고점이 앞쪽에 있다는 느낌으로 발음해야 해.

---

13 〈보기 1〉의 ⑦~⑩ 중 〈보기 2〉에 제시된 구조로 이루어진 음절은?

보기 1

> ⑦동해물과 ⓛ백두산이 마르고 닳도록
> 하느님이 보우하사 우리나라 만세
> 무궁화 ⓒ삼천리 화려 강산
> 대ⓔ한 사람 대한으로 길이 보ⓜ전하세.

보기 2

> 목청소리＋저모음＋비음

① ⑦ ② ⓛ ③ ⓒ ④ ⓔ ⑤ ⓜ

학습활동응용 천재(박)

14 다음 대화의 빈칸에 들어갈 말로 적절한 것은?

> 승호: 우리 할아버지는 정말 성인[성인]이셔.
> 진구: 할아버지니까 당연한 거 아니야?
> 승호: 아니, 어른이 아니라 '지혜와 덕이 뛰어나 본받을 만한 분.'이라는 뜻으로 말한 거야.
> 진구: 아, 그랬구나. 그러면 ( )

① '성'의 억양을 올려서 발음했어야지.
② 모음을 바꿔서 뜻이 구별되게 말했어야지.
③ 자음을 바꿔서 뜻이 구별되게 말했어야지.
④ '성'에 힘을 줘서 좀 더 세게 발음했어야지.
⑤ '성'을 길게 발음해서 [성ː인]으로 발음했어야지.

---

15 〈보기〉의 ⑦~⑩에 대한 설명으로 적절한 것은?

보기

> 어스름해진 ⑦밤에 ⓛ알록달록 아름다운 ⓒ단풍으로 물든 길을 걷다 보면 ⓔ기분이 ⓜ무척 상쾌해진다.

① ⑦을 발음할 때에는 길게 발음해야 한다.
② ⓛ을 '얼룩덜룩'으로 바꿔 쓰면 상대적으로 더 가벼운 느낌을 준다.
③ ⓒ에는 입술소리가 2개 쓰였다.
④ ⓔ에는 저모음만 쓰였다.
⑤ ⓜ에 쓰인 자음은 소리 내는 방법이 모두 다르다.

👑 서술형 문제

학습활동응용 천재(노)

⭐ **16** 다음 노랫말에 쓰인 모음과 자음을 모두 찾고, 기준에 따라 분류해 보세요.

> 비가 온다 소록소록
> 실비가 온다
> 하얀 은실 사륵사륵
> 풀면서 온다
>
> – 이슬기 작사·김석곤 작곡, 〈비〉

┌ 조건 ┐
표에 해당하는 음운이 없을 때에는 '없음.'이라고 쓸 것.

• 모음:

단모음	이중 모음

전설 모음	
후설 모음	
고모음	
중모음	
저모음	
원순 모음	
평순 모음	

• 자음:

파열음	
마찰음	
파찰음	
비음	
유음	

17 우리말에서 소리의 길이를 음운으로 볼 수 있는 까닭이 무엇인지 쓰세요.

┌ 조건 ┐
• 음운의 개념을 밝히며 쓸 것.
• 소리의 길이가 음운의 역할을 하는 사례를 제시할 것.

_____

_____

_____

학습활동응용 비상

18 다음과 같은 상황이 일어나지 않으려면 어떤 점에 유의하여 발음해야 하는지 쓰세요.

[윤수네 집]
엄마: 버스 타고 <u>신촌</u> 이모 집에 다녀올래?
윤수: 네, 다녀올게요.

[버스 정류장]
윤수: (전화로) 엄마, 저 <u>신천</u>에 내렸는데 이모 집을 못 찾겠어요.

┌ 조건 ┐
• 밑줄 친 단어를 바탕으로 윤수가 엄마의 말을 오해한 까닭을 구체적으로 밝힐 것.
• 우리말의 모음 체계를 바탕으로 유의점을 제시할 것.

_____

_____

VIII

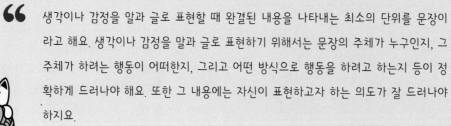

문장의 짜임

생각이나 감정을 말과 글로 표현할 때 완결된 내용을 나타내는 최소의 단위를 문장이라고 해요. 생각이나 감정을 말과 글로 표현하기 위해서는 문장의 주체가 누구인지, 그 주체가 하려는 행동이 어떠한지, 그리고 어떤 방식으로 행동을 하려고 하는지 등이 정확하게 드러나야 해요. 또한 그 내용에는 자신이 표현하고자 하는 의도가 잘 드러나야 하지요.

따라서 의미가 정확하고 자연스러운 문장을 만들어 자신의 표현 의도를 효과적으로 전달하려면 문장을 이루는 성분들과 문장의 짜임 방식을 정확히 알아야 해요. 그럼 무엇이 문장을 이루고, 다양한 문장이 어떻게 만들어지는지 문장의 짜임과 다양한 양상에 대해 알아볼까요?

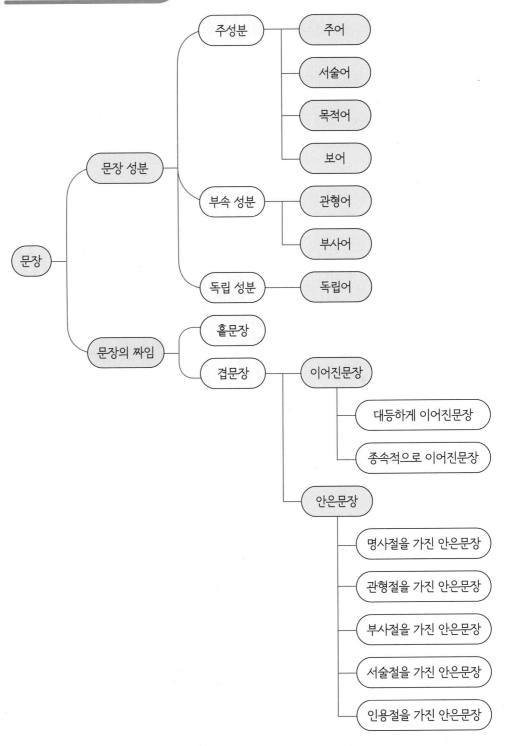

주성분 ─ 주어

서술어

목적어

보어

문장 성분 ─ 부속 성분 ─ 관형어

부사어

독립 성분 ─ 독립어

문장

홑문장

문장의 짜임 ─ 겹문장 ─ 이어진문장

대등하게 이어진문장

종속적으로 이어진문장

안은문장

명사절을 가진 안은문장

관형절을 가진 안은문장

부사절을 가진 안은문장

서술절을 가진 안은문장

인용절을 가진 안은문장

문장 성분 1

문장은 생각이나 감정을 말과 글로 표현할 때 완결된 내용을 나타내는 최소의 단위라고 했어요. 그렇다면 문장은 기본적으로 어떠한 구조를 갖추고 있을까요? 또 문장을 완성하는 데 필요한 성분에는 무엇이 있을까요?

문장의 기본 구조와 문장 성분

• 우리말 문장의 기본 구조는 서술어의 종류에 따라 세 가지 유형으로 나눌 수 있음.

누가/무엇이		어찌하다	(대상의 움직임을 나타냄.)
누가/무엇이	+	어떠하다	(대상의 상태나 성질을 나타냄.)
누가/무엇이		무엇이다	(대상을 지정함.)
주어		서술어	

• 주어, 서술어와 같이 문장 안에서 일정한 문법적 기능을 하는 부분을 '문장 성분'이라고 함.

주성분 → 문장을 이루는 데 기본적으로 필요한 성분

(1) 주어 主 주인 주 語 말씀 어

• 동작이나 작용, 상태나 성질 등의 주체가 되는 문장 성분
• 체언(명사, 대명사, 수사)에 주격 조사˚ '이/가/께서'가 붙어 나타남.

> **꽃이** 피었다.
> 체언+주격 조사 '이'

> **지후가** 달린다.
> 체언+주격 조사 '가'

(2) 서술어 敍 줄 서 述 지을 술 語 말씀 어

• 주어의 동작이나 작용, 상태나 성질 등을 풀이하는 문장 성분
• 용언(동사, 형용사)으로 이루어짐.

> 영수가 꽃다발을 **샀다.**
> 동사(주어의 동작을 풀이함.)

> 달이 **밝다.**
> 형용사(주어의 상태를 풀이함.)

• 체언에 서술격 조사 '이다'가 붙어 나타남. 예 동생이 <u>시인이다</u>.

(3) 목적어 目 눈 목 的 과녁 적 語 말씀 어

• 서술어가 나타내는 동작의 대상이 되는 문장 성분
• 체언에 목적격 조사 '을/를'이 붙어 나타남.

> 우리는 **과일을** 먹는다.
> 체언+목적격 조사 '을'

> 나는 **너를** 믿는다.
> 체언+목적격 조사 '를'

(4) 보어 補 도울 보 語 말씀 어

• '되다', '아니다'와 같은 서술어가 주어 외에 요구하는 문장 성분 → 주어와 서술어만으로는 불완전한 의미를 보충함.
• 체언에 보격 조사 '이/가'가 붙어 나타남.

> 물이 **얼음이** 되었다.
> 체언+보격 조사 '이'

> 이것은 **고양이가** 아니다.
> 체언+보격 조사 '가'

어절

문장을 구성하고 있는 각각의 마디.
문장 성분의 최소 단위로서 띄어쓰기의 단위가 됨.
예 <u>물이</u> <u>차갑다</u>.(2어절)
<u>물이</u> <u>매우</u> <u>차갑다</u>.(3어절)

격 조사 → 28쪽

주격 조사 '께서'가 붙는 경우

동작이나 상태 등의 주체가 말하는 이보다 나이가 많거나 사회적 지위가 높을 때 사용함.
예 • 할머니<u>께서</u> 옛 친구를 만나셨다.
• 선생님<u>께서</u> 취미로 화초를 기르신다.

격 조사의 생략과 보조사의 결합

주어와 목적어의 경우 격 조사가 생략될 수도 있고, 보조사가 붙을 수도 있음.
예 • 아버지 언제 오셨니?
(주격 조사 '께서' 생략)
• 나는 <u>바다</u> 좋아해.
(목적격 조사 '를' 생략)
• 원숭이도 나무에서 떨어진다.
(보조사 '도'가 붙어 주어가 됨.)
• 철규가 <u>운동화만</u> 샀다.
(보조사 '만'이 붙어 목적어가 됨.)

1 다음 설명이 맞으면 ○, 틀리면 X를 하세요.

(1) 생각이나 감정을 말과 글로 표현할 때 완결된 내용을 나타내는 최소 단위를 문장이라고 한다. (　　　)

(2) 주어의 동작이나 작용, 상태나 성질 등을 풀이하는 문장 성분은 목적어이다. (　　　)

(3) '되다', '아니다'와 같은 서술어가 주어 외에 요구하는 문장 성분은 보어이다. (　　　)

(4) 격 조사를 붙여 주성분을 나타낼 수 있다. (　　　)

2 다음 문장이 몇 어절로 이루어져 있는지 쓰세요.

> 원숭이도 나무에서 떨어진다.

3 다음 문장의 기본 구조에 해당하는 예문을 〈보기〉에서 찾아 기호를 쓰세요.

> ┌─ 보기 ─┐
> ㉠ 달이 밝다.
> ㉡ 지후가 달린다.
> ㉢ 동생은 시인이다.

(1) 누가/무엇이 어찌하다. (　　　)

(2) 누가/무엇이 어떠하다. (　　　)

(3) 누가/무엇이 무엇이다. (　　　)

4 다음 밑줄 친 부분에 해당하는 문장 성분을 찾아 바르게 연결하세요.

(1) 꽃이 피었다. · · ㉠ 주어

(2) 물이 얼음이 되었다. · · ㉡ 서술어

(3) 영수가 꽃다발을 샀다. · · ㉢ 목적어

(4) 우리는 과일을 먹는다. · · ㉣ 보어

5 다음 문장에서 각 문장 성분에 해당하는 말을 찾아 빈칸에 쓰세요.

(1) 할머니께서 친구를 만나셨다. → 주어: _____

(2) 나는 바다 좋아해. → 목적어: _____

(3) 이것은 고양이가 아니다. → 보어: _____

6 다음 문장의 각 성분이 무엇인지 쓰세요.

문장	철규가	운동화만	샀다.
문장 성분			

빈틈 공략하기 Q&A

Q 서술어에 따라 필요로 하는 문장 성분들의 개수는 모두 같을까?

A 모두 같지 않아요. 서술어는 그 성격에 따라서 필요한 문장 성분들의 개수가 달라져요. 이를 서술어의 자릿수라고 해요.

> • 한 자리 서술어: 주어 하나만 필요한 서술어.
> 예 하늘이 파랗다.
> 　　주어　서술어
> • 두 자리 서술어: 주어 이외에 목적어나 부사어, 또는 보어 등이 더 필요한 서술어.
> 예 아기가 우유를 먹는다.
> 　　주어　목적어　서술어
> 　　이것은 그것과 같다.
> 　　주어　부사어　서술어
> 　　소녀는 어른이 되었다.
> 　　주어　보어　서술어
> • 세 자리 서술어: 주어와 목적어 그리고 부사어가 필요한 서술어.
> 예 소미가 나에게 책을 주었다.
> 　　주어　부사어　목적어　서술어

이처럼 서술어는 몇 개의 다른 성분을 필요로 하느냐에 따라 한 자리 서술어, 두 자리 서술어, 세 자리 서술어로 구분할 수 있답니다.

교과서 개념 20 문장 성분 2

앞서 문장의 기본 구조와 문장을 이루는 데 꼭 필요한 성분인 주성분을 배웠어요. 문장 성분에는 주성분 외에도 주성분의 내용을 꾸며 뜻을 더하는 성분과, 어느 성분과도 관련 없이 독립적으로 쓰이는 성분이 있는데요, 이번에는 이 성분들을 알아볼까요?

부속 성분 → 주성분의 내용을 자세하게 꾸며 주는 역할을 하는 문장 성분

(1) 관형어 冠 갓 관 形 형상 형 語 말씀 어

- 체언(명사, 대명사, 수사)을 꾸며 주는 문장 성분
- 관형사가 그대로 쓰이거나, 관형격 조사 '의' 또는 관형사형 어미 '-(으)ㄴ', '-는', '-(으)ㄹ', '-던'이 붙은 형태로 나타남.

> - 찬미가 <u>새</u> 모자를 샀다. → 관형사 '새'가 체언 '모자'를 꾸며 줌.
>   관형사
> - 나는 <u>선호의</u> 책을 빌렸다. → '선호의'가 체언 '책'을 꾸며 줌.
>   체언+관형격 조사 '의'
> - <u>까만</u> 모자가 멋있다. → '까만'이 체언 '모자'를 꾸며 줌.
>   용언의 어간 '까맣-'+관형사형 어미 '-ㄴ'

(2) 부사어 副 버금 부 詞 말씀 사 語 말씀 어

- 주로 용언(동사, 형용사)을 꾸며 주는 문장 성분. 때로는 관형어나 다른 부사어를 꾸며 주기도 하고, 문장 전체를 꾸며 주기도 함.
- 부사가 그대로 쓰이거나, 부사형 어미 '-게'가 붙은 형태로 나타남.

> - 비행기가 <u>매우</u> <u>빨리</u> 날아갔다. → 부사 '매우'가 부사 '빨리'를 꾸며 줌.
>   부사 부사   → 부사 '빨리'가 용언 '날아갔다'를 꾸며 줌.
> - <u>과연</u> 그는 훌륭한 예술가이군. → 부사 '과연'이 문장 전체를 꾸며 줌.
>   부사
> - 바람이 <u>세차게</u> 불어온다. → '세차게'가 용언 '불어온다'를 꾸며 줌.
>   용언의 어간 '세차-'+부사형 어미 '-게'

독립 성분 → 문장의 어느 성분과도 관련 없이 독립적으로 쓰이는 성분

• 독립어 獨 홀로 독 立 설 립 語 말씀 어

- 문장의 다른 성분과 직접적인 관련이 없이 독립적으로 쓰이며 감탄, 부름, 응답 등을 나타내는 문장 성분 → 따라서 문장에서 독립어가 빠져도 원래 문장과 비교했을 때 의미가 달라지지 않음.
- 감탄사가 그대로 쓰이거나, 체언에 호격 조사 '아/야'가 붙은 형태로 나타남.

> - <u>와</u>, 무지개가 떴다.   • <u>경식아</u>, 우리 영화 보러 갈까?
>   감탄사   체언+호격 조사 '아'

● 관형사, 부사 → 26쪽

문장 성분과 품사

하나의 단어가 문장 안에서 어떤 역할을 하느냐에 따라 문장 성분은 달라질 수 있지만, 이때 단어의 품사는 변하지 않음.

예 깨끗하다
- 책상이 깨끗하다.
  → 품사: 형용사 / 문장 성분: 서술어
- 깨끗한 옷으로 갈아입다.
  → 품사: 형용사 / 문장 성분: 관형어
- 그릇을 깨끗하게 씻다.
  → 품사: 형용사 / 문장 성분: 부사어

관형어와 부사어의 특징

관형어와 부사어를 생략해도 문장이 이루어지며, 문장의 의미가 온전함.

> (까만) 모자가 (정말) 멋있다.

다만 '까만'과 '정말'처럼 꾸며 주는 말이 있을 때 문장의 의미가 더 자세함.

독립어와 감탄사

감탄사는 모두 독립어지만, 독립어가 모두 감탄사인 것은 아님.

예 청춘, 이것은 듣기만 해도 설레는 말이다.
  → 품사: 명사 / 문장 성분: 독립어

● 호격 조사 문장 안에서, 체언이나 체언 구실을 하는 말 뒤에 붙어 독립어 자격을 가지게 하는 격 조사.

1 다음 설명이 맞으면 ○, 틀리면 X를 하세요.

(1) 관형어는 체언을 꾸며 주고, 부사어는 주로 용언을 꾸며 준다. (　　　)

(2) 문장에 관형어와 부사어가 있을 때 문장의 의미가 더 자세하다. (　　　)

(3) 독립 성분은 문장의 어느 성분과도 관련 없이 독립 적으로 쓰이는 성분이다. (　　　)

(4) 문장에서 독립어가 빠지면 문장의 의미가 달라진 다. (　　　)

2 다음 빈칸에 들어갈 알맞은 말을 쓰세요.

(1) 관형어는 □□□가 그대로 쓰이거나, 관형격 조사 '□' 또는 관형사형 어미가 붙은 형태로 나타난다.

(2) 부사어는 □□가 그대로 쓰이거나 부사형 □□ 가 붙은 형태로 나타난다.

(3) 독립어는 감탄사가 그대로 쓰이거나, 체언에 □□ 조사 '아/야'가 붙은 형태로 나타난다.

3 다음 밑줄 친 문장 성분이 관형어이면 '관', 부사어이면 '부' 라고 쓰세요.

(1) 찬미가 <u>새</u> 모자를 썼다. (　　　)

(2) 가을은 <u>독서의</u> 계절이다. (　　　)

(3) 형이 쓴 편지를 받고 <u>무척</u> 기뻤다. (　　　)

4 다음 밑줄 친 부사어가 각각 어떤 말을 꾸미고 있는지 바르 게 연결하세요.

(1) | 비행기가 <u>매우</u> 빨리 날아갔다. | · | · | ㉠ | 용언 |

(2) | <u>과연</u> 그는 훌륭한 예술가로군. | · | · | ㉡ | 부사어 |

(3) | <u>갑자기</u> 바람이 세차게 불어왔다. | · | · | ㉢ | 문장 전체 |

5 다음 '윤호'와 '선미'의 말에서 독립어를 각각 찾아 ○ 표시를 하세요.

> 윤호: 와, 저 영화 정말 재미있겠다.
> 선미: 윤호야, 그럼 우리 저 영화 보러 갈까?

6 〈보기〉의 ㉠~㉤ 중 다음 문장 성분에 해당하는 것을 찾아 기호를 쓰세요.

> 보기
> <u>우아, 까만 모자가 정말 멋있다.</u>
> ㉠　㉡　㉢　㉣　㉤

관형어	부사어	독립어

7 다음 밑줄 친 부분의 문장 성분이 무엇인지 쓰세요.

(1) 집에 와서 <u>깨끗한</u> 옷으로 갈아입었다. (　　　)

(2) 밥을 먹은 후 그릇을 <u>깨끗하게</u> 씻었다. (　　　)

빈틈 공략하기 Q&A

Q 관형어와 관형사는 어떻게 다를까?

A 관형어와 관형사는 모두 체언 앞에 놓여서 체언을 꾸며 주 기 때문에 헷갈릴 수 있어요. 관형어는 체언을 꾸며 주는 문 장 성분으로, 관형사뿐만 아니라 명사, 동사, 형용사 등도 관형어로 쓰여요. 반면 관형사는 체언을 꾸며 주는 품사로, 형태가 변하지 않아요.

> • 찬미가 <u>새</u> 모자를 썼다.
> 　→ 문장 성분: 관형어 / 품사: 관형사
> • 찬미가 <u>언니의</u> 모자를 썼다.
> 　→ 문장 성분: 관형어 / 품사: 명사+조사
> • 찬미가 <u>까만</u> 모자를 썼다.
> 　→ 문장 성분: 관형어 / 품사: 형용사

이처럼 관형사의 문장 성분은 관형어이지만 관형어에는 관 형사가 아닌 것들도 있답니다.

교과서 개념 21 홑문장과 겹문장

문장은 주어와 서술어의 관계가 몇 번 나타나느냐에 따라 홑문장과 겹문장으로 나뉘어요. 그렇다면 "나는 책을 읽었다."라는 문장과 "나는 책을 읽고, 동생은 음악을 들었다."라는 문장 중에 어떤 문장이 홑문장이고, 어떤 문장이 겹문장일까요?

홑문장

• 주어와 서술어의 관계가 한 번만 나타나는 문장

> • 비가 내렸다.
>   주어   서술어
>
> • 어느새 가을이 다가왔다.
>   주어   서술어
>
> • 나는 떡볶이를 가장 좋아한다.
>   주어   서술어
>
> • 아이들이 운동장에서 종이비행기를 날린다.
>   주어   서술어

겹문장

• 주어와 서술어의 관계가 두 번 이상 나타나는 문장
• 둘 이상의 홑문장이 결합되는 방식에 따라 이어진문장과 안은문장으로 나눌 수 있음.

 – 이어진문장: 둘 이상의 홑문장이 나란히 이어져서 이루어진 문장

> • 은채는 고양이를 키운다. + 현지는 강아지를 키운다.
>   ➡ 은채는 고양이를 키우고 현지는 강아지를 키운다.
>   주어   서술어   주어   서술어
>
> • 길이 너무 좁다. + 차가 못 지나간다.
>   ➡ 길이 너무 좁아서 차가 못 지나간다.
>   주어   서술어   주어   서술어

 – 안은문장: 한 홑문장이 다른 홑문장을 하나의 문장 성분처럼 안고 있는 문장

> • 지아는 (무엇)을 간절히 바랐다. + 비가 그치다.
>   ➡ 지아는 비가 그치기를 간절히 바랐다.
>   주어   서술어
>   주어   서술어
>
> • 동생이 (어떤) 모자를 썼다. + 언니가 모자를 만들었다.
>   ➡ 동생이 언니가 만든 모자를 썼다.
>   주어   서술어
>   주어   서술어

홑문장과 겹문장을 구분할 때 주의할 점

문장의 길이로는 홑문장과 겹문장을 구분할 수 없으므로, 주어와 서술어의 관계가 몇 번 나오는지를 살펴보아야 함.

문장의 확대

둘 이상의 홑문장이 모여 하나의 겹문장이 되는 과정

홑문장	
① 화단에 국화가 피었다.	
② 국화가 예쁘다.	
③ 벌이 많이 날아왔다.	

↓

겹문장	
이어진문장 (①+③)	안은문장 (①+②)
화단에 국화가 피어서 벌이 많이 날아왔다.	화단에 예쁜 국화가 피었다.

절

문장을 구성하는 단위 중 하나. 주어와 서술어를 갖춘 문법 단위로, 단독으로 쓰이지 못하고 더 큰 문장의 일부를 이룸.
예 나는 노을이 붉게 물들기를 기다렸다.

교과서 개념 익히기

1 다음 빈칸에 들어갈 알맞은 말을 쓰세요.

(1) 주어와 서술어의 관계가 한 번만 나타나는 문장을 ☐☐☐이라고 한다.

(2) 주어와 서술어의 관계가 두 번 이상 나타나는 문장을 ☐☐☐이라고 한다.

(3) 둘 이상의 홑문장이 결합되는 방식에 따라 ☐☐☐☐☐과 ☐☐☐☐으로 나눌 수 있다.

2 다음 문장에서 주어와 서술어의 짝을 모두 찾아 〈보기〉와 같이 표시하세요.

┌─ 보기 ─────────────────────┐
│　　　　　비가 많이 내렸다.　　　　│
└──────────────────────────┘

(1) 나는 책을 읽었다.

(2) 나는 떡볶이를 가장 좋아한다.

(3) 지아는 비가 그치기를 간절히 바랐다.

(4) 은채는 고양이를 키우고 현지는 강아지를 키운다.

3 다음 문장이 홑문장이면 '홑', 겹문장이면 '겹'이라고 쓰세요.

(1) 어느새 가을이 다가왔다. (　　　)
(2) 동생이 언니가 만든 모자를 썼다. (　　　)
(3) 길이 너무 좁아서 차가 못 지나간다. (　　　)
(4) 나는 책을 읽고 동생은 음악을 들었다. (　　　)
(5) 아이들이 운동장에서 종이비행기를 날린다.
　　　　　　　　　　　　　　　　　 (　　　)

4 다음 홑문장을 나란히 이어 하나의 겹문장으로 만드세요.

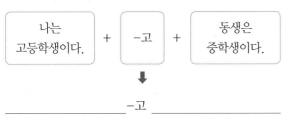

_____ -고 _____

5 다음 빈칸에 알맞은 기호를 순서대로 넣으세요.

┌──────────────────────────────┐
│ ㉠ 화단에 예쁜 국화가 피었다. │
│ ㉡ 화단에 국화가 피어서 벌이 많이 날아왔다. │
├──────────────────────────────┤
│ ㉠과 ㉡은 모두 주어와 서술어의 관계가 두 번 이상 나타나는 겹문장이다. 그중 (　　　)은 둘 이상의 홑문장이 나란히 이어져서 이루어진 이어진문장이고, (　　　)은 한 홑문장이 다른 홑문장을 하나의 문장 성분처럼 안고 있는 안은문장이다. │
└──────────────────────────────┘

빈틈 공략하기 Q&A

Q "진우는 춤을, 희수는 노래를 부른다."는 올바른 문장일까?

A 문장을 확대하여 겹문장을 만들 때 어떤 문장은 주어나 서술어 중 하나가 생략되어 겉으로 드러나지 않는 경우가 있어요.

┌──────────────────────────────┐
│ 할아버지는 신문을, 할머니는 책을 읽으신다. │
│ → 할아버지는 신문을 (읽으신다.) + 할머니는 책을 읽으신다. │
└──────────────────────────────┘

위 문장에서는 첫 번째 목적어 '신문을'과 호응하는 서술어와, 두 번째 목적어 '책을'과 호응하는 서술어가 같아 첫 번째 주어 '할아버지는'의 짝인 서술어 '읽으신다'가 생략되었어요.

┌──────────────────────────────┐
│ 진우는 춤을, 희수는 노래를 부른다. │
│ → 진우는 춤을 (추다.) + 희수는 노래를 부른다. │
└──────────────────────────────┘

하지만 제시된 문장의 경우 첫 번째 목적어 '춤을'과 호응하는 서술어와, 두 번째 목적어 '노래를'과 호응하는 서술어가 달라 첫 번째 주어 '진우는'의 짝인 서술어 '추다'를 생략할 수 없어요. 따라서 "진우는 춤을 추고, 희수는 노래를 부른다."라고 고쳐 써야 의미가 정확하고 자연스러운 문장이 된답니다.

이어진문장

교과서 개념 22

둘 이상의 홑문장이 대등하게 이어지거나 종속적으로 이어지는 문장을 이어진문장이라고 해요. 이어진문장은 앞 절과 뒤 절의 의미 관계에 따라 대등하게 이어진문장과 종속적으로 이어진문장으로 나눌 수 있지요. 두 문장의 짜임이 어떻게 다른지 살펴볼까요?

◐◑ 대등하게 이어진문장

• 앞 절과 뒤 절의 의미 관계가 대등한 관계에 있는 문장

| 인생은 짧다. | + | −고 | + | 예술은 길다. |

↓

인생은 짧고, 예술은 길다. → 대등적 연결 어미*를 사용함.

• 나열, 대조, 선택 등의 의미 관계를 가짐.

> 두 문장의 주어가 같으면 하나를 생략함.
> → 주어 '민준이는'이 생략됨.

의미 관계	연결 어미	예문
나열	−고	민준이는 노래도 잘하고, 그림도 잘 그린다.
	−(으)며	형은 대학생이며, 누나는 고등학생이다.
대조	−지만	바람이 심하게 불지만, 날씨가 춥지 않다.
	−(으)나	윤지는 웃었으나, 민서는 울었다.
선택	−거나	내일은 비가 오거나, 눈이 올 것이다.
	−든지	집에 가든지 영화를 보든지 마음대로 해라.

◐◑ 종속적으로 이어진문장

• 앞 절과 뒤 절의 의미 관계가 대등하지 못하고 종속적인 관계에 있는 문장

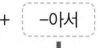

| 하늘이 맑다. | + | −아서 | + | 기분이 좋다. |

↓

하늘이 맑아서 기분이 좋다. → 종속적 연결 어미를 사용함.

• 원인, 조건, 목적·의도, 양보, 배경 등의 의미 관계를 가짐.

의미 관계	연결 어미	예문
원인	−아서/어서	비가 와서 우리는 소풍을 연기했다.
	−(으)니	약속을 했으니 지켜야 해.
조건	−(으)면	사공이 많으면 배가 산으로 간다.
	−거든	네가 먹고 싶거든 내가 떡볶이를 만들어 줄게.
목적·의도	−(으)러	민결이가 공부를 하러 독서실에 간다.
	−(으)려고	동생은 운동을 하려고 일찍 일어난다.

● **연결 어미** 용언의 어간에 붙어 다음 말에 연결하는 역할을 하는 어미.

◉ 대등하게 이어진문장의 특징

• 앞 절과 뒤 절의 순서를 바꿀 수 있음. 앞 절과 뒤 절의 순서가 바뀌어도 의미가 달라지지 않음.

예 비가 오고, 바람이 불었다.
  ≒ 바람이 불고, 비가 왔다.

• 앞 절과 뒤 절의 서술어가 같을 때는 앞 절의 서술어가 생략되기도 함.

예 나는 고양이를 좋아하고, 동생은 강아지를 좋아한다. → 나는 고양이를 (좋아하고), 동생은 강아지를 좋아한다. (○)

◉ 종속적으로 이어진문장의 특징

• 앞 절과 뒤 절의 순서를 바꾸면 의미가 달라지거나 어색함.

예 눈이 와서 도로가 미끄럽다.
  ≠ 도로가 미끄러워서 눈이 왔다.

• 앞 절과 뒤 절의 서술어가 같아도 서술어를 생략할 수 없는 경우가 있음.

예 네가 가면, 나도 간다.
  → 네가, 나도 간다. (X)

◉ 양보, 배경의 의미 관계를 나타내는 연결 어미

• 양보: −더라도, −(으)ㄹ지라도

예 • 무슨 일이 있더라도, 이 일을 마쳐야 한다.
  • 설령 비가 올지라도, 우리는 출발할 것이다.

• 배경: −는데

예 날씨가 춥다는데, 겉옷을 입고 나가거라.

1 다음 설명이 맞으면 ○, 틀리면 ✕를 하세요.

(1) 대등하게 이어진문장은 앞뒤 절의 관계가 대등한 관계에 있는 문장이다. ( )

(2) 대등하게 이어진문장은 원인, 양보, 배경 등의 의미 관계를 가진다. ( )

(3) 종속적으로 이어진문장은 앞뒤 절의 관계가 종속적인 관계에 있는 문장이다. ( )

(4) 종속적으로 이어진문장은 목적, 조건, 의도 등의 의미 관계를 가진다. ( )

(5) 대등하게 이어진문장과 종속적으로 이어진문장은 앞뒤 절의 순서를 바꾸면 의미가 달라진다.
( )

2 다음 문장이 대등하게 이어진문장이면 '대', 종속적으로 이어진문장이면 '종'이라고 쓰세요.

(1) 인생은 짧고 예술은 길다. ( )

(2) 비가 와서 우리는 소풍을 연기했다. ( )

(3) 유정이는 웃었으나 수진이는 울었다. ( )

(4) 날씨가 춥다는데 겉옷을 입고 나가거라. ( )

(5) 무슨 일이 있더라도 이 일을 마쳐야 한다. ( )

(6) 네가 먹고 싶거든 내가 떡볶이를 만들어 줄게.
( )

3 다음 문장의 앞뒤 절이 어떤 의미 관계로 연결되었는지 기호를 찾아 쓰세요.

| ㉠ 나열 | ㉡ 선택 | ㉢ 원인 |
| ㉣ 조건 | ㉤ 목적 | ㉥ 양보 |

(1) 하늘이 맑아서 기분이 좋다. ( )

(2) 사공이 많으면 배가 산으로 간다. ( )

(3) 민결이가 공부를 하러 독서실에 간다. ( )

(4) 형은 대학생이며 누나는 고등학생이다. ( )

(5) 집에 가든지 영화를 보든지 마음대로 해. ( )

(6) 설령 비가 올지라도 우리는 출발할 거야. ( )

4 다음 두 홑문장을 하나의 이어진문장으로 만드세요.

(1) 약속을 했다. + 약속을 지켜야 한다.

→ _____ –으니 _____

(2) 바람이 심하게 분다. + 날씨가 춥지 않다.

→ _____ –지만 _____

(3) 동생은 운동을 한다. + 동생은 일찍 일어난다.

→ _____ –려고 _____

(4) 내일은 비가 올 것이다. + 내일은 눈이 올 것이다.

→ _____ –거나 _____

빈틈 공략하기 Q&A

Q "상미는 상한 음식을 먹고 배탈이 났다."라는 문장은 대등하게 이어진문장일까, 종속적으로 이어진문장일까?

A 정답은 바로 종속적으로 이어진문장이에요. 제시된 문장에 연결 어미 '–고'가 쓰여서 대등하게 이어진문장이라고 생각했나요? 하지만 '–고'는 항상 앞뒤 절을 대등하게 이어 주는 역할만 하는 것은 아니에요.
제시된 문장의 앞뒤 순서를 바꾸어 볼까요?

> 상미는 상한 음식을 먹고 배탈이 났다.
> → 상미는 배탈이 났고 상한 음식을 먹었다.

앞뒤 절의 순서를 바꾸니 의미가 달라졌죠? 대등하게 이어진문장이라면 앞뒤 절의 순서를 바꾸어도 의미가 달라지지 않았겠지만, 제시된 문장은 시간적인 선후 관계의 의미를 가지고 있기 때문에 의미가 달라졌어요. 이처럼 '–고'가 나열이 아니라 앞뒤 절의 사건의 시간적 순서를 나타낼 때는 종속적으로 이어진문장이라고 볼 수 있어요.
따라서 같은 연결 어미라도 대등하게 이어진문장과 종속적으로 이어진문장에 모두 쓰일 수 있기 때문에 앞뒤 절의 의미 관계를 생각해 보아야 어떤 문장인지 구분할 수 있답니다.

안은문장 1

'절'은 주어와 서술어를 갖추었지만 단독으로 쓰이지 못하고 더 큰 문장의 일부분으로 쓰인다고 했어요. 안은문장은 바로 이러한 절을 하나의 문장 성분처럼 안고 있는 문장이에요. 그럼 안은문장이 어떤 절을 안고 있는지 살펴볼까요?

안은문장과 안긴문장

• 안은문장: 한 문장이 다른 문장을 하나의 문장 성분처럼 안고 있는 문장
• 안긴문장: 안은문장에 절의 형태로 들어가 하나의 문장 성분처럼 쓰이는 문장. 문장 안에서 어떤 역할을 하느냐에 따라 명사절, 관형절, 부사절, 서술절, 인용절로 나뉨.

→ 따라서 안은문장은 어떤 절(안긴문장)을 안고 있느냐에 따라 명사절을 가진 안은문장, 관형절을 가진 안은문장, 부사절을 가진 안은문장, 서술절을 가진 안은문장, 인용절을 가진 안은문장으로 나뉨.

명사절을 가진 안은문장

• 절이 문장에서 주어, 목적어 등의 역할을 함.
• 명사절은 명사형 어미 '-(으)ㅁ', '-기' 등이 붙어 만들어짐.

| (무엇)이 분명하다. | + | 지수가 그 일을 해냈다. |

↓

지수가 그 일을 해냈음이 분명하다.
주어 역할

| 나는 (무엇)을 기다렸다. | + | 드라마가 시작한다. |

↓

나는 드라마가 시작하기를 기다렸다.
목적어 역할

관형절을 가진 안은문장

• 절이 문장에서 체언을 꾸며 주는 관형어의 역할을 함.
• 관형절은 관형사형 어미 '-(으)ㄴ', '-는', '-(으)ㄹ', '-던' 등이 붙어 만들어짐.

| 이것은 (어떤) 소설책이다. | + | 내가 소설책을 읽었다. |

↓

이것은 내가 읽은 소설책이다.
관형어 역할

| 나는 (어떤) 소문을 들었다. | + | 그가 돌아왔다. |

↓

나는 그가 돌아왔다는 소문을 들었다.
관형어 역할

전성 어미

전성 어미는 용언의 어간에 붙어 절이 다른 품사의 기능을 하게 하는 어미로, 명사절·관형절·부사절을 가진 안은문장을 만들 때 전성 어미를 붙여 만듦.
• 명사형 전성 어미: -(으)ㅁ, -기 등
• 관형사형 전성 어미: -(으)ㄴ, -는 등
• 부사형 전성 어미: -게, -도록 등

명사절의 또 다른 역할

명사절은 문장에서 주어, 목적어의 역할 외에도 부사어의 역할을 함.
예 • 그 책은 진희가 읽기에 매우 어렵다.
   • 지금은 학교에 가기에 아직 이르다.

관형절에서 문장 성분이 생략되는 경우

관형절로 안길 때에 안은문장과 겹치는 주어, 목적어 등의 문장 성분은 생략됨.

① 주어의 생략

예쁜 꽃이 피었다.
(꽃이) 예쁘다 + 관형사형 어미 '-ㄴ'

→ 관형절의 주어 '꽃이'는 안은문장의 주어 '꽃이'와 겹치기 때문에 생략됨.

② 목적어의 생략

너는 내가 읽던 소설책을 보았니?
내가 (소설책을) 읽다. + 관형사형 어미 '-던'

→ 관형절의 목적어 '소설책을'은 안은문장의 목적어 '소설책을'과 겹치기 때문에 생략됨.

1 다음 빈칸에 들어갈 알맞은 말을 쓰세요.

(1) ☐☐☐☐은 한 문장이 다른 문장을 하나의 문장 성분처럼 안고 있는 문장이고, ☐☐☐☐은 다른 문장 안에 절의 형태로 들어가 하나의 문장 성분처럼 쓰이는 문장이다.

(2) ☐☐☐은 문장에서 주어, 목적어 등의 역할을 한다.

(3) ☐☐☐은 체언을 꾸며 주는 관형어의 역할을 한다.

2 다음 빈칸에 들어갈 수 있는 어미를 〈보기〉에서 골라 기호로 쓰세요.

보기
㉠ -(으)ㄴ   ㉡ -(으)ㅁ   ㉢ -기   ㉣ -는

(1) 명사절은 명사형 어미 (   ) 등이 붙어 만들어진다.

(2) 관형절은 관형사형 어미 (   ) 등이 붙어 만들어진다.

3 다음 문장에서 안긴문장을 찾아 밑줄을 긋고, 그 종류가 무엇인지 쓰세요.

(1) 지수가 그 일을 해냈음이 분명하다.   (   )

(2) 나는 드라마가 시작하기를 기다렸다.   (   )

(3) 지금은 학교에 가기에 아직 이르다.   (   )

(4) 내가 어제 본 영화는 매우 재미있었다.   (   )

4 다음 문장을 절로 바꾸어 안은문장을 완성하세요.

그가 돌아왔다.

(1) 명사절을 가진 안은문장

→ 나는 _____ 을/를 알았다.

(2) 관형절을 가진 안은문장

→ 나는 _____ 소문을 들었다.

5 〈보기〉와 같이 안은문장을 완성하고, 안긴문장이 어떤 역할을 하는지 쓰세요.

보기
(무엇)이 밝혀질 것이다. + 그 사람이 범인이다.

→ 그 사람이 범인임이 밝혀질 것이다.   (주어   )

(1) 명사절을 가진 안은문장

농부는 (무엇)을 바란다. + 농사가 잘되다.

→ _____.(   )

(2) 관형절을 가진 안은문장

이것은 (어떤) 책이다. + 내가 책을 읽었다.

→ _____.(   )

빈틈 공략하기 **Q&A**

Q "이 떡볶이는 동생이 먹기에 맵다."라는 문장에서 명사절은 어떤 역할을 할까?

A "이 떡볶이는 동생이 먹기에 맵다."라는 문장은 명사절을 가진 안은문장으로, 이때 명사절은 명사형 어미 '-기'가 붙어 만들어진 '동생이 먹기'예요. 그렇다면 이 명사절은 문장에서 어떤 역할을 하고 있을까요?

명사절은 관형절, 부사절, 서술절과 달리 뒤에 붙는 조사에 따라 문장에서의 역할이 달라져요. 같은 명사절이라도 주격 조사가 붙으면 주어의 역할, 목적격 조사가 붙으면 목적어의 역할, 부사격 조사가 붙으면 부사어의 역할을 하는 거지요.

이 떡볶이는 <u>동생이 먹기</u>에 맵다.
부사어 역할 └→ 부사격 조사

제시된 문장은 명사절에 부사격 조사 '에'가 붙었지요? 따라서 이 문장에서 명사절은 부사어의 역할을 하고 있음을 알 수 있답니다.

안은문장 2

앞에서 명사절을 가진 안은문장과 관형절을 가진 안은문장에 대해 알아보았어요. 여기서는 나머지 부사절, 서술절, 인용절을 가진 안은문장을 알아보도록 해요. 그리고 문장의 짜임 방식에 따라 표현 효과가 어떻게 달라질지도 한번 생각해 보아요.

🔗 부사절을 가진 안은문장

- 절이 문장에서 서술어를 꾸며 주는 부사어의 역할을 함.
- 부사절은 부사형 어미 '-게', '-도록' 등이 붙어 만들어짐.

| 승재는 (어떻게) 뛰었다. | + | 땀이 나다. |

↓

승재는 **땀이 나게** 뛰었다.
부사어 역할

| 그녀는 (어떻게) 웃었다. | + | 배꼽이 빠지다. |

↓

그녀는 **배꼽이 빠지도록** 웃었다.
부사어 역할

🔗 서술절을 가진 안은문장

- 절 전체가 문장에서 서술어의 역할을 함.

| 민솔이는 (어떠하다). | + | 마음씨가 곱다. |

↓

민솔이는 **마음씨가 곱다.**
서술어 역할

🔗 인용절을 가진 안은문장

- 다른 사람의 말을 인용한* 것이 절의 형식으로 안긴 것.
- 다른 사람의 말을 그대로 직접 인용하는 경우와 인용하는 사람의 표현으로 바꾸어 간접 인용하는 경우가 있음. → 직접 인용할 때는 따옴표를 사용하여 인용한 말 뒤에 조사 '라고'가 붙고, 간접 인용할 때는 인용한 말 뒤에 조사 '고'가 붙음.

다음에 만나자.

남주

- 남주는 "<u>다음에 만나자.</u>"라고 말했다.
  직접 인용절
- 남주는 <u>다음에 만나자고</u> 말했다.
  간접 인용절

🔗 부사를 만드는 접미사 '-이'

부사절은 부사형 어미 외에 부사를 만드는 접미사 '-이'가 붙어 만들어지기도 함.

| 누군가 (어떻게) 그녀에게 다가왔다. |

+

| 소리도 없다. |

↓

| 누군가 <u>소리도 없이</u> 그녀에게 다가왔다. |

🔗 문장의 짜임에 따른 표현 효과

① 홑문장을 사용할 경우
- 내용을 간결하고 명료하게 전달할 수 있음.
- 사건의 빠른 진행을 서술하거나 핵심을 요약할 때 효과적임.

② 겹문장을 사용할 경우
- 내용을 논리적이고 집중력 있게 전달할 수 있음.
- 이어진문장은 문장들의 연결 관계가 잘 드러나 사건의 전후 관계나 논리적인 관계를 드러내는 데에 효과적임.
- 안은문장은 대상을 구체적으로 표현하여 좀 더 풍부한 의미를 드러내는 데에 효과적임.

→ 위 표현 효과는 절대적인 것이 아니라 문장이 활용되는 상황에 따라 달라질 수 있으므로 각 상황에 어울리는 문장을 활용해야 함.

● **인용하다** 남의 말이나 글을 자신의 말이나 글 속에 끌어 쓰다.

교과서 개념 익히기

1 다음 빈칸에 들어갈 알맞은 말을 쓰세요.

(1) 부사절을 가진 안은문장에서는 절이 ☐☐☐의 역할을 한다.

(2) 부사절은 부사형 어미 '–☐', '–도록', 부사를 만드는 접미사 '–☐' 등이 붙어 만들어진다.

(3) 서술절을 가진 안은문장은 ☐☐☐가 문장에서 서술어의 역할을 한다.

(4) 인용절에서 직접 인용할 때는 조사 '☐☐'가 붙고, 간접 인용할 때는 조사 '☐'가 붙는다.

2 다음 안은문장의 종류를 바르게 연결하세요.

(1) 민솔이는 마음씨가 곱다. ·

(2) 승재는 땀이 나게 뛰었다. ·

(3) 친구가 나에게 빵을 사러 가자고 말했다. ·

· ㉠ 부사절을 가진 안은문장

· ㉡ 서술절을 가진 안은문장

· ㉢ 인용절을 가진 안은문장

3 다음 문장에서 안긴문장을 찾아 밑줄을 긋고, 각 절이 어떤 역할을 하는지 쓰세요.

(1) 토끼는 앞발이 짧다. ( )

(2) 민희는 손이 매우 예쁘다. ( )

(3) 누군가 소리도 없이 다가왔다. ( )

(4) 그녀는 배꼽이 빠지도록 웃었다. ( )

4 다음 두 홑문장을 하나의 안은문장으로 만드세요.

(1) 주애는 (어떻게) 뛰어갔다. + 머리카락이 휘날리다.

→ _____

(2) 승한이는 (어떠하다). + 키가 크다.

→ _____

5 다음 두 홑문장을 인용절을 가진 안은문장으로 바꾸어 쓰세요.

(1) 직접 인용하는 경우

민기는 말했다. + "제가 가겠습니다."

→ _____

(2) 간접 인용하는 경우

남주가 말했다. + "다음에 만나자."

→ _____

빈틈 공략하기 Q&A

Q "소미가 회장이 되었다."라는 문장은 서술절을 가진 안은문장일까?

A 서술절을 가진 안은문장은 주어가 두 개 있는 것처럼 보여요. 그래서 제시된 문장과 같은 문장 구조를 보면 서술절을 가진 안은문장이라고 착각하기 쉽지요. 하지만 제시된 문장은 서술절을 가진 안은문장이 아니라, 바로 보어가 사용된 홑문장이에요.

서술절을 가진 안은문장과 보어가 사용된 홑문장을 구분하려면 문장의 서술어를 보면 됩니다. "소미가 회장이 되었다."라는 문장에서 서술어는 '되었다(되다)'예요. '되다', '아니다'와 같은 서술어는 문장에서 주어 외에 보어를 필요로 합니다. 그리고 그 보어는 체언에 보격 조사 '이/가'가 붙어서 서술어 앞에 놓이지요. 따라서 '회장이'는 보어입니다.

소미<u>가</u> 회장<u>이</u> 되었다.
주어   보어   서술어

▓ : 주격 조사
: 보격 조사

'회장이'가 주어가 아니라 보어이므로, 이 문장은 주어와 서술어의 관계가 한 번만 나타나는 홑문장인 것이지요.

이처럼 서술절을 가진 안은문장과 보어가 사용된 홑문장의 구조는 비슷하기 때문에 각 문장의 특징을 잘 알아 두어야 헷갈리지 않는답니다.

3
학년

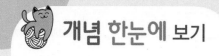

문장의 짜임

◉ **문장:** 생각이나 감정을 말과 글로 표현할 때 완결된 내용을 나타내는 최소의 단위

◉ **문장 성분:** 주어, 서술어와 같이 문장 안에서 일정한 문법적 기능을 하는 부분

주성분	주어	동작이나 작용, 상태나 성질 등의 주체가 되는 문장 성분 예 꽃이 피었다. / 지후가 달린다.
	서술어	주어의 동작이나 작용, 상태나 성질 등을 풀이하는 문장 성분 예 영수가 꽃다발을 샀다. / 달이 밝다. / 동생이 시인이다.
	목적어	서술어가 나타내는 동작의 대상이 되는 문장 성분 예 우리는 과일을 먹는다. / 나는 너를 믿는다.
	보어	'되다', '아니다'와 같은 서술어가 주어 외에 요구하는 문장 성분 예 물이 얼음이 되었다. / 이것은 고양이가 아니다.
부속 성분	관형어	체언(명사, 대명사, 수사)을 꾸며 주는 문장 성분 예 찬미가 새 모자를 샀다. / 나는 선호의 책을 빌렸다.
	부사어	주로 용언(동사, 형용사)을 꾸며 주는 문장 성분. 때로는 관형어나 다른 부사어를 꾸며 주기도 하고, 문장 전체를 꾸며 주기도 함. 예 비행기가 매우 빨리 날아갔다. / 과연 그는 훌륭한 예술가이군.
독립 성분	독립어	문장의 다른 성분과 직접적인 관련이 없이 독립적으로 쓰이며 감탄, 부름, 응답 등을 나타내는 문장 성분 예 와, 무지개가 떴다. / 경식아, 우리 영화 보러 갈까?

◉ **문장의 짜임**

- **홑문장:** 주어와 서술어의 관계가 한 번만 나타나는 문장 예 비가 내렸다. / 어느새 가을이 다가왔다.
- **겹문장:** 주어와 서술어의 관계가 두 번 이상 나타나는 문장

이어진 문장	대등하게 이어진문장	앞 절과 뒤 절의 의미 관계가 대등한 관계에 있는 문장 예 인생은 짧고, 예술은 길다.
	종속적으로 이어진문장	앞 절과 뒤 절의 의미 관계가 대등하지 못하고 종속적인 관계에 있는 문장 예 하늘이 맑아서 기분이 좋다.
안은 문장	명사절을 가진 안은문장	절이 문장에서 주어, 목적어, 부사어 등의 역할을 함. 예 지수가 그 일을 해냈음이 분명하다.
	관형절을 가진 안은문장	절이 문장에서 체언을 꾸며 주는 관형어의 역할을 함. 예 이것은 내가 읽은 소설책이다.
	부사절을 가진 안은문장	절이 문장에서 서술어를 꾸며 주는 부사어의 역할을 함. 예 승재는 땀이 나게 뛰었다.
	서술절을 가진 안은문장	절 전체가 문장에서 서술어의 역할을 함. 예 민솔이는 마음씨가 곱다.
	인용절을 가진 안은문장	다른 사람의 말을 인용한 것이 절의 형식으로 안긴 것. 예 남주는 "다음에 만나자."라고 말했다. (직접 인용) / 남주는 다음에 만나자고 말했다. (간접 인용)

정답과 해설 43쪽

01 문장 성분에 대한 설명으로 적절하지 <u>않은</u> 것은?

① 주성분에는 주어, 서술어, 목적어, 보어가 있다.

② 보어는 특정한 서술어 앞에서 의미를 보충한다.

③ 부속 성분은 주성분의 내용을 자세하게 꾸며 준다.

④ 부사어는 주로 체언을 꾸며 주는 문장 성분이다.

⑤ 독립 성분은 다른 성분과 관련 없이 독립적으로 쓰인다.

02 다음 밑줄 친 부분이 주성분에 해당하지 <u>않는</u> 것은?

① <u>하늘이</u> 맑다.

② 동우는 <u>학생이다</u>.

③ 물이 <u>얼음이</u> 되었다.

④ 아기가 <u>우유를</u> 먹는다.

⑤ <u>붉은</u> 노을이 아름다웠다.

03 다음 밑줄 친 부분이 문장에서 하는 역할로 적절한 것은?

> 우리는 떡을 먹는다.

① 체언 앞에서 체언의 뜻을 꾸며 준다.

② 서술어가 나타내는 동작의 대상이 된다.

③ 동작이나 작용, 상태나 성질 등을 풀이한다.

④ 동작이나 작용, 상태나 성질 등의 주체가 된다.

⑤ 서술어 '되다', '아니다' 앞에서 의미를 보충한다.

04 다음 중 〈보기〉의 문장과 구조가 같은 것은?

> [보기]
> 지윤이가 회장이 되었다.

① 병선이가 달린다.

② 개미가 먹이를 나른다.

③ 용준이는 막내가 아니다.

④ 승희가 윤주를 기다렸다.

⑤ 율미가 새로운 모자를 썼다.

05 다음 빈칸에 들어갈 문장 성분을 순서대로 알맞게 짝지은 것은?

> • (㉠) 무척 뜨겁다.
> • 지수는 (㉡) 아니다.
> • 재현이가 노래를 (㉢).
> • 하윤이는 (㉣) 좋아한다.

	㉠	㉡	㉢	㉣
①	주어	주어	서술어	보어
②	주어	보어	목적어	서술어
③	주어	보어	서술어	목적어
④	보어	주어	서술어	보어
⑤	보어	주어	목적어	서술어

06 다음 중 부속 성분이 사용되지 <u>않은</u> 문장은?

① 장미꽃이 참 예쁘다.

② 동생은 유치원생이 아니다.

③ 근우가 헌 책을 발견하였다.

④ 시간이 매우 빨리 흘러간다.

⑤ 범수가 모든 유리창을 닦았다.

07 다음 중 부사어가 사용되지 <u>않은</u> 문장은?

① 글씨가 무척 예쁘구나.

② 석양이 눈부시게 빛났다.

③ 준성이가 새 책을 꺼냈다.

④ 오빠가 설거지를 열심히 한다.

⑤ 소율이가 빵을 허겁지겁 먹었다.

08 다음 중 독립어가 사용되지 <u>않은</u> 문장은?

① 네, 제가 갈게요.

② 세상에, 이게 무슨 일이야?

③ 우아! 밖에 눈이 펑펑 내리네!

④ 좋다, 네가 말한 해결 방법이.

⑤ 가영아, 저 강아지 정말 귀엽지?

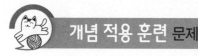

09 ㉠~㉤에 대한 설명으로 적절하지 않은 것은?

> 응, 과연 가을은 독서의 계절이야.
> ㉠ ㉡ ㉢ ㉣ ㉤

① ㉠: 다른 성분과 직접적인 관계를 맺지 않는 성분이다.
② ㉡: 뒤에 오는 문장을 꾸미는 부사어이다.
③ ㉢: 주어로, 주성분에 해당한다.
④ ㉣: 관형어로, 부속 성분에 해당한다.
⑤ ㉤: 동작의 대상이 되는 문장 성분이다.

10 주어와 서술어의 짝을 잘못 표시한 것은?
① 제비꽃은 정말 예쁘다.
② 버스가 종점으로 달린다.
③ 나는 동생이 어지른 방을 치웠다.
④ 나는 어제 친구의 부모님을 만났다.
⑤ 미경이는 영화를 보고, 민희는 책을 읽는다.

11 다음 중 홑문장이 아닌 것은?
① 꽃을 든 아이가 달린다.
② 내 동생은 중학생이 아니다.
③ 두 사람이 손을 마주 잡았다.
④ 사람들이 운동장에 모여들었다.
⑤ 나는 신발장에서 새 운동화를 꺼냈다.

12 다음 중 대등하게 이어진문장인 것은?
① 아침 해가 눈이 부시게 떠오른다.
② 내년에 내 동생은 중학생이 된다.
③ 윤재가 노래하고 하진이가 춤춘다.
④ 나는 효석이가 일찍 오기를 바란다.
⑤ 나는 다연이가 여행을 떠난 사실을 알았다.

13 ㉠~㉢ 문장의 종류와 각 문장에서 밑줄 친 연결 어미가 나타내는 의미 관계를 알맞게 짝지은 것은?

> ㉠ 이것은 감이며 저것은 사과이다.
> ㉡ 민규는 노래를 잘 부르고 신아는 춤을 잘 춘다.
> ㉢ 동생은 시험에 합격했으나 형은 합격하지 못했다.

	문장	문장의 종류	의미 관계
①	㉠	대등하게 이어진문장	대조
②	㉡	대등하게 이어진문장	나열
③	㉡	종속적으로 이어진문장	조건
④	㉢	종속적으로 이어진문장	원인
⑤	㉢	대등하게 이어진문장	선택

14 다음 중 이어진문장의 종류가 다른 하나는?
① 비가 오고 바람이 분다.
② 눈이 와서 도로가 미끄럽다.
③ 부인은 친절하며 남편은 인정이 많다.
④ 아버지가 함께 가시거나 어머니가 함께 가신다.
⑤ 서희는 김밥을 먹었지만 재훈이는 김밥을 먹지 않았다.

15 다음 밑줄 친 의미 관계가 나타나는 문장으로 적절한 것은?

> '종속적으로 이어진문장'은 앞 절과 뒤 절의 의미 관계가 종속적인 관계에 있는 문장으로, 이때 앞 절과 뒤 절은 원인, 조건, 의도, 양보, 배경 등의 의미 관계를 나타내는 어미로 연결된다.

① 책을 읽으면 마음이 편안해진다.
② 책을 읽으려고 도서관으로 갔다.
③ 책을 반복해서 읽으니 이해가 잘 되었다.
④ 책을 읽고 있는데 친구가 자꾸 나를 부른다.
⑤ 책을 다양하게 읽어서 그의 지식이 풍부해졌다.

16 ㉠~㉤의 예로 적절하지 <u>않은</u> 것은?

> 문장에는 주어와 서술어의 관계가 한 번만 나타나는 ㉠홑문장과 두 번 이상 나타나는 ㉡겹문장이 있다. 겹문장에는 ㉢안은문장과 이어진문장이 있다. 전자는 한 홑문장이 다른 홑문장을 하나의 문장 성분처럼 안고 있는 것이고, 후자는 ㉣홑문장과 홑문장이 대등하게 이어지거나 ㉤홑문장과 홑문장이 종속적으로 이어지는 것이다.

① ㉠: 현호가 그 공을 힘껏 던졌다.
② ㉡: 우리는 어제 학교로 돌아왔다.
③ ㉢: 승우는 우리가 돌아온 사실을 모른다.
④ ㉣: 사람은 길을 만들고 길은 사람을 이끈다.
⑤ ㉤: 가을이 오면 곡식이 익는다.

17 ㉠과 ㉡에 대한 설명으로 적절하지 <u>않은</u> 것은?

> ㉠ 음식이 도착하기를 나는 바라고 있다.
> ㉡ 나는 은지가 잠이 많음을 알고 있다.

① ㉠과 ㉡은 모두 안은문장이다.
② ㉠과 ㉡은 모두 명사절을 안고 있다.
③ ㉠의 '-기'와 ㉡의 '-음'은 명사절을 만드는 어미이다.
④ ㉠의 밑줄 친 부분은 문장에서 주어의 역할을 한다.
⑤ ㉡의 밑줄 친 부분은 문장에서 목적어의 역할을 한다.

18 다음 중 관형절을 가진 안은문장인 것은?

① 토끼는 앞발이 짧다.
② 빙수는 이가 시리도록 차가웠다.
③ 현준이는 "저도 이제 중학생이에요."라고 말했다.
④ 나는 우리 반이 체육 대회에서 우승하기를 원한다.
⑤ 이순신 장군이 만든 거북선은 세계 최초의 철갑선이다.

19 다음 중 부사절을 가진 안은문장이 <u>아닌</u> 것은?

① 비가 소리도 없이 내린다.
② 민규는 발바닥에 땀이 나게 뛰었다.
③ 용우는 목이 아프도록 노래를 불렀다.
④ 우리는 예원이를 눈이 빠지게 기다렸다.
⑤ 상희는 내가 화장실에 간 사실을 몰랐다.

20 다음 중 서술절을 가진 안은문장이 <u>아닌</u> 것은?

① 옷이 소매가 짧다.
② 기린은 목이 길다.
③ 작은 고추가 더 맵다.
④ 희재는 동작이 재빠르다.
⑤ 신아는 마음씨가 예쁘다.

21 ㉠과 ㉡에 대한 설명으로 적절하지 <u>않은</u> 것은?

> ㉠ 민재는 "혁수의 말이 옳다."라고 말했어.
> ㉡ 민재는 혁수의 말이 옳다고 말했어.

① ㉠과 ㉡은 모두 안은문장이다.
② ㉠은 민재의 말을 직접 인용하였다.
③ ㉡은 민재의 말을 간접 인용하였다.
④ ㉠과 ㉡ 모두 인용한 말 뒤에 조사 '고'가 붙었다.
⑤ ㉠처럼 직접 인용을 하는 경우에는 따옴표를 사용한다.

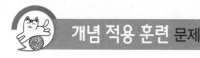
22 다음 중 문장의 종류가 다른 하나는?
_중
① 하마는 몸집이 크다.
② 희은이는 작가가 되었다.
③ 그 펜이 글씨가 잘 써진다.
④ 이 집은 마당이 너무 좁다.
⑤ 부모님이 인정이 많으시다.

23 다음 중 안은문장이 아닌 것은?
_중
① 철수가 그린 풍경화가 특선으로 뽑혔다.
② 영수는 자기가 벌칙을 받겠다고 말했다.
③ 장군은 군대가 함정에 빠졌음을 몰랐다.
④ 할아버지는 아무도 모르게 이웃을 도왔다.
⑤ 그 소설은 해외에서 유명하고 영화로 만들어졌다.

24 다음 밑줄 친 부분에 들어갈 예문으로 적절한 것은?
_중
> • 홑문장 예 날씨가 맑다.
> • 겹문장
>   – 안은문장 예 _____
>   – 이어진문장 예 봄이 오면 꽃이 핀다.

① 우리 집 정원에 호박이 열렸다.
② 성원이는 성격이 좋은 학생이다.
③ 동현이가 교실에서 소설을 읽었다.
④ 그는 갔지만 그의 정신은 살아 있다.
⑤ 오늘은 어머니가 오시거나 아버지가 오신다.

25 다음 중 어색하거나 잘못된 문장이 아닌 것은?
_상
① 학교에 늦어서 버스가 안 왔다.
② 바람이 많이 불지만 비가 많이 온다.
③ 나리는 자주 춤을 추고 노래를 부른다.
④ 사람은 자연에 피해를 주기도 하고 살리기도 한다.
⑤ 물은 섭씨 100도 이상에서는 기체가 되고, 섭씨 0도 이하에서는 된다.

26 ⊙~ⓜ의 문장의 짜임을 바르게 분석한 것은?
_중
> ㉠ 선무당이 사람 잡는다.
> ㉡ 발 없는 말이 천 리 간다.
> ㉢ 원숭이도 나무에서 떨어진다.
> ㉣ 사공이 많으면 배가 산으로 간다.
> ㉤ 가랑잎이 솔잎더러 바스락거린다고 한다.

① ㉠: 홑문장
② ㉡: 종속적으로 이어진문장
③ ㉢: 대등하게 이어진문장
④ ㉣: 관형절을 가진 안은문장
⑤ ㉤: 부사절을 가진 안은문장

27 다음 문장의 종류와 특징으로 적절하지 않은 것은?
_중
> 지혜는 고양이를 좋아하고, 민수는 개를 좋아한다.

① 대등하게 이어진문장이다.
② 나열의 의미 관계를 가진다.
③ 앞 절과 뒤 절의 순서를 바꿀 수 있다.
④ 앞 절과 뒤 절의 순서를 바꾸어도 의미가 달라지지 않는다.
⑤ 앞 절과 뒤 절의 서술어가 같아도 서술어를 생략할 수 없다.

28 다음 글에 사용된 문장의 짜임과 표현 효과에 대한 설명으로 적절하지 않은 것은?
_중
> 복도로 나선다. 복도에도 인기척은 없다. 선장실로 올라간다. 선장은 없다. 벽장문을 연다. 총이 제자리에 세워져 있다. 벽장문을 닫는다.
>   – 최인훈, 〈광장〉

① 홑문장이 사용된 글이다.
② 표현이 간결하고 명료하다.
③ 짧은 호흡으로 속도감을 준다.
④ 사건의 논리적 관계가 잘 드러난다.
⑤ 각 문장의 내용이 따로 독립된 느낌을 준다.

교과서 실전 문제

기출문제응용 고1 교육청

01 다음 문장의 문장 성분을 바르게 분류한 것은?

> 야호! 유민이가 드디어 힘든 관문을 통과했어.

	주성분	부속 성분	독립 성분
①	유민이가, 통과했어	힘든, 관문을	야호, 드디어
②	유민이가, 힘든, 관문을	통과했어	야호, 드디어
③	유민이가, 드디어, 통과했어	힘든, 관문을	야호
④	유민이가, 관문을, 통과했어	드디어, 힘든	야호
⑤	관문을, 통과했어	유민이가, 힘든	야호, 드디어

02 다음 중 목적어와 부사어가 모두 쓰인 문장은?

① 'ㄱ'은 자음자이다.
② 'ㅁ'은 입의 모양을 본떴다.
③ 훈민정음 모음자는 총 11자이다.
④ 세종이 마침내 훈민정음을 창제하였다.
⑤ 한글은 소리글자이지만 한자는 뜻글자이다.

학습활동응용 천재(박)

03 다음 밑줄 친 부분에 들어갈 예문으로 적절한 것은?

> 우리말 문장의 기본 구조는 서술어의 종류에 따라 다음과 같이 세 가지 유형으로 나눌 수 있다.
> • 누가/무엇이+어찌하다 예 _____
> • 누가/무엇이+어떠하다 예 시냇물이 깨끗하다.
> • 누가/무엇이+무엇이다 예 내일이 토요일이다.

① 고양이가 귀엽다.　　② 고양이가 앙칼지다.
③ 강아지가 포유류이다.　④ 강아지가 자그마하다.
⑤ 강아지가 뛰어다닌다.

04 다음은 문장의 짜임을 구조화한 것이다. ㉠~㉣에 대한 설명으로 적절한 것은?

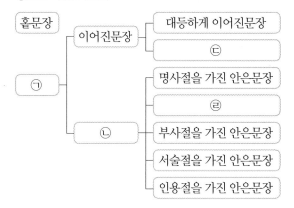

① ㉠: 문장의 길이가 긴 문장이다.
② ㉠: 이어진문장과 안긴문장으로 나뉜다.
③ ㉡: 다른 문장을 하나의 문장 성분처럼 안고 있는 문장이다.
④ ㉢: 나열, 대조, 선택 등의 의미 관계를 가지는 문장이다.
⑤ ㉣: 절이 문장에서 주어, 목적어 등의 역할을 한다.

기출문제응용 고2 교육청

05 (가)~(다)에 대한 설명으로 적절하지 않은 것은?

> 겹문장 속에서 하나의 '주어+서술어' 관계가 이루어진 부분을 '절'이라고 한다. '절'은 전체 문장의 한 성분으로 안기거나 서로 이어지거나 한다.
> (가) 비가 오면 땅이 질다.
> 　　　 ㉠　　 ㉡
> (나) 눈이 내린 마을은 고요했다.
> 　　　 ㉢　　　 ㉣
> (다) 그는 내가 돌아왔음을 몰랐다.
> 　　　　　　 ㉤

① ㉠과 ㉡을 바꾸면 의미가 달라진다.
② ㉢은 ㉣의 주어를 꾸며 주는 역할을 한다.
③ ㉤을 생략하면 (다)의 의미가 불완전해진다.
④ (가)와 (나)는 이어진문장, (다)는 안은문장이다.
⑤ (가)~(다)는 모두 '주어+서술어' 관계가 두 번 나타난다.

학습활동응용 동아

06 다음 이어진문장에 대한 설명으로 적절하지 **않은** 것은?

> ㉠ 수미는 농구를 한다.+정아는 공부를 한다.
> → 수미는 농구를 하고 정아는 공부를 한다.
> ㉡ 가뭄 끝에 단비가 내렸다.+곡식이 잘 자랐다.
> → 가뭄 끝에 단비가 내려서 곡식이 잘 자랐다.

① ㉠은 대등하게 이어진문장, ㉡은 종속적으로 이어진문장이다.

② ㉠은 원인의 의미 관계를, ㉡은 나열의 의미 관계를 가진다.

③ ㉠에서는 '-고', ㉡에서는 '-어서'라는 연결 어미가 사용되었다.

④ ㉠은 앞뒤 절의 순서를 바꾸어도 의미가 자연스럽다.

⑤ ㉡은 앞뒤 절의 순서를 바꾸면 의미가 자연스럽지 않다.

기출문제응용 고2 교육청

07 ㉠~㉢을 다음 연결 어미의 종류에 따라 바르게 분류한 것은?

> 선생님: 안녕? 일찍 왔구나.
> 원호: 네, 야구 ㉠연습하려고 일찍 왔어요. 대회가 코앞이라서요.
> 선생님: ㉡연습하고 준비하는 태도가 정말 보기 좋다. 원호처럼 열심히 ㉢연습하면 좋은 결과가 있을 거야.
> 원호: 격려해 주셔서 감사합니다.

	대등적 연결 어미	종속적 연결 어미
①	㉠	㉡, ㉢
②	㉠, ㉡	㉢
③	㉡	㉠, ㉢
④	㉡, ㉢	㉠
⑤	㉢	㉠, ㉡

08 ㉠~㉢에 대한 설명으로 적절하지 **않은** 것은?

> ㉠ 하연이가 눈동자가 맑다.
> ㉡ 엄마는 아기가 잠들기를 기다렸다.
> ㉢ 윤재는 옷자락이 휘날리게 달렸다.
> ㉣ 미라는 언니가 산 옷을 몰래 입었다.

① ㉠~㉣은 모두 안은문장이다.

② ㉠에서는 별도의 어미가 사용되지 않았다.

③ ㉡에서는 명사형 어미 '-기'가 사용되었다.

④ ㉢에서는 부사형 어미 '-이'가 사용되었다.

⑤ ㉣에서는 관형사형 어미 '-ㄴ'이 사용되었다.

기출문제응용 고3 교육청

09 ㉠~㉢에 대한 설명으로 적절하지 **않은** 것은?

① ㉠은 ㉡과 ㉢이 대등하게 이어진 문장이다.

② ㉡은 '나는'의 서술어인 ㉣을 안고 있다.

③ ㉡, ㉢은 '주어-서술어' 관계가 두 번씩 나타난다.

④ ㉣, ㉤은 '주어-서술어' 관계가 한 번씩 나타난다.

⑤ ㉤은 '책'을 꾸며 주는 역할을 하며 ㉢에 안겨 있다.

기출문제응용 고3 교육청

10 다음 밑줄 친 부분에 대한 설명으로 적절하지 **않은** 것은?

① 코끼리는 <u>코가 길다</u>.
 ➡ 주어 '코끼리는'을 서술하는 서술절이다.

② 눈이 <u>소리도 없이</u> 내린다.
 ➡ 서술어 '내린다'를 꾸며 주는 부사절이다.

③ 지금은 <u>밥을 먹기</u>에 많이 늦었다.
 ➡ '-기'라는 어미를 사용하여 만든 명사절이다.

④ 광선이가 <u>급식을 이미 받았음</u>을 몰랐다.
 ➡ 주어 '우리는'이 생략된 관형절이다.

⑤ 선민이는 <u>자기가 옳다고</u> 주장했다.
 ➡ 선민이의 말을 간접 인용한 인용절이다.

학습활동응용 미래엔

[11~12] 다음 글을 읽고, 물음에 답하세요.

🎬 축구 경기 중계방송

해설 위원: (독일 선수가 공 주도권을 갖고 우리나라 선수가 수비하자) 압박해요 돼요, 손○○ 선수!

진행자: 네, 압박해야죠. 그러나 △△ 선수가 중앙으로…… 다시 한번 앞쪽에서 골키퍼가 펀칭! 골키퍼도 끝까지 잘해 주고 있습니다.

해설 위원: 상대 골키퍼가 나왔죠.

진행자: 상대 골키퍼가 나왔어요. 그리고 주□□ 선수, 볼 가로챕니다.

함께: 손○○ 선수, 손○○ 선수, 손○○ 선수! (골이 독일 골대에 들어가자) 승리!

– 러시아 월드컵 KBS 중계방송, 2018년 6월 27일 자

📰 신문 기사

27일 오후 러시아 카잔 아레나에서 열린 2018 러시아 월드컵 조별 리그 F조 3차전 대한민국－독일 경기에서 한국 손○○ 선수가 후반에 두 번째 골을 넣고 동료들과 기뻐하고 있다.

– 《뉴시스》, 2018년 6월 28일 자

11 🎬와 📰에 주로 쓰인 문장의 짜임에 대한 설명으로 적절한 것은?

① 🎬: 주로 안은문장이 쓰였다.

② 🎬: 문장 성분을 모두 갖춘 문장이 많이 쓰였다.

③ 📰: 대등하게 이어진문장이 쓰였다.

④ 📰: '27일 오후 ~ 아레나에서 열린'은 부사절이다.

⑤ 📰: 하나의 겹문장으로 이루어져 있다.

12 🎬와 📰에 주로 쓰인 문장의 특징으로 적절하지 <u>않은</u> 것은?

① 🎬: 글쓴이의 생각을 간결하게 전할 수 있다.

② 🎬: 지나치게 활용하면 정확한 의미를 전달하기 어렵다.

③ 🎬: 빨리 진행되는 행동이나 변화를 나타내기에 적합하다.

④ 📰: 표현하려는 내용이나 글쓴이의 생각을 상세하고 풍부하게 드러낼 수 있다.

⑤ 📰: 사건의 전후 관계를 드러내거나 앞뒤 관계에 대해 논리적인 설명을 하는 데에 적합하다.

👑 서술형 문제

학습활동응용 천재(박)

13 〈보기〉의 두 문장을 활용하여 표현 의도에 따라 겹문장을 만드세요.

> **보기**
> • 동생이 숙제를 한다.
> • 동생이 소설을 읽는다.

> **조건**
> • 〈보기〉의 두 문장을 모두 활용하여 각각 한 문장으로 쓸 것.
> • (1)에서는 연결 어미를, (2)에서는 전성 어미를 적절히 활용할 것.

(1) 표현 의도: 동생이 숙제를 하기 위해 소설을 읽음을 표현하고자 할 때

_____

(2) 표현 의도: 동생이 어떤 숙제를 하는지를 구체적으로 표현하고자 할 때

_____

14 다음 문장을 인용의 종류에 따라 바르게 고쳐 쓰세요.

> 나는 그에게 곧 먹겠다라고 말했다.

> **조건**
> 직접 인용절을 만들 때와 간접 인용절을 만들 때의 특징을 각각 고려하여 고쳐 쓸 것.

(1) 직접 인용을 하는 경우

_____

(2) 간접 인용을 하는 경우

_____

3
학년

IX

통일 시대의 국어

남한 선수들과 북한 선수들이 남북 단일팀으로 스포츠 경기에 나서는 것을 본 적이 있지요? 한 팀으로 경기할 때 어려운 점 중에 하나가 서로 사용하는 용어가 다른 점이래요. 남한과 북한은 같은 언어를 사용하고 있지만, 분단된 지 오래되어 조금씩 차이가 생겨났기 때문이지요.

남한과 북한은 현재 의사소통이 안 될 정도로 언어 차이가 심각한 것은 아니에요. 하지만 이 차이가 아주 커지면 의사소통에 어려움이 생겨 오해나 갈등이 생길 수 있어요. 나아가 통일을 이루어 나가는 데도 걸림돌이 될 수 있지요. 이런 문제점이 생기지 않기 위해 남북한의 언어 차이를 살펴보고, 이를 극복할 수 있는 방법을 생각해 보기로 해요.

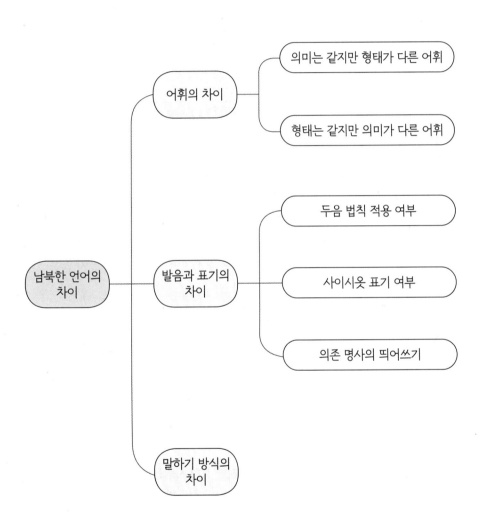

- 남북한 언어의 차이
  - 어휘의 차이
    - 의미는 같지만 형태가 다른 어휘
    - 형태는 같지만 의미가 다른 어휘
  - 발음과 표기의 차이
    - 두음 법칙 적용 여부
    - 사이시옷 표기 여부
    - 의존 명사의 띄어쓰기
  - 말하기 방식의 차이

25 남북한 언어

'구름다리, 꽂아넣기, 튀기료리……' 혹시 들어 본 적 있나요? 각각 '육교, 덩크슛, 튀김 요리'를 가리키는 북한 말이에요. 남한과 북한은 같은 언어를 쓰고 있지만, 분단된 지 오래되어 조금씩 다른 모습으로 변해 왔어요. 그럼 어떤 점이 다른지 한번 살펴볼까요?

남북한 언어의 차이

(1) 어휘의 차이

- 의미는 같지만 형태가 다른 어휘가 있음.

남한 말	북한 말	남한 말	북한 말
누룽지	가마치	세탁소	빨래집
도시락	곽밥	나이프	밥상칼

- 형태는 같지만 의미가 다른 어휘가 있음.

바쁘다	남한	일이 많거나 또는 서둘러서 해야 할 일로 인하여 딴 겨를이 없다.
	북한	힘이 부치거나 참기가 힘들다, 매우 딱하다.

(2) 발음과 표기의 차이

- 두음 법칙: 한자어 처음에 'ㄴ', 'ㄹ'이 올 경우, 남한은 두음 법칙을 인정해 'ㅇ'이나 'ㄴ'으로 쓰지만, 북한에서는 두음 법칙을 인정하지 않기 때문에 'ㄴ', 'ㄹ'을 그대로 씀.
  예) 양식-량식, 여자-녀자, 노인-로인
- 사이시옷: 단어를 표기할 때 남한에서는 사이시옷을 쓰지만, 북한에서는 쓰지 않음.
  예) 푯말-표말, 나뭇잎-나무잎, 바닷가-바다가
- 띄어쓰기: 남한에서는 의존 명사를 띄어 쓰지만, 북한에서는 붙여 씀.

남한	**나룻배를 이용하여 강을 건널 것이다.**
	사이시옷 ○　두음 법칙 ○　　의존 명사 띄어 씀.

북한	**나루배를 리용하여 강을 건널것이다.**
	사이시옷 ✕　두음 법칙 ✕　　의존 명사 붙여 씀.

(3) 말하기 방식의 차이

- 남한 사람들은 간접적, 우회적인 표현에 익숙하지만 북한 사람들은 직접적, 직설적 표현에 익숙함. 예) 남한 사람이 북한 사람에게 "언제 밥 한번 먹어요."라고 인사말을 하면, 북한 사람은 이를 있는 그대로 알아듣고 연락을 기다릴 수 있음.

남북한 언어 차이 극복 방안

- 남북한 공동 사전인 《겨레말큰사전》* 편찬, 여러 분야에서의 지속적인 교류 등을 통해 남북한 언어 차이를 줄일 수 있는 방법을 다양하게 모색해야 함.
- 남북한 언어 차이를 극복해야 한다는 필요성을 인식하고 관심을 가져야 함.

어휘의 차이가 생긴 까닭

① 방언을 문화어(북한의 표준어)로 삼음. 예) 가마치(누룽지), 게사니(거위), 망돌(맷돌)
② 이념과 제도가 영향을 미쳐 뜻이 달라짐. 예) 동무(혁명을 위하여 함께 싸우는 사람을 친근하게 이르는 말)
③ 말다듬기 운동을 통해 한자어나 외래어를 다듬어 사용함.
  예) 소리판(음반), 끌차(견인차), 나리옷(드레스), 연락(패스), 밥상칼(나이프)

남한 말과 북한 말이 다른 예

남한 말	북한 말
가르치다	배워주다
거짓말	꽝포
오징어	낙지
롤러코스터	관성열차
아이스크림	에스키모
치킨	닭유찜
노크	손기척

발음과 표기에 차이가 나는 이유

남한과 북한은 '단어를 발음하고 표기할 때 따라야 할 규칙'이 서로 다름. 남한은 '표준 발음법'과 '한글 맞춤법'을, 북한은 '조선말 규범집'을 따르고 있음.

● **겨레말큰사전** 남북한의 언어통일을 목적으로 남북한 국어학자들이 공동으로 만드는 최초의 국어대사전. 올림말 선정, 새 어휘 조사 작업, 단일 어문 규범 작업, 뜻풀이 작업 등을 진행하고 있음.

교과서 개념 익히기

1 남북한 언어 차이에 대한 설명으로 맞으면 ○, 틀리면 X를 하세요.

(1) 남한과 북한은 서로 다른 언어를 쓰고 있다.
( )

(2) 남한과 북한은 단어를 발음하고 표기할 때 따라야 할 규칙이 따로 있다. ( )

(3) 남한 사람들이 직접적이고 직설적인 표현에 익숙한 반면, 북한 사람들은 간접적이고 우회적인 표현에 익숙하다. ( )

2 다음은 남북한 언어의 발음과 표기상의 차이에 대한 설명입니다. 빈칸에 들어갈 알맞은 말을 쓰세요.

(1) 북한에서는 ☐☐ ☐☐을 인정하지 않기 때문에 '양식'을 '량식'으로 발음하고 표기한다.

(2) 남한은 ☐☐☐☐을 써서 '푯말'이라고 표기하지만, 북한은 쓰지 않아서 '표말'이라고 한다.

(3) 남한에서는 ☐☐ 명사를 띄어 쓰지만, 북한에서는 띄어 쓰지 않는다.

3 다음 북한 말에 해당하는 남한 말을 바르게 연결하세요.

북한 말		남한 말
(1) 곽밥	· · ㉠	노크
(2) 손기척	· · ㉡	도시락
(3) 위생실	· · ㉢	아이스크림
(4) 에스키모	· · ㉣	육교
(5) 구름다리	· · ㉤	화장실

4 다음 문장의 밑줄 친 북한 말을 남한 말 표기에 맞게 고쳐 쓰세요.

(1) <u>바다가</u>로 휴가를 떠났다. → ( )
(2) 네 <u>녀자</u> 친구는 잘 지내니? → ( )
(3) 내 동생은 <u>로인</u>을 잘 공경한다. → ( )
(4) 지하철을 <u>리용</u>하여 학교에 갔다. → ( )
(5) 가을이 되면 길거리에 <u>나무잎</u>이 쌓인다.
→ ( )

5 다음 문장의 띄어쓰기가 남한의 표기에 따랐다면 '남', 북한의 표기를 따랐다면 '북'이라고 쓰세요.

(1) 강을 건널수 있다. ( )
(2) 강을 건널 수 없다. ( )

빈틈 공략하기 Q&A

Q 북한에서 '-질'은 좋은 의미로 쓰일까, 나쁜 의미로 쓰일까?

A 남한에서는 직업이나 직책을 나타내는 단어 뒤에 '-질'이 붙으면 그 일을 비하하는 의미가 더해져요. 하지만 북한에서는 비하하는 뜻이 없는 긍정적인 의미로 사용된다고 해요. 다음은 모두 '-질'을 긍정적으로 쓰고 있는 사례예요.

> ㉮ (친구에게) 경호야, 너 반장질을 훌륭히 해내는구나.
> ㉯ (선생님에게) 선생님을 보면서, 저도 나중에 <u>선생질</u>을 하고 싶어졌어요.

이와 비슷한 단어로 '소행'이 있어요. 남한에서는 '소행이 괘씸하다.', '자신이 저지른 소행을 깊이 반성하고 있다.' 등 부정적인 의미로 쓰이지만, 북한에서는 '착한 소행이다.', '소행상을 타다.'처럼 긍정적인 의미로도 사용돼요.
같은 단어이지만 의미가 다르다 보니 서로 오해가 생길 수 있어요. 오해가 생기지 않게 하기 위해서라도 남북한 언어 차이는 극복되어야 해요.

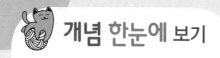

통일 시대의 국어

◉ 남북한 언어의 차이

• 어휘의 차이

유형	예
의미는 같지만 형태가 다른 어휘	게사니(거위), 가마치(누룽지), 밥상칼(나이프), 손기척(노크) 등
형태는 같지만 의미가 다른 어휘	동무, 소행, 바쁘다, 오징어 등

• 발음과 표기의 차이

	남한	북한
두음 법칙	두음 법칙을 인정해 한자어 처음에 'ㄴ', 'ㄹ'이 올 경우 'ㅇ'이나 'ㄴ'으로 씀. 예 여자, 노동, 이용	두음 법칙을 인정하지 않기 때문에 한자어 처음에 'ㄴ', 'ㄹ'이 올 경우 이를 그대로 씀. 예 녀자, 로동, 리용
사이시옷	단어를 표기할 때 사이시옷을 씀. 예 나룻배, 바닷가, 푯말	단어를 표기할 때 사이시옷을 쓰지 않음. 예 나루배, 바다가, 표말
띄어쓰기	의존 명사를 띄어 씀. 예 강을 건널 것이다. / 갈 바를 알 수 없다.	의존 명사를 붙여 씀. 예 강을 건널것이다. / 갈바를 알수 없다.

• 말하기 방식의 차이: 남한 사람은 간접적, 우회적 표현에 익숙하지만, 북한 사람은 직접적, 직설적 표현에 익숙함.

예		
언제 밥 한번 먹어요.	남한 사람	식사 약속을 하겠다는 의미보다는 친근함을 표시하는 인사말로 받아들임.
	북한 사람	식사 약속과 같은 직접적인 말로 받아들임.

◉ 남북한 언어 차이 극복 방안

문제점	• 남북한 언어의 차이가 더 심해지면 의사소통에 어려움이 생겨 오해나 갈등이 생길 수 있음. • 남한과 북한이 교류하고 화합하여 통일을 이루어 나가는 데 걸림돌이 될 수 있음.

↓

극복 방안	• 남북한 공동 사전 편찬, 여러 분야에서의 지속적인 교류 등을 통해 남북한 언어 차이를 줄일 수 있는 방법을 다양하게 모색해야 함. • 남북한 언어 차이를 극복해야 한다는 필요성을 인식하고 관심을 가져야 함.

개념 적용 훈련 문제

01 남북한 언어 차이가 생긴 까닭과 관련 <u>없는</u> 것은?
① 남한에서 지역 방언을 표준어에 포함했기 때문에
② 분단된 지 오래되어 조금씩 다른 모습으로 변해 왔기 때문에
③ 북한에서 이념과 제도가 영향을 미쳐 단어의 뜻이 달라졌기 때문에
④ 단어를 발음하고 표기할 때 따라야 하는 규칙이 서로 다르기 때문에
⑤ 북한에서 말다듬기 운동을 하여 한자어와 외래어를 다듬어서 사용하기 때문에

02 남북한 언어 차이에 대한 설명으로 적절하지 <u>않은</u> 것은?
① 형태는 같지만 의미가 다른 단어들이 있다.
② 북한에서는 의존 명사를 띄어 쓰지만, 남한에서는 붙여 쓴다.
③ 북한에서는 두음 법칙을 인정하지 않아 '노인(老人)'을 '로인[로인]'이라고 표기한다.
④ 남한 사람들은 간접적인 표현에 익숙하지만, 북한 사람들은 직접적인 표현에 익숙하다.
⑤ 남한에서는 사이시옷을 써서 '빗물'이라고 표기하지만, 북한에서는 쓰지 않아서 '비물'이라고 표기한다.

03 북한 말과 대응하는 남한 말이 <u>잘못</u> 짝지어진 것은?

	북한 말	남한 말
①	곽밥	쉰밥
②	연락	패스
③	손기척	노크
④	가마치	누룽지
⑤	빨래집	세탁소

04 다음 중 〈보기〉의 설명과 관련 <u>없는</u> 것은?

> **보기**
> 북한에서는 1960년대 중반부터 본격적으로 말다듬기 운동을 전개하여 한자어나 외래어를 다듬어서 사용했다.

① 소리판(← 음반)
② 끌차(← 견인차)
③ 나리옷(← 드레스)
④ 밥상칼(← 나이프)
⑤ 에스키모(← 아이스크림)

05 다음과 같은 남북한 언어 차이가 생긴 이유로 가장 적절한 것은?

> '동무'의 뜻풀이
> • 남한: 늘 친하게 어울리는 사람.
> • 북한: 로동계급의 혁명위업을 이룩하기 위하여 혁명 대오에서 함께 싸우는 사람을 친하게 이르는 말.

① 표기 원칙의 차이
② 이념과 제도의 영향
③ 순우리말 사용의 여부
④ 두음 법칙 인정의 여부
⑤ 지역 방언의 공용어 인정 여부

06 〈보기〉의 ㉠~㉤ 중 남한 말과 다른 북한 말의 특징으로 볼 수 <u>없는</u> 것은?

> **보기**
> 너구리: 곰아, 어제 내가 겨울 ㉠량식으로 왕밤알을 두 무지 모아 놓았는데 같이 가서 가져오자.
> 곰: 어제 모아 놓은게 아직 ㉡있을게 뭐야. ㉢메돼지랑 ㉣노루랑 다 가져갔겠지.
> 너구리: 아니야. 내가 왕밤알무지에 내 이름과 네 이름을 쓴 ㉤표말을 꽂아 놓았어.

① ㉠　② ㉡　③ ㉢　④ ㉣　⑤ ㉤

07 다음 만화의 승우 씨의 말을 통해 짐작할 수 있는 북한 사람들의 말하기 방식 특징은?

① 간접적인 표현에 익숙하지 않다.
② 외래어를 순우리말로 다듬어 사용한다.
③ 한자어의 의미를 정확히 이해하지 못한다.
④ 남한 말의 지역적 차이를 이해하지 못한다.
⑤ 남한의 이념과 제도를 제대로 표현하지 못한다.

08 〈보기〉를 통해 알 수 있는 북한 사람이 남한에 와서 겪을 수 있는 어려움으로 적절한 것은?

보기

설기빵   고기겹빵

달린옷   양복치마

① 남한의 방언을 알지 못해 의사소통에 어려움을 겪을 것이다.
② 남한 사람들의 우회적인 표현에 익숙하지 않아 의사소통에 어려움을 겪을 것이다.
③ 의식주와 관련된 생활 방식에서 다른 점이 많아 적응하는 데 어려움을 겪을 것이다.
④ 남한의 제도를 반영하여 새로 만든 말이 많기 때문에 적응하는 데 어려움을 겪을 것이다.
⑤ 남한에서 흔히 사용하는 외래어의 의미를 이해하지 못해 의사소통에 어려움을 겪을 것이다.

09 남북한 언어 차이로 생길 수 있는 문제점으로 보기 <u>어려운</u> 것은?

① 상대방의 말을 오해하여 갈등이 일어날 수 있다.
② 남북한 사람들이 서로에게 이질감을 느낄 수 있다.
③ 문장 구조가 서로 달라 의사소통에 어려움을 겪을 수 있다.
④ 어휘와 표기의 차이로 인해 일상생활에서 불편을 겪을 수 있다.
⑤ 상대방의 말뜻을 정확히 파악하기 위해 좀 더 많은 시간이 소요될 수 있다.

10 다음과 같은 활동이 필요한 이유로 가장 적절한 것은?

남북의 국어학자가 공동으로 남북한 통합 국어사전을 만든다.

① 남북 분단의 아픔을 극복하기 위하여
② 남북의 교육 체계를 통합하기 위하여
③ 남북 언어의 동질성을 회복하기 위하여
④ 남북의 경제 교류를 활성화하기 위하여
⑤ 남북의 문화 교류를 활성화하기 위하여

11 남북한 언어 차이를 극복하기 위해 학생들이 실천할 수 있는 방안으로 적절하지 <u>않은</u> 것은?

① 남북의 어휘를 통합한 우리말 사전을 직접 만들어야겠어.
② 통일 시대 바람직한 국어의 모습이 무엇일지 고민해 봐야겠어.
③ 지역 사회에 남북 언어의 통일이 필요한 이유를 홍보해야겠어.
④ 북한 영화를 볼 때, 남북 언어 차이가 무엇인지 생각해 봐야겠어.
⑤ 평소에 북한 말에 관심을 갖고 그것을 이해하려고 노력해야겠어.

교과서 실전 문제

01 남북한 언어 차이에 대해 나눈 대화 내용 중 적절하지 <u>않은</u> 것은?

① 제성: 남북한 언어에 차이가 있긴 하지만 의사소통이 아예 안 될 정도로 심각한 수준은 아니야.

② 남주: 몇몇 발음과 표기, 그리고 어휘 등에서 차이가 조금씩 있지.

③ 가은: 남한과 북한은 사용하고 있는 자음과 모음 수도 서로 달라.

④ 형석: 하지만 그 차이가 더 커지면 경우에 따라 오해와 갈등이 생길 수도 있어.

⑤ 영진: 그러니까 남북한이 여러 분야에서 교류를 하며 남북한 언어 차이를 줄일 수 있는 방법을 고민해야 해.

02 〈보기〉에 대한 설명으로 적절하지 <u>않은</u> 것은?

> 보기
>
> **남북한의 용어 비교**
>
> | 남한 | 북한 |
> | --- | --- |
> | 소풍 | 들놀이 |
> | 이용 | 리용 |
> | 단짝 | 딱친구 |
> | 마라톤 | 마라손 |
> | 볼펜 | 원주필 |
> | 교집합 | 사귐 |

① 오랫동안 남북의 왕래가 끊기면서 나타난 차이라고 할 수 있다.

② 북한에서는 남한과 달리 한자어 첫머리의 'ㄹ'을 그대로 표기하고 있다.

③ 어휘와 표기 분야에서 남북 언어의 이질화가 심화되고 있음을 보여 준다.

④ 북한에서는 외래어를 모두 순우리말로 다듬어서 외래어가 쓰이지 않는다.

⑤ 남북의 교류가 활성화되면 상대의 어휘 차이를 이해하는 데 도움이 될 수 있다.

03 다음 밑줄 친 단어 중 ㉠의 예로 보기 어려운 것은?

> 남북한 언어의 차이가 가장 크게 나타나는 부분은 어휘 부분이다. 의미는 같지만 형태가 다른 어휘도 있고, ㉠형태는 같지만 의미가 다른 어휘도 있다.

① 일에 지친 그의 모습은 보기 바빴다.

② 한밤중에 누군가 손기척을 해서 깜짝 놀랐다.

③ 철우는 착한 소행을 해서 소행상을 타게 됐다.

④ 동무들, 우리 모두 함께 힘을 합쳐 이 위기를 극복합시다.

⑤ 선생님, 존경합니다. 저도 커서 선생님처럼 선생질을 하고 싶어요.

04 〈보기〉에 제시된 문제 상황과 성격이 <u>다른</u> 하나는?

> 보기
>
> 남한 사람과 북한 사람의 말하기 방식이 달라 오해가 생길 수 있다. 예를 들어 '수건 좀 빌려 주시오.', '문 좀 열라.'와 같은 말을 남한 사람이 들으면 명령 같아서 불쾌감을 느낄 수 있다. 그러나 북한 사람은 순수한 부탁의 의미로 이러한 말투를 사용한다.

① A: 언제 식사 한번 합시다.
  B: (며칠 뒤) 식사하자고 하셔서 기다렸는데 왜 연락을 안 주시나요?

② A: 정말 도와드리고 싶은데, 제가 요즘 많이 바빠서……
  B: 도와주시겠다는 말씀인가요?

③ A: (닫혀 있는 창문을 보고) 좀 덥지 않아요?
  B: 네, 날씨가 덥습니다.

④ A: (옷 가게에서) 다른 데 둘러보고 좀 이따 올게요.
  B: (잠시 뒤) 다시 온다던 손님이 왜 안 오시지?

⑤ A: 두 집합 C와 D가 있을 때 집합 C, D에 공통으로 속하는 원소 전체로 이루어진 집합을 '교집합'이라 해요.
  B: 어, '사귐'이라고 하는 거 아닌가요?

교과서 실전 문제

기출문제응용 고2 교육청

05 〈보기〉는 '뿐'에 대한 남북한의 사전 풀이입니다. 이를 탐구한 내용으로 적절하지 <u>않은</u> 것은?

┌─ 보기 ─┐

㉮ 표준국어대사전(남한)

뿐1 「의존 명사」

(1) (어미 '-을' 뒤에 쓰여) 다만 어떠하거나 어찌할 따름이라는 뜻을 나타내는 말.
 • 소문으로만 들었을 뿐이네.

(2) ('-다 뿐이지' 구성으로 쓰여) 오직 그렇게 하거나 그러하다는 것을 나타내는 말.
 • 시간만 보냈다 뿐이지 한 일은 없다.

뿐2 「조사」

(체언이나 부사어 뒤에 붙어) '그것만이고 더는 없음' 또는 '오직 그렇게 하거나 그러하다는 것'을 나타내는 보조사.
 • 이제 믿을 것은 오직 실력뿐이다.

㉯ 조선말 대사전(북한)

뿐 「불완전명사●」

(1) (체언아래에 쓰이여) 그것만이고 더는 없다는 뜻.
 • 소식을 듣고 기뻐한것은 나뿐이 아니였다.

(2) (용언아래에 쓰이여) 다만 어떠하거나 어찌할따름이라는 뜻.
 • 우리는 감격의 눈물을 삼켰을뿐이였다.

● **불완전명사** 북한에서 '의존 명사'를 가리키는 말.

└────────┘

① ㉮의 '뿐1'은 ㉯의 '뿐'과 달리 앞에 오는 말과 떼어서 쓰이는군.

② ㉮의 '뿐1'과 ㉯의 '뿐'은 모두 두 가지의 뜻을 가진 단어이군.

③ '내가 가진 것은 이것뿐이다.'에서 '뿐'은 ㉮의 '뿐2', ㉯의 '뿐' (2)의 뜻에 해당하는군.

④ ㉮에서는 ㉯에서와 달리 체언 뒤의 '뿐'과 용언 뒤의 '뿐'을 각각 다른 단어로 사전에 실었군.

⑤ ㉮의 '뿐2'는 ㉯의 '뿐' (1)과 달리 부사어 뒤에 붙어 쓰일 수 있군.

★ 🔱 **서술형 문제**

학습활동응용 천재(박)

06 〈보기〉를 바탕으로 남한과 다른 북한 말의 표기상 특징을 서술하세요.

┌─ 보기 ─┐

• 남한: 나룻배를 이용하여 강을 건널 것이다.
• 북한: 나루배를 리용하여 강을 건널것이다.

└────────┘

┌─ 조건 ─┐

• 북한 말의 표기상 특징을 세 가지로 나누어 서술할 것.
• 〈보기〉를 활용하여 구체적으로 설명할 것.

└────────┘

_____

_____

학습활동응용 미래엔

07 〈보기〉를 참고하여 남한 말과 북한 말의 차이를 정리해 보고, 이런 차이를 극복하기 위해 남한에서 할 수 있는 일을 서술하세요.

┌─ 보기 ─┐

 받아치기, 쳐넣기, 판때기.
 순우리말로 쓰인 이 용어들은 북한 탁구에서 쓰는 말이다. 주로 영어 단어를 사용하는 남한에선 이 용어들을 리시브, 서브, 라켓으로 부른다. 〈중략〉 탁구 대회에서 함께 호흡을 맞출 남북 선수들은 이질적인 언어를 통일하는 부분부터 익숙해지려고 하고 있다.

 – 《중앙일보》, 2018년 7월 18일 자

└────────┘

┌─ 조건 ─┐

• 신문 기사에서 알 수 있는 내용으로 서술할 것.
• '북한에서는 ~ 한다. 따라서 남한에서는 ~ 한다.'의 형식으로 서술할 것.

└────────┘

_____

_____

부록

표준 발음법

관련 단원 **V. 단어의 발음과 표기 – ⑪ 올바른 발음**

> 표준 발음법은 총 7장으로 구성되어 있으나 여기서는 그 일부만 제시하였음.

제1장 | 총칙

제1항 표준 발음법은 표준어의 실제 발음을 따르되, 국어의 전통성과 합리성을 고려하여 정함을 원칙으로 한다.

제2장 | 자음과 모음

제2항 표준어의 자음은 다음 19개로 한다.
ㄱ ㄲ ㄴ ㄷ ㄸ ㄹ ㅁ ㅂ ㅃ ㅅ ㅆ ㅇ ㅈ ㅉ ㅊ ㅋ ㅌ ㅍ ㅎ

제3항 표준어의 모음은 다음 21개로 한다.
ㅏ ㅐ ㅑ ㅒ ㅓ ㅔ ㅕ ㅖ ㅗ ㅘ ㅙ ㅚ ㅛ ㅜ ㅝ ㅞ ㅟ ㅠ ㅡ ㅢ ㅣ

제4항 'ㅏ ㅐ ㅓ ㅔ ㅗ ㅚ ㅜ ㅟ ㅡ ㅣ'는 단모음(單母音)으로 발음한다.

[붙임] 'ㅚ, ㅟ'는 이중 모음으로 발음할 수 있다.

제5항 'ㅑ ㅒ ㅕ ㅖ ㅘ ㅙ ㅛ ㅝ ㅞ ㅠ ㅢ'는 이중 모음으로 발음한다.

다만 1. 용언의 활용형에 나타나는 '져, 쪄, 쳐'는 [저, 쩌, 처]로 발음한다.

가지어 → 가져[가저]　　　찌어 → 쪄[쩌]
다치어 → 다쳐[다처]

다만 2. '예, 례' 이외의 'ㅖ'는 [ㅔ]로도 발음한다.

계집[계:집/게:집]　　　계시다[계:시다/게:시다]
시계[시계/시게](時計)　　연계[연계/연게](連繫)
메별[메별/메별](袂別)　　개폐[개폐/개페](開閉)
혜택[혜:택/헤:택](惠澤)　　지혜[지혜/지혜](智慧)

다만 3. 자음을 첫소리로 가지고 있는 음절의 'ㅢ'는 [ㅣ]로 발음한다.

늴리리　　닁큼　　무늬　　띄어쓰기　　씌어
틔어　　희어　　희떱다　　희망　　유희

다만 4. 단어의 첫음절 이외의 '의'는 [ㅣ]로, 조사 '의'는 [ㅔ]로 발음함도 허용한다.

주의[주의/주이]　　　협의[혀븨/혀비]
우리의[우리의/우리에]　강의의[강:의의/강:이에]

제4장 | 받침의 발음

제8항 받침소리로는 'ㄱ, ㄴ, ㄷ, ㄹ, ㅁ, ㅂ, ㅇ'의 7개 자음만 발음한다.

제9항 받침 'ㄲ, ㅋ', 'ㅅ, ㅆ, ㅈ, ㅊ, ㅌ', 'ㅍ'은 어말 또는 자음 앞에서 각각 대표음 [ㄱ, ㄷ, ㅂ]으로 발음한다.

닦다[닥따]　　　키읔[키윽]　　　키읔과[키윽꽈]
옷[옫]　　　　　웃다[욷:따]　　　있다[읻따]
젖[젇]　　　　　빚다[빋따]　　　꽃[꼳]
쫓다[쫃따]　　　솥[솓]　　　　　뱉다[밷:따]
앞[압]　　　　　덮다[덥따]

제10항 겹받침 'ㄳ', 'ㄵ', 'ㄼ, ㄽ, ㄾ', 'ㅄ'은 어말 또는 자음 앞에서 각각 [ㄱ, ㄴ, ㄹ, ㅂ]으로 발음한다.

넋[넉]　　　　　넋과[넉꽈]　　　앉다[안따]
여덟[여덜]　　　넓다[널따]　　　외곬[외골]
핥다[할따]　　　값[갑]　　　　　없다[업:따]

다만, '밟–'은 자음 앞에서 [밥]으로 발음하고, '넓–'은 다음과 같은 경우에 [넙]으로 발음한다.

(1) 밟다[밥:따]　　　밟소[밥:쏘]　　　밟지[밥:찌]
　　밟는[밥:는 → 밤:는]　밟게[밥:께]　　　밟고[밥:꼬]
(2) 넓–죽하다[넙쭈카다]　넓–둥글다[넙뚱글다]

제11항 겹받침 'ㄺ, ㄻ, ㄼ'은 어말 또는 자음 앞에서 각각 [ㄱ, ㅁ, ㅂ]으로 발음한다.

닭[닥]	흙과[흑꽈]	맑대[막따]
늙지[늑찌]	삶[삼ː]	젊대[점ː따]
읊고[읍꼬]	읊대[읍따]	

다만, 용언의 어간 말음 'ㄺ'은 'ㄱ' 앞에서 [ㄹ]로 발음한다.

맑게[말께]	묽고[물꼬]	얽거내[얼꺼나]

제12항 받침 'ㅎ'의 발음은 다음과 같다.

1. 'ㅎ(ㄶ, ㅀ)' 뒤에 'ㄱ, ㄷ, ㅈ'이 결합되는 경우에는, 뒤 음절 첫소리와 합쳐서 [ㅋ, ㅌ, ㅊ]으로 발음한다.

놓고[노코]	좋던[조ː턴]	쌓지[싸치]
많고[만ː코]	않던[안턴]	닳지[달치]

[붙임 1] 받침 'ㄱ(ㄺ), ㄷ, ㅂ(ㄼ), ㅈ(ㄵ)'이 뒤 음절 첫소리 'ㅎ'과 결합되는 경우에도, 역시 두 음을 합쳐서 [ㅋ, ㅌ, ㅍ, ㅊ]으로 발음한다.

각해[가카]	먹히대[머키다]	밝히대[발키다]
맏형[마텽]	좁히대[조피다]	넓히대[널피다]
꽂히대[꼬치다]	앉히대[안치다]	

[붙임 2] 규정에 따라 [ㄷ]으로 발음되는 'ㅅ, ㅈ, ㅊ, ㅌ'의 경우에도 이에 준한다.

옷 한 벌[오탄벌]	낮 한때[나탄때]
꽃 한 송이[꼬탄송이]	숱하대[수타다]

2. 'ㅎ(ㄶ, ㅀ)' 뒤에 'ㅅ'이 결합되는 경우에는, 'ㅅ'을 [ㅆ]으로 발음한다.

닿소[다ː쏘]	많소[만ː쏘]	싫소[실쏘]

3. 'ㅎ' 뒤에 'ㄴ'이 결합되는 경우에는, [ㄴ]으로 발음한다.

놓는[논는]	쌓네[싼네]

[붙임] 'ㄶ, ㅀ' 뒤에 'ㄴ'이 결합되는 경우에는, 'ㅎ'을 발음하지 않는다.

않네[안네]	않는[안는]	뚫네[뚤네 → 뚤레]
뚫는[뚤는 → 뚤른]		

* '뚫네[뚤네 → 뚤레], 뚫는[뚤는 → 뚤른]'에 대해서는 제20항 참조.

4. 'ㅎ(ㄶ, ㅀ)' 뒤에 모음으로 시작된 어미나 접미사가 결합되는 경우에는, 'ㅎ'을 발음하지 않는다.

낳은[나은]	놓아[노아]	쌓이대[싸이다]
많아[마ː나]	않은[아는]	닳아[다라]
싫어도[시러도]		

제13항 홑받침이나 쌍받침이 모음으로 시작된 조사나 어미, 접미사와 결합되는 경우에는, 제 음가대로 뒤 음절 첫소리로 옮겨 발음한다.

깎아[까까]	옷이[오시]	있어[이써]
낮이[나지]	꽂아[꼬자]	꽃을[꼬츨]
쫓아[쪼차]	밭에[바테]	앞으로[아프로]
덮이대[더피다]		

제14항 겹받침이 모음으로 시작된 조사나 어미, 접미사와 결합되는 경우에는, 뒤엣것만을 뒤 음절 첫소리로 옮겨 발음한다.(이 경우, 'ㅅ'은 된소리로 발음함.)

넋이[넉씨]	앉아[안자]	닭을[달글]
젊어[절머]	곬이[골씨]	핥아[할타]
읊어[을퍼]	값을[갑쓸]	없어[업ː써]

제15항 받침 뒤에 모음 'ㅏ, ㅓ, ㅗ, ㅜ, ㅟ'들로 시작되는 실질 형태소가 연결되는 경우에는, 대표음으로 바꾸어서 뒤 음절 첫소리로 옮겨 발음한다.

밭 아래[바다래]	늪 앞[느밥]	젖어미[저더미]
맛없대[마덥따]	겉옷[거돋]	헛웃음[허두슴]
꽃 위[꼬뒤]		

다만, '맛있다, 멋있다'는 [마싣따], [머싣따]로도 발음할 수 있다.

[붙임] 겹받침의 경우에는, 그중 하나만을 옮겨 발음한다.

넋 없대[너겁따]	닭 앞에[다가페]
값어치[가버치]	값있는[가빈는]

 **한글 맞춤법**

 한글 발음법은 총 6장으로 구성되어 있으나 여기서는 그 일부만 제시하였음.

제1장 ┃ 총칙

제1항 한글 맞춤법은 표준어를 소리대로 적되, 어법에 맞도록 함을 원칙으로 한다.

제4장 ┃ 형태에 관한 것
제2절 ┃ 어간과 어미

제15항 용언의 어간과 어미는 구별하여 적는다.

먹다	먹고	먹어	먹으니
신다	신고	신어	신으니
믿다	믿고	믿어	믿으니
울다	울고	울어	(우니)
늙다	늙고	늙어	늙으니
젊다	젊고	젊어	젊으니
넓다	넓고	넓어	넓으니
훑다	훑고	훑어	훑으니

제18항 다음과 같은 용언들은 어미가 바뀔 경우, 그 어간이나 어미가 원칙에 벗어나면 벗어나는 대로 적는다.

1. 어간의 끝 'ㄹ'이 줄어질 적

갈다:	가니	간	갑니다	가시다	가오
놀다:	노니	논	놉니다	노시다	노오
둥글다:	둥그니	둥근	둥급니다	둥그시다	둥그오
어질다:	어지니	어진	어집니다	어지시다	어지오

[붙임] 다음과 같은 말에서도 'ㄹ'이 준 대로 적는다.

마지못하다	마지않다
(하)다마다	(하)자마자
(하)지 마라	(하)지 마(아)

2. 어간의 끝 'ㅅ'이 줄어질 적

긋다:	그어	그으니	그었다
낫다:	나아	나으니	나았다
잇다:	이어	이으니	이었다
짓다:	지어	지으니	지었다

3. 어간의 끝 'ㅎ'이 줄어질 적

그렇다:	그러니	그럴	그러면	그러오
까맣다:	까마니	까말	까마면	까마오
동그랗다:	동그라니	동그랄	동그라면	동그라오
퍼렇다:	퍼러니	퍼럴	퍼러면	퍼러오
하얗다:	하야니	하얄	하야면	하야오

4. 어간의 끝 'ㅜ, ㅡ'가 줄어질 적

푸다:	퍼	펐다
끄다:	꺼	껐다
담그다:	담가	담갔다
따르다:	따라	따랐다

5. 어간의 끝 'ㄷ'이 'ㄹ'로 바뀔 적

걷다[步]:	걸어	걸으니	걸었다
듣다[聽]:	들어	들으니	들었다
묻다[問]:	물어	물으니	물었다
싣다[載]:	실어	실으니	실었다

6. 어간의 끝 'ㅂ'이 'ㅜ'로 바뀔 적

깁다:	기워	기우니	기웠다
굽다[炙]:	구워	구우니	구웠다
가깝다:	가까워	가까우니	가까웠다
괴롭다:	괴로워	괴로우니	괴로웠다
맵다:	매워	매우니	매웠다
무겁다:	무거워	무거우니	무거웠다
밉다:	미워	미우니	미웠다

다만, '돕-, 곱-'과 같은 단음절 어간에 어미 '-아'가 결합되어 '와'로 소리 나는 것은 '-와'로 적는다.

돕다[助]:	도와	도와서	도와도	도왔다
곱다[麗]:	고와	고와서	고와도	고왔다

7. '하다'의 활용에서 어미 '-아'가 '-여'로 바뀔 적

하다:	하여	하여서	하여도	하여라	하였다

제3절 | 접미사가 붙어서 된 말

제23항 '-하다'나 '-거리다'가 붙는 어근에 '-이'가 붙어서 명사가 된 것은 그 원형을 밝히어 적는다.(ㄱ을 취하고, ㄴ을 버림.)

ㄱ	ㄴ	ㄱ	ㄴ
깔쭉이	깔쭈기	살살이	살사리
꿀꿀이	꿀꾸리	쌕쌕이	쌕쌔기
눈깜짝이	눈깜짜기	오뚝이	오뚜기
더펄이	더퍼리	코납작이	코납자기
배불뚝이	배불뚜기	푸석이	푸서기
삐죽이	삐주기	홀쭉이	홀쭈기

[붙임] '-하다'나 '-거리다'가 붙을 수 없는 어근에 '-이'나 또는 다른 모음으로 시작되는 접미사가 붙어서 명사가 된 것은 그 원형을 밝히어 적지 아니한다.

개구리	귀뚜라미	기러기	깍두기
꽹과리	날라리	누더기	동그라미
두드러기	딱따구리	매미	부스러기
뻐꾸기	얼루기	칼싹두기	

제5절 | 준말

제35항 모음 'ㅗ, ㅜ'로 끝난 어간에 '-아/-어, -았-/-었-'이 어울려 'ㅘ/ㅝ, 왔/웠'으로 될 적에는 준 대로 적는다.

본말	준말	본말	준말
꼬아	꽈	꼬았다	꽜다
보아	봐	보았다	봤다
쏘아	쏴	쏘았다	쐈다
두어	둬	두었다	뒀다
쑤어	쒀	쑤었다	쒔다

[붙임 1] '놓아'가 '놔'로 줄 적에는 준 대로 적는다.
[붙임 2] 'ㅚ' 뒤에 '-어, -었-'이 어울려 'ㅙ, ㅙㅆ'으로 될 적에도 준 대로 적는다.

본말	준말	본말	준말
괴어	괘	괴었다	괬다
되어	돼	되었다	됐다
뵈어	봬	뵈었다	뵀다
쇠어	쇄	쇠었다	쇘다
쐬어	쐐	쐬었다	쐤다

제40항 어간의 끝음절 '하'의 'ㅏ'가 줄고 'ㅎ'이 다음 음절의 첫소리와 어울려 거센소리로 될 적에는 거센소리로 적는다.

본말	준말	본말	준말
간편하게	간편케	다정하다	다정타
연구하도록	연구토록	정결하다	정결타

[붙임 1] 'ㅎ'이 어간의 끝소리로 굳어진 것은 받침으로 적는다.

않다	않고	않지	않든지
그렇다	그렇고	그렇지	그렇든지
아무렇다	아무렇고	아무렇지	아무렇든지
어떻다	어떻고	어떻지	어떻든지
이렇다	이렇고	이렇지	이렇든지
저렇다	저렇고	저렇지	저렇든지

[붙임 2] 어간의 끝음절 '하'가 아주 줄 적에는 준 대로 적는다.

본말	준말	본말	준말
거북하지	거북지	넉넉하지 않다	넉넉지 않다
생각하건대	생각건대	못하지 않다	못지않다

[붙임 3] 다음과 같은 부사는 소리대로 적는다.

결단코	결코	기필코	무심코
아무튼	요컨대	정녕코	필연코

제6장 | 그 밖의 것

제57항 다음 말들은 각각 구별하여 적는다.

반드시	약속은 반드시 지켜라.
반듯이	고개를 반듯이 들어라.
부치다	힘이 부치는 일이다.
	편지를 부친다.
	논밭을 부친다.
	빈대떡을 부친다.
	식목일에 부치는 글.
붙이다	우표를 붙인다.
	책상을 벽에 붙였다.
	흥정을 붙인다.
	불을 붙인다.
	조건을 붙인다.

Memo

두렵지 않은

긴 문장도 녕ㅁ

중학 DNA 깨우기 시리즈

문학 DNA 깨우기
(예비중~중3)

기본 개념/감상 원리/기출 유형
교과서 작품을 활용한 문학 독해서

비문학 독해 DNA 깨우기
(예비중~중3)

독해 기초/독해 원리/독해 기술/기출 유형
기초부터 심화까지 단계별 독해 원리

문법 DNA 깨우기
(중1~중3)

중학 교과서 필수 문법 총정리

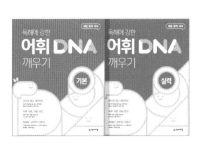

어휘 DNA 깨우기
(중1~중3)

기본/실력
퀴즈로 익히는 1,347개 중학 필수 어휘

CHUNJAE
EDUCATION

해법 중학 국어

문법 DNA
깨우기

다양한 문제로
문법 다지기!

정답과 해설

천재교육

문법 DNA 깨우기

정답과 해설

I | 언어의 본질

01 언어의 역사성이란 쓰이던 말이 사라지거나, 없던 말이 생기거나, 의미나 말소리가 변하는 등 언어가 시간의 흐름에 따라 변하는 것이다. 이처럼 사회적 약속으로 굳어진 말들도 시간이 흐르면서 조금씩 변하지만 개인이 함부로 바꿀 수는 없다.

오답 풀이 ① 의미와 말소리의 관계가 필연적이지 않다는 것은 언어의 자의성과 관련이 있다.

②, ③ 인간이 새로운 단어를 만들고 단어들을 결합해 많은 문장을 만들어 낼 수 있다는 것은 언어의 창조성과 관련이 있다.

④ 언어는 그 언어를 사용하는 사람들 사이의 사회적인 약속이기 때문에 개인이 그 약속을 마음대로 바꿀 수 없다. 이는 언어의 사회성과 관련이 있다.

> **지식+**   언어의 또 다른 본질
>
> ① 언어의 기호성: 언어는 표현하고자 하는 내용을 일정한 형식으로 나타낸 기호이다.
>   예 '☆'이라는 의미를 언어로 표현하려면 [별]이라는 음성이나 '별'이라는 문자로 전달해야 함.
> ② 언어의 분절성: 언어는 연속되어 있는 세계를 마디마디 끊어서 사용한다.
>   예 얼굴의 경계가 분명하지 않지만 이마, 뺨, 턱으로 나누어 말함.
> ③ 언어의 추상성: 수많은 구체적인 대상으로부터 공통된 속성을 뽑아내는 추상화의 과정을 거쳐 개념이 형성된다.
>   예 피아노, 첼로, 플루트(구체적인 대상) → 악기(추상적인 개념)
> ④ 언어의 규칙성: 언어에는 단어나 구절, 문장을 만들 때 적용되는 일정한 규칙이 있다.
>   예 '동생이 빠른 걷는다.'라는 문장은 어색하지만, '동생이 빠르게 걷는다.'라는 문장은 어색하지 않음.

02 제시된 그림에서 '돼지'를 부르는 말이 언어마다 다른데, 이는 의미와 말소리 사이에 필연적인 관계가 없다는 언어의 자의성과 관련이 있다.

오답 풀이 ① 언어의 규칙성: '나는 여름이 좋아한다.'라는 문장은 부자연스러운 문장으로, '나는 여름을 좋아한다.'와 같이 고쳐 써야 한다. 이와 같이 언어에는 단어나 문장을 만들 때 적용되는 일정한 규칙이 있다.

② 언어의 사회성: 같은 언어를 사용하는 사람들끼리 특정한 의미를 특정한 말소리로 나타내자고 약속한 후에는 개인이 그 약속을 마음대로 바꿀 수 없다.

④ 언어의 역사성: 언어는 시간의 흐름에 따라 변화한다.

⑤ 언어의 창조성: 인간은 새로운 단어를 만들 수도 있고, 단어들을 결합해 무수히 많은 문장을 만들 수도 있다.

> **지식+**   언어의 자의성을 보여 주는 예
>
> ① 단어의 의미를 나타내는 말소리가 언어마다 다르다.
>   예 '🏠'이라는 의미가 한국어로는 '집[집]', 영어로는 'house[하우스]', 이탈리아어로는 'casa[카사]', 프랑스어로는 'maison[메종]'이라는 다른 말소리로 나타남.
> ② 언어는 시간의 흐름에 따라 변화한다.
>   예 언어의 의미와 말소리의 관계가 필연적이라면 시간이 흘러도 단어의 형태나 의미는 변화하지 않을 것임.
> ③ 동음이의어(소리는 같으나 의미가 다른 단어)가 존재한다.
>   예 '배'라는 단어의 의미와 말소리의 관계가 필연적이라면 '배(腹)가 부르다', '배(船)를 타다', '배(梨)를 먹다'와 같은 동음이의어는 존재하지 않을 것임.
> ④ 유의어(의미가 서로 비슷한 단어)가 존재한다.
>   예 '마을'이라는 단어의 의미와 말소리의 관계가 필연적이라면 '동네'라는 유의어가 존재하지 않을 것임.
> ⑤ 지역 방언이 존재한다.
>   예 언어의 의미와 말소리의 관계가 필연적이라면 '부엌'이라는 단어가 '부엌, 벅, 정지, 정제' 등과 같이 지역에 따라 다르게 나타나지 않을 것임.

03 제시된 상황에서 성호가 '수박'을 마음대로 '몽미'라고 바꾸어 부르자 가게 주인은 성호의 말을 알아듣지 못하고 있다. 언어는 그 언어를 사용하는 사람들 사이의 약속이기 때문에 성호처럼 개인이 마음대로 바꾸어 말하면 의사소통에 어려움을 겪을 수 있다.

04 언어는 그 언어를 사용하는 사람들 사이의 약속인데, 유진이가 '나무'를 '무무'라고 바꾸어 부름으로써 그 약속을 지키지 않자 현주는 유진이에게 문제를 제기하고 있다. 이는 언어의 사회성과 관련이 있다. ②에서 언어의 의미와 말소리의 관계가 필연적이라는 것은 언어의 자의성을 잘못 이해한 내용이다.

유진: 나는 '나무'를 '무무'라고 부를래. 현주야, 저기 봐. '무무'에 새 둥지가 있어.

'나무'를 [나무]로 부르기로 한 사회적 약속을 깨고 [무무]로 부름.

현주: 여러 사람이 쓰는 말을 네 마음대로 바꾸어 불러도 돼?

언어의 사회성을 토대로 유진이의 말에 문제를 제기함.

오답 풀이 ① 유진이는 '🌳'를 [나무]가 아닌 [무무]로 부르고 있는데, 이는 사회적 약속에 해당하는 말소리를 마음대로 바꾼 것이다.

③, ④ 유진이와 같이 언어를 사용하는 사람들 사이의 약속을 지키지 않으면, 다른 사람들과의 의사소통에 어려움을 겪을 수 있다.

⑤ 현주는 특정한 의미인 '🌳'를 특정한 말소리인 [나무]로 부르기로 한 사회적 약속을 지켜야 한다고 생각한다.

05 언어는 시간이 흐름에 따라 쓰이던 말이 쓰이지 않게 되어 사라지거나, 없던 말이 생기거나, 의미나 말소리가 변화한다. 이러한 언어의 특성을 언어의 역사성이라고 한다. ④와 같이 갈비를 넣은 김밥에 '갈비김밥'이라는 이름을 붙인 것은 이미 알고 있는 언어를 바탕으로 하여 새로운 단어를 만든 것으로, 언어의 창조성을 뒷받침하는 예이다.

오답 풀이 ①, ③ 언어는 시간이 흐름에 따라 말소리가 변하기도 하는데, '나모'는 '나무'로, '복성화'는 '복숭아'로 변했다.

② 다양한 응용 프로그램을 활용할 수 있는 휴대 전화가 등장하면서, 이를 나타내는 말인 '스마트폰'이라는 말이 생겼다.

⑤ '즈믄'은 '천(千)'의 옛말로, '천(千)'이라는 말에 밀려 지금은 거의 쓰이지 않는다.

06 언어는 시간이 흐르면서 말이 쓰이지 않게 되어 사라지거나, 없던 말이 새로 생기거나, 의미나 말소리가 달라지는 변화의 양상을 보인다. '가람'은 '강(江)'의 옛말로, 지금은 쓰이지 않는 사라진 말이다.

오답 풀이 ②, ③, ④, ⑤ 새로운 사물이나 개념을 가리키기 위해 새로 생겨난 말들이다.

07 제시된 문장들은 '바람'이라는 단어를 활용하여 만든 새로운 문장들로, 이는 언어의 창조성을 잘 보여 주는 예이다. 이처럼 인간은 새로운 단어를 만들어 낼 수도 있고, 이미 알고 있는 단어를 결합하여 새로운 문장을 무한히 만들어 낼 수도 있다.

• 바람이 불어서 시원하다.
• 바람이 어느 쪽에서 불지?
• 머리카락이 바람에 흩날린다.

→ '바람'이라는 단어 하나로 무수히 많은 문장들을 만들 수 있는 것은 언어의 창조성을 잘 보여 주는 예이다.

| 01 ④ | 02 ⑤ | 03 ③ | 04 ③ | 05 ㉡, ㉢, ㉣ |

06 ⑤　　**07** '짜장면'을 표준어로 인정한다는 사회적 약속을 새롭게 맺은 사례에 해당하므로 언어의 사회성과 관련이 있다. 또한 과거에 표준어가 아니었던 '짜장면'이 현재 표준어가 된 것은 시간이 지남에 따라 언어가 변화한다는 점을 고려한 결과이므로 언어의 역사성과 관련이 있다.

08 언어는 그 언어를 사용하는 사람들 사이의 사회적 약속인데 그는 그 약속을 지키지 않고 있으므로 다른 사람들과 의사소통에 어려움을 겪을 것이다.

---

01 제시된 그림에서 '강아지'를 나타내는 말소리가 언어마다 다른데, 이는 의미와 말소리의 관계가 필연적이지 않다는 언어의 자의성을 잘 보여 주는 예이다.

오답 풀이 ① 의미와 말소리는 일정한 규칙에 따라 결합하는 것이 아니라, 우연히 그렇게 맺어진 것이다.

② 말이 새로 생겼다는 것은 언어의 역사성과 관련이 있고, 그 말이 사회적 약속에 따라 표준어로 인정된 것은 언어의 사회성과 관련이 있다.

③ 각각 다른 의미를 뜻하는 내용을 하나의 말소리로 나타낸 것이 아니라, 하나의 의미를 각각 다른 말소리로 나타내고 있다.

⑤ 언어의 사회성에 대한 설명이다.

02 〈보기〉의 소행성의 이름들은 새롭게 만든 말이 아니라 '통일'처럼 기존에 있었던 단어나 '장영실', '이원철'과 같이 큰 업적을 남긴 과학자, 천문학자의 이름을 붙인 것이다.

오답 풀이 ①, ④ 새로 발견한 소행성에 이름을 붙인 것은 '소행성'의 의미와 '소행성'을 가리키는 말소리 사이에 필연적인 관계가 없다는 언어의 자의성과 관련이 있다.

②, ③ 어떠한 의미에 어떠한 말소리가 결합하는 것은 자의적이지만 이것이 사회적 약속으로 자리 잡은 후에는 개인이 함부로 바꿀 수 없다. 즉, 소행성의 이름이 결정된 후에는 사회적 약속으로 굳어져 사회 전체에서 널리 쓰이게 되므로 개인이 마음대로 바꿀 수 없다.

03 사람들이 '노래'를 [노래]라고 부르는 것은 사회적 약속에 해당하기 때문에, 선호가 성장하면서 '뚜루루'가 '노래'임을 깨달은 것은 언어의 사회성과 관련이 있다.

보기

[선호가 3살 때]

선호: 엄마, 뚜루루 들려주세요.

의미와 말소리 사이에 필연성이 없어 '노래'를 '뚜루루'라고 지어 부름. → 자의성, 창조성

엄마: (노래를 고르며) 우리 선호, 어떤 뚜루루 들려줄까요?

선호와 엄마는 새롭게 만든 '뚜루루'라는 말로 의사소통을 함.

[선호가 7살 때]

반 친구들: 선생님, 노래 들려주세요.

사회적 약속에 해당하는 말 → 사회성

선생님: 어떤 노래 들려줄까요?

선호: 아, '뚜루루'가 아니라 '노래'라고 말해야 알아듣는구나.

오답 풀이 ① 언어의 의미와 말소리 사이에는 필연성이 없기 때문에 선호는 '노래'를 '뚜루루'라고 부를 수 있었다.

② 선호가 '뚜루루'라는 새로운 단어를 만든 것은 언어의 창조성과 관련이 있다.

④ '뚜루루'라는 말은 선호와 선호 엄마만의 약속이며 다른 사람들은 '뚜루루'라는 말을 듣고 그 의미를 알 수 없으므로 선호의 행동은 언어의 사회성을 지키지 않은 것이다.

⑤ 같은 언어를 사용하는 사람들이 특정한 의미인 '노래'를 특정한 말소리인 [노래]로 나타내는 것은 사회적 약속에 해당한다.

지식⁺ 언어의 창조성과 자의성, 사회성, 역사성의 관계

창조성	새로운 사물이나 개념이 생기면 새로운 말을 만듦.
자의성	특정한 의미에 특정한 말소리가 결합하는 것은 자의적으로, 대상을 가리키는 말은 여러 가지일 수 있음. ↓
사회성	특정한 대상을 특정한 말소리로 부르기로 한 사회적 약속이 사람들 사이에서 통용됨. ↓
역사성	시간이 흘러 사람들 사이에서 새롭게 통용된 말이 자리를 잡게 되면 새로 생긴 말로 인정을 받음.

04 〈보기〉는 언어의 역사성과 관련한 언어 변화 양상에 대한 설명이다. '꽃', '사랑하다'라는 단어를 활용하여 수많은 문장을 만들 수 있는 것은 언어의 창조성을 뒷받침하는 예이다.

오답 풀이 ① 조선 시대에 쓰인 '불휘'는 오늘날 '뿌리'로 말소리가 변했다.

② 새로운 사물이나 개념이 생기면 그것을 나타내는 말이 새로 생겨나는데, 인터넷이 보급되면서 '누리꾼'이라는 말이 생겨났다.

④ 중세 국어에서는 '어여쁘다'가 '불쌍하다'라는 뜻으로 쓰였지만, 지금은 그 의미가 변해 '예쁘다'라는 뜻으로 쓰인다.

⑤ '방갓'은 예전에 밖에 나갈 때 쓰던 큰 갓을 이르던 말인데, 이 큰 갓이 시간이 지나면서 사용되지 않자 이것을 표현하던 '방갓'이라는 말 또한 거의 쓰이지 않게 되었다.

05 ⓛ과 같이 이미 알고 있던 단어들을 결합해 새롭게 많은 문장을 만들어 내는 것, ⓒ과 같이 대상을 보고 새로운 표현과 문장을 만들어 내는 것, ⓔ과 같이 새로운 단어를 만들어 내는 것은 모두 언어의 창조성을 뒷받침하는 예이다.

오답 풀이 ⓗ '수박'을 [수박]이라고 부르기로 한 사회적 약속을 지키지 않는 것은 언어의 사회성을 고려하지 않은 것이다. 의미와 말소리의 관계가 사회적으로 약속된 다음에는 그 약속을 지켜야 하는데, 마음대로 '수세미'라고 바꾸어 부르게 되면 다른 사람들과의 의사소통에 문제가 생긴다.

ⓜ 동일한 대상을 나타내는 말소리가 지역에 따라 '다슬기', '골배', '데사리'로 다르다는 것은 의미와 말소리의 관계가 필연적이지 않다는 언어의 자의성을 뒷받침하는 예이다.

지식⁺ 언어의 창조성을 보여 주는 예

① 새로운 사물이나 개념이 생기면 그에 맞는 새로운 단어를 만들 수 있다.

② 이미 알고 있는 단어들을 결합해 무수히 많은 문장을 만들 수 있다.

③ 어떤 문장을 암기해서 말하지 않고 상황에 따라 그때그때 새로운 문장을 만들기도 한다.

④ 처음 듣거나 본 문장의 의미를 이해할 수 있다.

⑤ 아기들이 말을 배울 때 처음에는 들은 말을 그대로 따라 하지만 시간이 지나면 이를 활용하여 새로운 말을 만들어 낸다.

06 ㉮에서 '그'는 '침대'를 나타내는 말소리를 ㉠의 '사진'으로 바꾸어 부르기로 했는데, 이는 사회적으로 약속된 의미와 말소리의 관계를 개인이 임의대로 바꾼 것이므로 언어의 사회성을 따르지 않은 행동이다. ㉯의 말하는 이는 '가로수 길'에 대한 자신의 느낌을 표현하기 위해 '길'을 꾸미는 다양한 말을 떠올려 ㉡의 '기쁨 가득 새하얀 길'이라는 말을 새롭게 만들었는데, 이는 언어의 의미와 말소리 사이에 필연성이 없다는 사실을 이해하고 새로운 말을 창조한 것이다.

보기

㉮ "이제 달라질 거야."

단어를 바꾸어 부르기로 결심함.

이렇게 외치면서 그는 이제부터 침대를 ㉠ '사진'이라고 부르기로 하였다.

언어와 관련한 사회적 약속을 개인이 마음대로 바꿈.

"피곤하군. 사진 속으로 들어가야겠어."

침대

그는 이렇게 말했다. 그러고는 아침마다 한참씩 사진 속에 누운 채로 이제부터 의자를 뭐라고 부를까 고심했다.

㉯ "그런데 그 아름다운 곳을 가로수 길이라고 불러선 안 돼

'가로수 길'에 대한 말하는 이의 생각과 느낌

요. 그런 이름에는 아무 뜻이 없으니까요. ㉡ '기쁨 가득 새

'길'과 그것을 꾸미는 말인 '기쁨 가득 새하얀'을 결합해 '가로수 길'에 새 이름을 붙임.

하얀 길' 어때요? 새롭고 멋진 이름 아닌가요?"

①, ② ㉠은 '침대'의 말소리를 남자가 마음대로 '사진'으로 바꾸어 부른 것으로, '침대'를 가리킨다. ㉡은 말하는이가 '가로수 길'에 대한 자신의 생각과 느낌을 표현하기 위해새롭게 만든 말로, '가로수 길'을 가리킨다.

③, ④ ㉡은 말하는 이가 '가로수 길이 아름답다.'라는 자신의생각과 느낌을 표현하고자 만든 것으로, 말하는 이는 꾸미는말을 넣어 '기쁨 가득 새하얀 길'이라는 새로운 이름을 만들었다.

07 사람들이 실생활에서 '짜장면'이라는 단어를 많이 사용해서기존에는 표준어가 아니었던 '짜장면'이 표준어로 인정된 것이다. 이는 '짜장면'을 표준어로 인정한다는 사회적 약속을 맺었다는 점에서 언어의 사회성, 시간이 흐름에 따라 언어가 변화한다는 점을 보여 주고 있다는 점에서 언어의 역사성과 관련이 있다.

평가 요소	확인
기사의 내용을 언어의 사회성, 역사성과 관련지어 서술하였다.	
각각 한 문장으로 서술하였다.	

08 언어에 대한 사회적 약속을 지키지 않고 개인이 마음대로 단어를 바꾸어 쓰면 다른 사람과의 의사소통에 문제가 생길 수있다.

보기
> 침대를, 그는 사진이라고 말했다.
> 책상을, 그는 양탄자라고 말했다.
> ……
> 양탄자를, 그는 옷장이라고 말했다.
> 사진을, 그는 책상이라고 말했다. 〈중략〉
> → 사물의 이름을 마음대로 바꾸어 부르는 '그' – 언어의 사회성을 무시함.
> 그는 모든 사물에 새로운 이름을 붙였다. 그러는 동안 그는점점 본래의 정확한 이름을 잊어버리게 되었다. 이제 그는 자기 혼자서만 사용할 수 있는 새로운 언어를 갖게 된 것이다.
> → 기존에 쓰던 언어를 잊어버리게 된 '그'는 결국 다른 사람과의 의사소통에 어려움을 겪게 될 것임.

평가 요소	확인
언어가 사람들 사이의 사회적 약속임을 밝혔다.	
그가 사회적 약속을 지키지 않아 의사소통에 어려움을 겪을것임을 서술하였다.	
한 문장으로 서술하였다.	

Ⅱ 품사의 종류와 특성

02 품사의 개념과 분류 기준 21쪽

1 (1) X (2) ○
2 (1) 불변어 (2) 기능 (3) 의미, 형용사
3 (1) 하늘, 에, 구름, 이, 하나, 도, 없다
　 (2) 보라, 는, 우리, 반, 에서, 마음씨, 가, 가장, 착하다
4 (1) 푸르다 (2) 산, 이, 참
5 (1) 온갖, 활짝 (2) 꽃, 이, 피었다(피다)
6 (1) 샀다(사다) (2) 기쁘다 (3) 은희, 신발

03 명사, 대명사, 수사 23쪽

1 (1) X (2) ○ (3) ○
2 (1) 명사 (2) 대신 (3) 수사
3 (1) ㉡ (2) ㉢ (3) ㉠
4 (1) 명 (2) 명 (3) 대 (4) 대 (5) 명 (6) 수
5 (1) 보라, 영화 (2) 인물, 이순신 (3) 엄마, 것, 행복
6 (1) 나 (2) 저것 (3) 여기
7 (1) 넷 (2) 셋째 (3) 둘, 하나

04 동사, 형용사 25쪽

1 (1) ○ (2) ○ (3) X
2 (1) 움직임 (2) 형용사 (3) 활용
3 (1) ㉠ (2) ㉡
4 (1) 형 (2) 동 (3) 동 (4) 형 (5) 동 (6) 동 (7) 동 (8) 형
5 (1) 가다 (2) 끝나다 (3) 맛있다 (4) 깊다
6 (1) 잡았다 (2) 고쳤다 (3) 만났다, 떠올랐다
7 (1) 흰 (2) 차갑게 (3) 빠르다

05 관형사, 부사 27쪽

1 (1) ○ (2) ○ (3) X
2 (1) ㉠ (2) ㉡ (3) ㉡ (4) ㉠
3 (1) 부 (2) 관 (3) 관 (4) 부 (5) 관 (6) 부 (7) 관 (8) 부
4 (1) ㉠ (2) ㉡
5 (1) 그는 (아주)새 차를 타고 다닌다.
　 (2) 그가 들려준 이야기를 (매우)흥미로웠다.
　 (3) (과연)이 일은 앞으로 어떻게 될 것인가?
　 (4) 좋아하는 가수를 보니 가슴이 (콩닥콩닥)뛴다.

1 (1) ◯ (2) X (3) X (4) ◯
2 (1) 에서, 가 (2) 에, 이 (3) 가, 에게, 을 (4) 의, 는, 이다
   (5) 은, 를, 만, 를
3 (1) © (2) ○ (3) ⊙
4 (1) 에 (2) 에게 (3) 이다 (4) 을
5 (1) 느낌 (2) 생략 (3) 독립
6 (1) © (2) ○ (3) ⊙
7 (1) 얘 (2) 아 (3) 여보게 (4) 그래

개념 적용 훈련 문제   31~35쪽

01 ④   02 ⑤   03 깨끗하게, 청소했구나   04 ③
05 ⑤   06 명사: 경아, 정수, 도서관, 책 / 대명사: 나, 우리, 거기 /
수사: 셋   07 ②   08 ③   09 ②   10 ⊙: 극장
/ ©: 약도   11 ③   12 ④   13 ②   14 ③
15 ①   16 ③   17 ④   18 ⑤   19 다른 단
어를 꾸며 준다. / 다른 말을 수식한다.   20 ⑤   21 ②
22 ①   23 (1) 헌 (2) 활짝   24 ④   25 ②
26 ④   27 가, 를   28 ⑤   29 ⑤   30 ⑤
31 ③   32 ②   33 ②   34 ④   35 ③
36 ⊙: 조사 / ©: 부사   37 ④   38 ②

01 우리말 단어는 문장에서 쓰일 때 형태가 변하느냐, 변하지 않
느냐에 따라 형태가 변하는 가변어와 변하지 않는 불변어로
나눌 수 있다.
  오답 풀이 ①, ③ 품사는 단어를 형태, 기능, 의미를 기준으로
나누어 놓은 갈래이다.
  ② 단어를 품사로 분류하는 과정에서 단어의 특성을 파악하고
단어의 역할을 이해할 수 있다.
  ⑤ 단어가 문장에서 어떤 기능을 하느냐에 따라 체언, 용언,
수식언, 관계언, 독립언으로 나눌 수 있다.

02 형태가 변하는 단어들에는 용언에 해당하는 동사와 형용사,
그리고 서술격 조사 '이다'가 있다. ⑤의 '막다'는 동사, '예쁘
다'는 형용사이다.
  오답 풀이 ① 옛, 입다   ▨:가변어, ▨:불변어
     관형사 동사
  ② 주다, 하늘
     동사 명사
  ③ 빨갛다, 매우
     형용사 부사
  ④ 모든, 어머나
     관형사 감탄사

03 우리말의 품사 중에서는 동사, 형용사, 서술격 조사 '이다'만이
가변어이다.

> 보기
>
> 교실 / 을 / 참 / 깨끗하게 / 청소했구나!
> 명사 조사 부사 형용사 동사
> (불변어)(불변어)(불변어)(가변어) (가변어)

04 관형사 '헌'과 부사 '열심히'는 다른 말을 꾸며 주는 기능을 하
지만 명사 '형'과 '집', 조사 '이'와 '을', 동사 '고치다'는 다른 말
을 꾸며 주는 기능을 하지 않는다.
  오답 풀이 ① 형태를 기준으로 분류하면 '형, 이, 헌, 집, 을, 열
심히'는 형태가 변하지 않는 불변어이며, '고치다'는 형태가 변
하는 가변어이다.
  ② 홀로 쓰일 수 있는지는 우리말의 품사를 분류하는 기준이
아니다. 다만 품사 중에서 조사는 홀로 쓰일 수 없어 다른 말
에 붙어 쓰인다.
  ④ 문장에서 주로 주어를 서술하는 역할을 하는 것은 용언에
해당하는 동사와 형용사이다.
  ⑤ 의미에 따라 분류하면 명사, 대명사, 수사, 동사, 형용사, 관
형사, 부사, 조사, 감탄사의 아홉 개의 품사로 나뉜다.

05 〈보기〉에서 설명하는 것은 체언인 명사, 대명사, 수사이다. ⑤
의 '모두'는 조사와 결합하지 않고 뒤에 오는 동사 '쏟았다'를
꾸며 주는 역할을 하므로 부사이다.
  오답 풀이 ① '영수'는 명사로, 조사 '가'와 결합하여 주어의 역
할을 한다.
  ② '하나'는 수사로, 조사 '를'과 결합하여 목적어의 역할을
한다.
  ③ '얼룩'은 명사로, 조사 '이'와 결합하여 주어의 역할을 한다.
  ④ '어디'는 대명사로, 조사 '를'과 결합하여 목적어의 역할을
한다.

06 이 두 문장에는 명사 4개(경아, 정수, 도서관, 책), 대명사 3개
(나, 우리, 거기), 수사 1개(셋)가 쓰였다.

> 나는 경아, 정수와 함께 셋이 도서관에 갔다. 그리고 우리
> 대명사 명사   부사 수사   명사   동사   부사   대명사
> 는 거기에서 책을 읽었다.   : 조사
>   대명사   명사   동사

07 명사는 구체적인 대상의 이름을 나타내는 구체 명사와 추상적
인 대상의 이름을 나타내는 추상 명사로 나뉘는데, ②의 '우정'
만 추상 명사에 해당한다. 나머지는 구체 명사이다.
  오답 풀이 ①의 '발', ③의 '가방', ④의 '기차', ⑤의 '우산'은 보
거나, 듣거나, 냄새를 맡거나 만질 수 있는 구체적인 대상의
이름을 나타내는 구체 명사이다.

08 명사는 사람이나 사물 등의 이름을 나타내며, 수사는 사람이나 사물 등의 수량이나 순서를 나타낸다. ③의 '둘'은 남학생의 수량을 나타내므로 수사이다.

오답 풀이 ①의 '산', ②의 '친구', ④의 '꽃', ⑤의 '책'은 사람이나 사물 등의 이름을 나타내는 명사이다.

09 대명사는 사람이나 사물 등의 이름을 대신하여 나타내며 조사와 결합하여 쓰인다. ⓛ의 '이'는 조사와 결합하지 않고 뒤에 오는 명사 '누각'을 수식하므로 대명사가 아닌 관형사이다.

오답 풀이 ㉠ '저것'은 '불가사리가 새겨진 크고 화려한 굴뚝'을 가리키는 대명사이다.

ⓒ '그'는 사신을 가리키는 대명사이다.

ⓔ '나'는 자기 자신을 가리키는 대명사이다.

ⓜ '여기'는 '연못가'를 가리키는 대명사이다.

10 ㉠, ⓛ은 사물이나 장소의 이름을 대신하여 나타내는 대명사로 ㉠은 '극장'을, ⓛ은 '약도'를 가리킨다.

11 수사는 사람이나 사물 등의 수량이나 순서를 나타낸다. ③의 '두'는 조사와 결합하지 않고 뒤에 오는 명사 '마리'를 꾸며 주는 역할을 하므로 관형사이다.

오답 풀이 ①의 '둘', '셋', '다섯', ⑤의 '둘'은 수량을 나타내는 수사이다. ②의 '둘째', ④의 '첫째'는 순서를 나타내는 수사이다.

12 ㉠~ⓔ은 모두 수사이다. 대상의 이름을 대신해서 나타내는 것은 대명사이다.

오답 풀이 ① ㉠ '둘', ⓛ '하나'는 사람의 수량을 나타낸다.

② ⓒ '첫째', ⓔ '둘째'는 사물의 순서를 나타낸다.

③ 수사는 문장에서 형태가 변하지 않는 불변어이다.

⑤ ㉠은 조사 '이', ⓛ은 조사 '가', ⓒ, ⓔ은 조사 '는'과 결합하여 쓰이고 있다.

13 부사는 주로 용언 앞에 놓여서 용언을 꾸며 주지만, 관형사는 체언 앞에 놓여서 체언을 꾸며 준다.

오답 풀이 ① 동사와 형용사를 묶어서 용언이라고 한다.

③ 동사는 '먹다', '달리다'처럼 사람이나 사물 등의 움직임을 나타내며, 형용사는 '즐겁다', '푸르다'처럼 사람이나 사물 등의 상태나 성질을 나타낸다.

④ 용언은 문장에서 쓰일 때 '먹고, 먹니, 먹지, 먹는…'처럼 형태가 다양하게 변한다.

⑤ 용언은 "하니가 달린다.", "방이 깨끗하다."처럼 주체(하니, 방)의 동작(달리는 움직임)이나 상태나 성질(깨끗한 방의 상태) 등을 서술한다.

14 동사는 사람이나 사물의 움직임을 나타내며 형용사는 사람이나 사물의 상태나 성질을 나타낸다. ③의 '걷는다'는 사람의 움직임을 나타내고 있으므로 동사이다.

오답 풀이 ① '밝다', ② '깨끗하다', ④ '좋다', ⑤ '붉다'는 사람이나 사물의 상태나 성질을 나타내고 있으므로 형용사이다.

15 사람이나 사물의 움직임을 나타내는 말은 동사인데, ①의 '높다'는 주체인 '하늘'의 상태를 나타내는 형용사이다.

오답 풀이 ② '샀다'는 주체인 '아빠'의 움직임을 나타내는 동사이다.

③ '난다'는 주체인 '기러기'의 움직임을 나타내는 동사이다.

④ '걸었다'는 주체인 '그'의 움직임을 나타내는 동사이다.

⑤ '앉았다'는 주체인 '우리'의 움직임을 나타내는 동사이다.

16 기본형이란 형태가 변하는 단어의 기본이 되는 형태로, 어간에 어미 '-다'를 붙인다. '예뻐지는구나(예뻐지-+-는-+-구나)'의 기본형은 어간 '예뻐지-'에 어미 '-다'를 붙인 '예뻐지다'이다.

오답 풀이 ① '많아(많-+-아)'는 어간 '많-'에 어미 '-다'를 붙인 '많다'가 기본형이다.

② '씻고(씻-+-고)'는 어간 '씻-'에 어미 '-다'를 붙인 '씻다'가 기본형이다.

④ '담겨(담기-+-어)'는 어간 '담기-'에 어미 '-다'를 붙인 '담기다'가 기본형이다.

⑤ '따뜻하네(따뜻하-+-네)'는 어간 '따뜻하-'에 어미 '-다'를 붙인 '따뜻하다'가 기본형이다.

17 형용사는 동사에 비해 결합하는 어미에 제약이 있다. 먼저 형용사는 청유의 뜻을 나타내는 어미 '-자'와 결합할 수 없다. 따라서 '건강하다'는 형용사이므로 ④의 '건강하자'는 틀린 표현이다. 이외에도 형용사는 명령의 뜻을 나타내는 어미 '-아라/-어라', 사건이나 행위가 현재 일어남을 나타내는 어미 '-는-/-ㄴ-'을 붙여 쓸 수 없다.

오답 풀이 ① '씻어라'는 동사로, 어간 '씻-'에 명령을 나타내는 어미 '-어라'가 결합했다.

② '일하자'는 동사로, 어간 '일하-'에 청유를 나타내는 어미 '-자'가 결합했다.

③ '먹는다'는 동사로, 기본형 '먹다'와 행위가 현재 일어남을 나타내는 어미 '-는-'이 결합했다.

⑤ '입어라'는 동사로, 어간 '입-'에 명령을 나타내는 어미 '-어라'가 결합했다.

18 〈보기〉의 '먹다'는 동사로, 동사는 형용사와 달리 사건이나 행위가 현재 일어남을 나타내는 어미 '-는-/-ㄴ-'을 붙여 쓸 수 있다. 또한 목적을 나타내는 어미 '-(으)러', 의도를 나타내

는 어미 '-(으)려'와도 결합할 수 있으며, 진행상을 나타내는 '-고 있다'와도 결합할 수 있다.

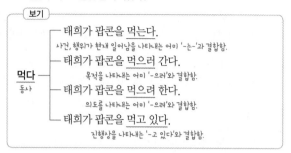

그러나 ⑤의 '무겁다'는 형용사이므로 〈보기〉와 같이 형태가 변할 수 없다.

오답 풀이 ① 자다: 잔다, 자러 간다, 자려 한다, 자고 있다
② 잡다: 잡는다, 잡으러 간다, 잡으려 한다, 잡고 있다
③ 보다: 본다, 보러 간다, 보려 한다, 보고 있다
④ 치우다: 치운다, 치우러 간다, 치우려 한다, 치우고 있다

19 밑줄 친 단어인 '새'는 관형사로 체언 '자전거' 앞에 놓여서 '자전거'를 꾸며 주고 있고, '쌩쌩'은 부사로 용언 '지나간다' 앞에 놓여서 '지나간다'를 꾸며 주고 있다.

20 수식언인 관형사와 부사는 문장에서 다른 단어를 꾸며 주는데 관형사는 체언을 꾸며 주며, 부사는 주로 용언을 꾸며 준다.

오답 풀이 ① 수식언은 다른 단어의 꾸밈을 받는 것이 아니라 다른 단어를 꾸며 주는 역할을 한다.
② 관형사는 조사와 결합할 수 없다. 하지만 '빨리도 간다'의 '빨리(부사)+도(보조사)'와 같이 부사는 보조사와 결합할 수 있다.
③ 다른 말과의 문법적 관계를 나타내는 것은 조사이다.
④ 관형사와 부사는 문장에서 쓰일 때 형태가 변하지 않는 불변어이다.

21 ①~④는 용언을 수식하는 부사이고, ⑤의 '아무런'은 명사 '관심'을 수식하는 관형사이다.

오답 풀이 ① 부사 '일찍'은 뒤에 오는 동사 '일어났구나'를 꾸며 준다.
② 부사 '정말'은 뒤에 오는 형용사 '달다'를 꾸며 준다.
③ 부사 '제일'은 뒤에 오는 동사 '좋아해'를 꾸며 준다.
④ 부사 '한참'은 뒤에 오는 동사 '뛰었더니'를 꾸며 준다.

22 '펑펑'이 꾸며 주는 말은 '좋겠다'가 아니라 동사 '내리면'이다.

오답 풀이 ② 관형사 '어떤'은 명사 '사람'을 꾸며 준다.
③ 부사 '함께'는 동사 '놀던'을 꾸며 준다.
④ 부사 '천천히'는 형용사 '흐른다'를 꾸며 준다.
⑤ 관형사 '온'은 명사 '힘'을 꾸며 준다.

23 〈보기〉의 '헌', '어느'는 체언을 꾸며 주는 관형사이며, '활짝', '얼마나'는 주로 용언을 꾸며 주는 부사이다. (1)의 빈칸은 명사 '책' 앞에 위치하므로 '오래되어 성하지 아니하고 낡은.'을 뜻하는 관형사 '헌'이 들어가는 것이 적절하다. (2)의 빈칸에는 동사 '웃는다'를 꾸며 주는 부사 '활짝'이 들어가는 것이 가장 적절하다.

24 ④의 '깨끗이'는 동사 '청소했구나' 앞에서 이를 꾸며 주는 부사이다. '넓은'은 형용사 '넓다'가 활용한 형태로 관형사가 아니다.

오답 풀이 ① 헌 옷인데 마치 새것 같아.
② 지금은 아무 말도 하지 마.
③ 그 노래 어디가 그렇게 좋아?
→ 조사가 붙을 수 없고, 뒤에 체언(명사) '노래'가 이어지므로 '그'는 대명사가 아니라 관형사임.
⑤ 마당에 소나무 한 그루가 있다.
→ 조사가 붙을 수 없고, 뒤에 체언(의존 명사) '그루'가 이어지므로 '한'은 수사가 아니라 관형사임.

25 조사는 다른 말에 붙어 그 말과 다른 말의 문법적 관계를 나타내므로 관계언이라고 하는데, 단어임에도 불구하고 혼자서는 쓰일 수 없어 반드시 다른 말에 붙어 쓰인다.

오답 풀이 ① "민재도 춤을 춘다."의 조사 '도'는 '더함, 역시'의 뜻을 더해 준다.
② "이것은 펜이고, 저것은 연필이니?"처럼 서술격 조사 '이다'는 형태가 변한다.
④ 조사는 "영희가 책을 읽는다."의 '가', '을'처럼 주로 체언에 붙지만, '많이도(부사 '많이'+조사 '도') 왔다'에서처럼 부사에 붙기도 한다. 다만 부사에는 격 조사는 붙을 수 없고 보조사만 붙을 수 있다.
⑤ "나리가 유나를 부른다."에서 알 수 있듯이 조사 '가'는 체언(명사) '나리'에 붙어 '나리'가 '부른다'라는 동작을 하는 주체임을 나타내고, 조사 '를'은 체언(명사) '유나'에 붙어 '유나'가 '부른다'라는 동작의 대상임을 나타낸다.

26 ㉣의 '-은'은 조사가 아니라 동사 '업다'의 어간인 '업-'과 결합한 어미이다.

오답 풀이 ㉠, ㉡, ㉢, ㉤은 체언(명사) 뒤에 붙어 그 말과 다른 말의 문법적 관계를 나타내는 조사이다.

지식+ 조사와 어미의 구분

	조사	어미
공통점	홀로 쓰일 수 없어 앞말에 붙어 쓰임.	
차이점	• 단어임. • 주로 체언과 결합함. 예 새는(명사 '새'+조사 '는')	• 단어가 아님. • 용언의 어간과 결합함. 예 웃는(어간 '웃-'+어미 '-는')

독립적으로 쓰인다.

27 ⑦와 ④는 조사 '가'와 '를'이 '개미'와 '사자' 중 어느 단어에 붙느냐에 따라 의미가 달라지고 있다. ⑦ "개미가 사자를 물었다."에서는 조사 '가'가 붙은 '개미'가 '물었다'라는 동작을 한 주체(주어)가 되며, 조사 '를'이 붙은 '사자'가 '물었다'라는 동작의 대상(목적어)이 된다. 반면에 ④ "개미를 사자가 물었다."에서는 조사 '가'가 붙은 '사자'가 동작의 주체(주어)가 되며, 조사 '를'이 붙은 '개미'가 동작의 대상(목적어)이 된다.

28 〈보기〉의 밑줄 친 부분은 '보조사'에 대한 설명이다. ⑤에 쓰인 조사는 '가, 에게, 을, 이다'로 각각 앞말이 문장에서 주어, 부사어, 목적어, 서술어 역할을 하게 해 주는 격 조사이다.

> **보기**
> ① 조사는 주로 체언 뒤에 붙어, 그 말과 다른 말의 문법적인 관계를 나타내므로 관계언이라고 한다. 그런데 조사 중에는 ② 체언, 부사 등에 붙어서 특별한 뜻을 더해 주는 역할을 하는 것도 있다.
> ① "영희가 친절하다"에서 조사 '가'는 영희가 문장의 주어임을 나타낸다.
> → 조사 '가'는 체언(명사) '영희'에 붙어 문법적인 관계를 나타낸다.
> ② "동생이 빵만 먹었다"에서 조사 '만'은 '한정, 단독'의 의미를 지닌다.
> → 조사 '만'은 체언(명사) '빵'에 붙어 특별한 뜻을 더한다.

오답풀이 ① 너도 숙제를 안 했어?
'더함, 역시'의 의미를 더해 줌.
② 나만 매운 음식을 싫어해?
'한정, 단독'의 의미를 더해 줌.
③ 그마저 나를 배신할 줄이야.
'더함, 마지막'의 의미를 더해 줌.
④ 너조차 가지 않겠다는 거니?
'더함'의 의미를 더해 줌.

29 관계언인 조사는 문장에서 쓰일 때 형태가 변하지 않지만, 서술격 조사 '이다'는 예외적으로 〈보기〉의 '이고', '이야'와 같이 형태가 변한다.
오답풀이 ① '이다'는 서술격 조사로, 조사는 관계언에 해당한다.
② 조사는 단어이지만 홀로 쓰일 수 없어 다른 말에 붙어 쓰인다.
③ 형태가 변하는 단어는 기본형이 사전에 실리기 때문에, '이고', '이야'의 기본형인 '이다'가 사전에 실린다.
④ '이다'는 체언에 붙어 그 말이 문장에서 서술어의 역할을 함을 나타낸다.

> **지식⁺** 서술격 조사 '이다'의 활용
> 서술격 조사 '이다'는 다른 격 조사와 달리 '이고, 이며, 이니' 등 다양하게 활용할 수 있다. 용언인 동사와 형용사를 제외하고 유일하게 활용하는 가변어라고 할 수 있다.

30 '우아', '응'은 감탄사로 문장에서 다른 말들에 얽매이지 않고

> **보기**
> 주희: 우아, 영화관이 정말 넓네.
> 말하는 이의 놀람 등의 느낌을 나타내는 감탄사
> 지선: 응. 또 새 건물이라 엄청 깨끗해.
> 대답을 나타내는 감탄사

오답풀이 ① 감탄사는 문장에서 쓰일 때 형태가 변하지 않는다.
② 문장 전체를 꾸며 주는 역할을 하는 단어는 부사이다.
③ 감탄사가 아닌 보조사에 대한 설명이다. '도', '만' 등과 같은 조사는 앞말과 결합하여 특별한 의미를 더해 준다.
④ 우리말의 품사 중에서 홀로 쓰일 수 없어 다른 말과 결합하여 쓰이는 것은 조사이다.

31 감탄사는 '앗', '어머나', '응', '네'와 같이 놀람, 반가움 등의 느낌이나 부름, 대답을 나타내는 단어이다. ③의 '석진아'는 명사 '석진'과 조사 '아'가 결합한 말로 감탄사가 아니다.
오답풀이 ①의 '아야', ②의 '앗'은 말하는 이의 느낌을 나타내는 감탄사이다.
④의 '그래', ⑤의 '네'는 대답을 나타내는 감탄사이다.

32 감탄사는 놀람, 반가움 등의 느낌이나 부름, 대답을 나타내는데, ②의 '어머나'는 말하는 이의 느낌을 나타낸다.

> **보기**
> 감탄사는 문장에서 다른 단어와 관계를 맺지 않고 독립적으로 쓰이며, 말하는 이의 놀람, 반가움 등의 느낌, 부름이나 대답을 나타낸다. '어머나', '아', '아야', '앗', '아이고' 등

오답풀이 ①의 '야', ⑤의 '여보세요'는 부름을 나타내는 감탄사이다.
③의 '아니요', ④의 '예'는 대답을 나타내는 감탄사이다.

> **지식⁺** '아니요'와 '아니오'의 구분
> 대답하는 말로 사용될 때에는 '예, 아니요'처럼 '아니요'를 쓴다. 그러나 "내가 잘못한 게 아니오."처럼 문장의 서술어로 사용된 경우에는 '아니오'를 쓴다. '아니오'는 형용사 '아니다'가 활용한 형태이다.
>
> | | 아니요 | 아니오(아니다) |
> |---|---|---|
> | 품사 | 감탄사 | 형용사 |
> | 뜻 | 윗사람이 묻는 말에 부정하여 대답할 때 쓰는 말. | 어떤 사실을 부정하는 뜻을 나타내는 말. |
> | 예 | "무슨 일 있니?" "아니요, 아무 일도 없어요." | 이것은 책이 아니오. 나는 그녀의 동생이 아니오. |

33 '차갑다'는 사물의 상태나 성질을 나타내므로 동사가 아니라 형용사이다.
오답풀이 ① 사람이나 사물의 이름을 나타내고 있으므로 명

사이다. '신사임당, 나무'는 구체적인 대상을, '노력, 행복'은 추상적인 대상의 이름을 나타내고 있다.

③ 사람이나 사물 등의 상태나 성질을 나타내고 있으므로 형용사이다.

④ 다른 말을 꾸며 주는 기능을 하는 부사이다.

⑤ 말하는 사람의 느낌, 부름이나 대답을 나타내고 있으므로 감탄사이다.

34 '셋에 다섯을 더하면 여덟____.'의 빈칸에는 수사 '여덟'과 결합해 서술어의 역할을 하는 서술격 조사 '이다'가 와야 한다. 서술격 조사는 문장에서 쓰일 때 형태가 변하므로 '여덟이야', '여덟이네'와 같이 다양한 형태로 쓰일 수 있다.

오답 풀이 ① 은기야, 밥 ____? → '먹다', '하다'와 같은 동사가 쓰일 수 있다.

② ____! 휴지가 없다! → 말하는 이의 느낌이나 부름 등을 나타내는 '어머', '야' 등의 감탄사가 쓰일 수 있다.

③ 형, 나는 ____을 선물로 받았어. → 조사 '을'이 쓰였으므로 '옷', '컵'과 같은 명사가 쓰일 수 있다.

⑤ 제 눈에는 ____이 더 아름다워요. → 조사 '이'가 쓰였으므로 '그것', '당신'과 같은 대명사가 쓰일 수 있다.

35 '옛'은 관형사가 맞지만, '둘'은 관형사가 아니라 수사이다.

오답 풀이 ① '문득'은 동사 '떠오른다'를 꾸며 주는 부사이다.

② '오'는 문장에서 독립적으로 쓰이며, 말하는 이의 느낌을 나타내는 감탄사이다.

④ '단짝', '친구', '기억', '가슴'은 사람이나 사물 등의 이름을 나타내는 명사이다.

⑤ '만났다', '떠오른다', '두근거린다'는 사람이나 사물 등의 움직임을 나타내는 동사이다.

이외에 포스터에는 대명사(나), 형용사(재미있다), 조사(의, 이)가 쓰였다.

36 ㉠의 '같이'는 명사 '구름'에 붙어 '앞말이 보이는 전형적인 어떤 특징처럼'의 뜻을 나타내는 조사이다. ㉡의 '같이'는 동사 '먹었다' 앞에 놓여 이를 꾸며 주는 부사이다.

37 ④의 '열'은 '사람이나 물건이 죽 벌여 늘어선 줄.'을 뜻하는 명사이다.

오답 풀이 ① 명수가 너무 헌 옷을 입었다.
　　　　　 관형사 '헌'을 꾸며 주는 부사

② 그 일은 모두에게 책임이 있다.
　 '일정한 수효나 양을 기준으로 하여 빠짐이나 넘침이 없는 전체'를 뜻하는 명사

③ 우주에서 가장 큰 별은 무엇인가요?
　　　　　　　　 형용사 '크다'가 활용한 형태

⑤ 준태는 일곱 명의 아이들과 함께 놀았다.
　 뒤에 오는 의존 명사 '명'을 꾸며 주는 관형사

지식+ 🏆 하나의 단어가 둘 이상의 품사로 쓰이는 예

• 명사와 부사로 쓰이는 경우
　예 오늘의 날씨 (명사) / 선생님이 오늘 오셨다. (부사)

• 형용사와 동사로 쓰이는 경우
　예 밝은 불빛 (형용사) / 새벽이 밝아 온다. (동사)

• 수사와 관형사로 쓰이는 경우
　예 둘에 셋을 더하면 다섯이다. (수사) / 연필 다섯 자루 (관형사)

• 대명사와 관형사로 쓰이는 경우
　예 이보다 더 좋을 수 없다. (대명사) / 이 사과가 맛있다. (관형사)

• 명사와 감탄사로 쓰이는 경우
　예 만세 소리 (명사) / 대한 독립 만세! (감탄사)

• 부사와 감탄사로 쓰이는 경우
　예 아니 슬프다 (부사) / 아니, 벌써 도착했니? (감탄사)

• 명사와 부사, 감탄사로 쓰이는 경우
　예 지금 한 말은 정말이다. (명사) / 너를 정말 좋아해. (부사) / 큰일 났네, 정말! (감탄사)

38 제시된 문장의 '그'는 대명사가 아니라 '사람'을 꾸며 주는 관형사이다.

보기

아, / 그 / 사람 / 을 / 만나서 / 매우 / 행복하다.
감탄사 관형사 명사　조사　동사　　부사　　형용사

오답 풀이 ③ 동사 '만나서(만나-+-서)'는 어간 '만나-'에 어미 '-다'를 붙인 '만나다'가 기본형이다.

⑤ '행복하다'는 말하는 사람의 상태를 나타내고 있다.

🐱 **교과서 실전 문제** 　　　　　　　　36~39쪽

01 ④ 　**02** 명사: 주말, 약속, 민호, 우정 / 대명사: 너, 거기 / 수사: 셋, 첫째, 둘째 　**03** ② 　**04** ④ 　**05** ⑤
06 ⑤ 　**07** ③ 　**08** ⑤ 　**09** ① 　**10** ④
11 ③ 　**12** ① 　**13** ② 　**14** ⑤ 　**15** ④
16 ⑤ 　**17** 명사: 적, 은서 / 대명사: 너, 우리 / 수사: 둘 / 동사: 가리키다, 주문하다 / 형용사: 배고프다, 맛있다 / 관형사: 저, 어떤 / 부사: 너무 / 조사: 이다, 에서 / 감탄사: 아니, 그래 　**18** ㉠의 품사: 수사 / ㉡의 품사: 관형사 / ㉠과 ㉡의 품사 구분 방법: 뒤에 조사가 붙어 있는지 확인해 본다. 붙어 있으면 수사, 조사가 붙을 수 없고 뒤에 체언이 오면 관형사이다. 　**19** ㉮ 문장은 수식언을 사용하지 않았고, ㉯ 문장은 관형사와 부사를 사용하여 상황을 더 분명하게 전달하고 있다. 수식언을 사용했을 때 문장의 의미가 더 자세하고 분명하다. 　**20** ㉮에서 딸은 아빠에게 케이크와 선물을 모두 사 오라고 말하는데, 아빠는 이에 긍정적으로 대답하는 상황이다. ㉯에서 딸은 아빠에게 케이크 또는 선물을 선택해서 사 오라고 말하는데, 아빠는 딸의 말에 잊고 있었던 사실을 갑자기 깨닫고 긍정적으로 대답하는 상황이다.

01 ㉢ '의미'에 따라 나누면 '아홉'은 수사, '학생'은 명사로 서로 품사가 다르다.

보기

(나)	열	에	아홉	은	매우	착실한	학생	이다.
㉠	불변어	불변어	불변어	불변어	불변어	가변어	불변어	가변어
㉡	체언	관계언	체언	관계언	수식언	용언	체언	관계언
㉢	수사	조사	수사	조사	부사	형용사	명사	조사

오답 풀이 ① ㉠ '형태'에 따라 나누면 '착실한'은 형용사, '이다'는 서술격 조사로 모두 가변어이다.

② ㉡ '기능'에 따라 나누면 '열'은 수사, '학생'은 명사로 모두 체언이다.

③ ㉡ '기능'에 따라 나누면 '에', '은', '이다'는 모두 조사로 관계언이다.

⑤ ㉢ '의미'에 따라 나누면 '매우'는 부사, '착실한'은 형용사로 서로 다른 품사이다.

02 명사는 사람이나 사물 등의 이름을 나타내고, 대명사는 사람이나 사물 등의 이름을 대신하여 나타내는 단어이다. 수사는 사람이나 사물 등의 수량이나 순서를 나타낸다.

03 제시된 대화의 밑줄 친 단어들은 모두 체언으로, 체언은 형태가 변하지 않고(㉠) 관형사의 꾸밈을 받으며(㉡), 조사와 결합해 주어, 목적어 등 다양한 문장 성분으로 쓰인다(㉢).

오답 풀이 ㉢ 문장 안에서 독립적으로 쓰이는 것은 감탄사이다.

㉤ 사람이나 사물의 이름을 나타내는 것은 체언 중에서 명사이며, 사람이나 사물의 이름을 대신해서 나타내는 것은 체언 중에서 대명사이므로, ㉤은 체언의 공통적인 특징을 나타낸다고 할 수 없다.

04 ㉠은 모두 명사로, '나무, 얼굴'과 같이 구체적인 대상의 이름을 나타내는 구체 명사와 '행복, 평화'와 같이 추상적인 대상의 이름을 나타내는 추상 명사로 나눌 수 있다. ㉡은 모두 수사로, '하나, 서넛'과 같이 사람이나 사물 등의 수량을 나타내는 양수사와 '둘째, 셋째'와 같이 사람이나 사물 등의 순서를 나타내는 서수사로 나눌 수 있다.

오답 풀이 ① 의미에 따라 분류할 때 ㉠은 명사, ㉡은 수사이다.

② 기능에 따라 분류할 때 ㉠, ㉡은 체언이다.

③ ㉠, ㉡은 체언으로 조사와 결합하여 문장에서 주로 주어, 목적어 등의 자리에 오며, 문장에서 쓰일 때 형태가 변하지 않는 불변어이다.

⑤ ㉡의 '하나', '서넛'은 수량을 나타내는 양수사이고, '둘째', '셋째'는 순서를 나타내는 서수사이다.

05 '산책하다'는 동사이므로 형용사와 달리 진행상을 나타내는 '-고 있다'와 결합할 수 있다.

오답 풀이 ① 진홍아, 예뻐라.

→ 형용사에는 명령의 뜻을 나타내는 어미를 붙여 쓸 수 없음.

② 매일매일 행복하세요.

→ 형용사에는 명령의 뜻을 나타내는 어미를 붙여 쓸 수 없으므로 '행복하게 보내세요'와 같이 고쳐 써야 함.

③ 애들아, 좀 조용하자.

→ 형용사에는 청유의 뜻을 나타내는 어미를 붙여 쓸 수 없으므로 '조용히 하자'와 같이 고쳐 써야 함.

④ 겨울 날씨가 매우 찬다.

→ 형용사에는 사건이나 행위가 현재 일어남을 나타내는 어미를 붙여 쓸 수 없으므로 '차다'와 같이 고쳐 써야 함.

06 대명사는 사람, 사물, 장소를 대신해서 가리키는 대명사로 나눌 수 있는데, '거기'는 과학실이라는 장소를 '이것', '그것'은 필통이라는 사물을, '너', '나'는 수현이라는 사람을 가리킨다.

오답 풀이 ① '너'와 '나'는 모두 수현이를 가리킨다.

② 대명사 '거기'는 조사와 결합하지만 문장에서 쓰일 때 형태가 변하지 않는다.

③ '이것', '그것'은 모두 '필통'을 가리키지만, 수현이와 연지의 필통은 아니다.

④ '거기', '이것', '그것', '너', '나'는 사람이나 사물 등의 이름을 대신하여 나타내는 대명사이다. 다른 말을 꾸며 주는 것은 수식언인 관형사와 부사이다.

07 동사와 형용사는 문장에서 쓰일 때 형태가 다양하게 변화하는데, 이때 움직임을 나타내는 ㉮의 동사 '잡다'는 〈보기〉와 같이 활용할 때 제약이 없다. 하지만 상태나 성질을 나타내는 ㉯의 형용사 '건강하다'는 동사에 비해 결합하는 어미에 제약이 있다. 사건이나 행위가 현재 일어남을 나타내는 어미 '-는-/-ㄴ-'과 결합할 수 없으며, 청유의 뜻을 나타내는 어미 '-자', 명령의 뜻을 나타내는 어미 '-아라/-어라'와도 결합할 수 없다. 따라서 ㉯의 '건강하자'는 '건강하게 지내자' 등으로, '건강해라'는 '건강하게 지내라' 등으로 고쳐 써야 한다.

오답 풀이 ① 형태가 변하는 단어는 어간에 어미 '-다'를 붙인 기본형이 사전에 실린다.

② ㉮의 '잡다'는 대상의 움직임을 나타내는 동사이며, ㉯의 '건강하다'는 대상의 상태나 성질을 나타내는 형용사이다.

08 밑줄 친 두 단어는 모두 관형사로, ⑤는 관형사가 아닌 조사에 대한 설명이다.

오답 풀이 ①, ② 관형사는 체언 앞에 놓여 체언을 꾸며 주는 역할을 한다.

③ 관형사는 문장에서 쓰일 때 형태가 변하지 않는 불변어이다.

④ 관형사는 체언 앞에서 체언을 꾸며 주므로 문장에서 자리를 이동할 때 제약이 있다.

09 밑줄 친 단어는 모두 부사로, 부사는 대개 용언을 꾸미지만, 관형사나 부사, 문장 전체를 수식하기도 한다. ②~⑤에 쓰인 부사는 모두 용언을 수식하지만, ①의 '과연'은 뒤에 이어지는 문장 전체를 수식하고 있다.

오답 풀이 ② 소설의 뒷이야기가 <u>무척</u> 궁금해.

③ 들떠서 <u>폴짝폴짝</u> 뛸 때부터 불안했어.

④ 분명히 그날은 비가 아주 <u>많이</u> 내렸다.

⑤ 발표를 앞두고 정선이의 입이 <u>바짝</u> 말랐다.

10 조사는 홀로 쓰일 수 없어 체언 뒤에 붙어서 다른 말과의 문법적 관계를 나타낸다. ㉣의 앞말인 '마셨–'은 용언의 어간으로, 용언은 어간과 어미가 결합한 형태이므로 ㉣에는 조사가 아니라 '–고, –으나, –는데' 등의 어미가 들어가야 한다.

> 한참 / 뛰었더니 / 목 / ㉠ / 말라서 / 효주 / ㉡ / 물 /
> 부사   동사   명사   동사   명사   명사
> ㉢ / 마셨㉣. / 나 / ㉤ / 음료수 / 를 / 마셨다.
> 조사 동사   대명사 조사 명사   조사 동사

오답 풀이 ① ㉠의 앞말은 명사 '목'이므로, ㉠에 조사가 쓰인다.

② ㉡의 앞말은 명사 '효주'이므로, ㉡에 조사가 쓰인다.

③ ㉢의 앞말은 명사 '물'이므로, ㉢에 조사가 쓰인다.

⑤ ㉤의 앞말은 대명사 '나'이므로, ㉤에 조사가 쓰인다.

11 밑줄 친 단어는 모두 조사로, ①, ②, ④, ⑤는 앞말에 특별한 뜻을 더해 주는 보조사이지만, ③은 체언 뒤에 붙어 단어들 사이의 관계를 나타내 주는 격 조사이다.

오답 풀이 ① '마저'는 '더함'의 뜻을 나타내는 보조사이다. 하나 남은 마지막임을 나타낸다.

②, ⑤ '은/는'은 어떤 대상이 다른 것과 대조됨을 나타내는 보조사이다.

④ '만'은 다른 것으로부터 제한하여 어느 것을 한정함을 나타내는 보조사이다.

12 (나)는 (가)에서 조사 '을'을 조사 '만'으로 바꾸고, (다)는 (가)에서 조사 '을'을 조사 '도'로 바꾸어 쓴 것이다. (나)의 '만'과 (다)의 '도'는 앞말에 특별한 의미를 더해 주지만, (가)의 '을'은 명사 '환경'에 붙어 목적어로 쓰인다는 문법적 관계를 나타낼 뿐, 특별한 뜻을 더해 주는 것은 아니다.

오답 풀이 ④ (나)의 '만'은 앞말에 '한정, 단독'의 의미를 더해 주며, (다)의 '도'는 앞말에 '더함, 역시'의 의미를 더해 준다.

⑤ (가)의 '이', (나)의 '이', (다)의 '이'는 앞말이 문장에서 주어로, (가)의 '을'은 앞말이 목적어로 쓰인다는 문법적 관계를 나타낸다.

13 우리말의 품사 중에서 홀로 쓰일 수 없어 다른 말에 붙어 쓰이는 것은 조사이다. ㉡의 '새'는 조사와 결합하지 않고 홀로 쓰이면서 뒤에 오는 명사 '망원경'을 꾸며 주는 관형사이며, ㉢의 '이'는 홀로 쓰일 수 없어 앞말 '막냇동생'에 붙어 이것이 주어임을 나타내는 조사이다.

> 보기
> • ㉠새 / 를 / 관찰하려고 / ㉡새 / 망원경 / 을 / 샀다.
>   명사 조사   동사   관형사 명사   조사 동사
> • 막냇동생 / ㉢이 / 드디어 / ㉣이 / 가 / 났다.
>   명사   조사   부사   명사 조사 동사

오답 풀이 ① ㉠은 사물의 이름을 나타내는 명사로 조사 '를'과 결합해 문장에서 목적어로 쓰이지만, ㉡은 명사 '망원경' 앞에 놓여 이를 꾸며 주는 관형사로 조사와 결합할 수 없다.

② ㉠과 ㉣은 모두 사물의 이름을 나타내는 명사이다.

④ ㉢, ㉣은 소리는 같지만 의미가 다른 관계로, ㉢은 조사, ㉣은 명사이다.

⑤ ㉠, ㉣은 명사, ㉡은 관형사, ㉢은 조사로, 모두 문장에서 쓰일 때 형태가 변하지 않는 불변어이다.

14 ⑤의 '새하얗다'는 '매우 하얗다.'를 뜻하는 형용사이다.

오답 풀이 ① <u>얘</u>, 물 좀 떠오너라.
감탄사

② 벌써 <u>끝이라니</u> 너무 아쉬워.
명사(끝) + 서술격 조사(이라니)

③ 동생은 <u>나보다</u> 빨리 잠이 들었어.
조사

④ <u>저</u> 사과가 제일 맛있게 생겼다.
관형사

15 〈보기〉의 밑줄 친 말들은 놀람, 반가움 등의 느낌, 부름이나 대답을 나타내는 감탄사로, 다른 말들에 얽매이지 않고 독립적으로 쓰여 생략해도 문장이 성립한다.

오답 풀이 ① '여보세요', '어이', '이봐', '얘' 등은 부름을 나타낸다.

② '아니요', '그래', '응', '오냐', '네' 등은 남의 말에 대한 대답을 나타낸다.

③ '어머', '앗', '아차', '아이고' 등은 놀람, 반가움과 같이 말하는 이의 느낌을 나타낸다.

④ 감탄사는 문장에서 쓰일 때 형태가 변하지 않으며 조사와 결합하지 않는다.

16 '같이'는 'ㄱ, ㄴ'처럼 앞말과 결합해 조사로 쓰이기도 하고, 'ㄷ, ㄹ'처럼 앞말과 띄어서 부사로 쓰이기도 한다. ⑤ "은형이와 친구는 같이 도서관에 갔다."의 '같이'는 앞말인 '친구는'과 띄어 쓰며 '서로 함께'의 의미를 지니므로 'ㄷ'의 예문으로 적절하다. 'ㄹ'의 예문으로는 "예상한 바와 같이 우리 반이 이겼다."와 같은 문장이 적절하다.

오답 풀이 ① 엄마의 손이 얼음장같이 차갑다.
→ 앞말에 붙여 쓴 조사로, '얼음장처럼'의 뜻을 지녀 'ㄱ'의 예문으로 적절함.
② 그는 눈같이 맑은 영혼의 소유자였다.
→ 앞말에 붙여 쓴 조사로, '눈처럼'의 뜻을 지녀 'ㄱ'의 예문으로 적절함.
③ 내일은 새벽같이 일어나야 한다.
→ 앞말에 붙여 쓴 조사로, 앞말인 '새벽'의 '때'를 강조하는 의미를 지녀 'ㄴ'의 예문으로 적절함.
④ 지난 10년 동안 같이 알고 지내던 사이야.
→ 앞말과 띄어 쓴 부사로, '서로 함께'의 의미를 지녀 'ㄹ'의 예문으로 적절함.

17 밑줄 친 단어의 의미적 특성을 고려하여 분류한다. 제시된 글에 쓰인 단어의 품사는 다음과 같다.

> "너, 저 음식 먹어 본 적 있니?"   : 조사
> 대명사 관형사 명사 동사 동사 명사 형용사
> 은서가 식당 앞 사진을 가리켰다.
> 명사   명사 명사 명사   동사
> "아니, 없어."
> 감탄사 형용사
> "우리, 같이 들어갈까? 너무 배고파서 못 견디겠다."
> 대명사 부사 동사   부사 형용사 부사 동사
> "그래, 좋아."
> 감탄사 형용사
> 은서와 지호는 식당에 들어갔다.
> 명사 명사 명사   동사
> 식당 안에는 손님 둘이 밥을 먹고 있었다. 은서와 지
> 명사 명사 명사 수사 명사 동사 동사   명사 명
> 호는 자리에 앉았다.
> 사   명사   동사
> "어떤 것을 먹을지 고민이네."
> 관형사 명사 동사   명사
> "식당 밖에서 봤던 것으로 주문하자. 그게 제일 맛있   대명사+조사 → '그게'는 '그것이'의 준말임.
> 명사 명사 동사 명사 동사   부사 형용사
> 을 것 같아."
> 명사 형용사

평가 기준

평가 요소	확인
밑줄 친 단어들을 품사에 따라 알맞게 분류하였다.	
동사와 형용사, 서술격 조사는 기본형으로 썼다.	

18 뒤에 조사가 붙어 있거나 조사가 생략되어 나타나지 않았지만

조사가 붙을 수 있으면 수사이고, 조사가 붙을 수 없고 뒤에 체언이 오면 수 관형사이다.

평가 기준

평가 요소	확인
㉠과 ㉡의 품사를 알맞게 파악하였다.	
조사와의 결합 여부, 뒤에 오는 품사를 통해 ㉠과 ㉡의 품사를 구분할 수 있음을 밝혔다.	

19 ㉯ 문장은 '모든', '깜짝'과 같은 말로 뒤의 말을 꾸며 주어 상황을 자세히 전달하고 있다.

평가 기준

평가 요소	확인
㉮와 ㉯ 문장의 차이점을 서술하였다.	
㉯ 문장에 쓰인 수식언의 품사를 밝혔다.	
문장에서 수식언을 사용했을 때 문장의 의미가 더 분명해짐을 밝혔다.	

20 조사나 감탄사가 바뀌면 문장 전체의 의미가 달라질 수 있다.

평가 기준

평가 요소	확인
㉮와 ㉯의 대화 상황을 밑줄 친 조사와 감탄사의 의미를 포함하여 서술하였다.	
주어진 문장 형식에 맞추어 서술하였다.	

III | 어휘의 체계와 양상

07 어휘의 체계   43쪽

1 (1) ○ (2) X (3) ○ (4) X
2 (1) 문화, 정서 (2) 고유어 (3) 압축적 (4) 외래어
3 (1) ㉠ (2) ㉢ (3) ㉡
4 (1) 치료하다 (2) 수정하다
5 (1) 한 (2) 외 (3) 외 (4) 한 (5) 고
6 (1) 다디달다 (2) 주룩주룩 (3) 반들반들하다 (4) 달맞이
   (5) 시원섭섭하다

08 어휘의 양상 1   45쪽

1 (1) X (2) ○ (3) X (4) ○ (5) X
2 (1) 상호 보완적 (2) 유대감 (3) 효율성
3 (1) 방언 (2) 표준어, 지역 방언 (3) 은어, 전문어
   (4) 줄임 말, 한자어
4 (1) ㉢ (2) ㉠ (3) ㉡

09 어휘의 양상 2   47쪽

1 (1) X (2) X (3) ○ (4) ○ (5) X
2 (1) 반대 (2) 일반적, 구체적 (3) 중심적, 주변적
3 (1) 이따금, 자주 (2) 이르다, 느리다
4 (1) ㉡ (2) ㉠ (3) ㉢
5 복식
6 (1) 얇게 (2) 가늘다 (3) 얇아서

개념 적용 훈련 문제   49~51쪽

01 ⑤   02 고유어: ㉡, ㉣ / 한자어: ㉠, ㉺ / 외래어: ㉢, ㉤
03 ④   04 ④   05 ②   06 ③   07 ①
08 ③   09 ⑤   10 ②   11 ④   12 ③
13 다른 사람들이 알아듣지 못하게 하거나 집단의 비밀을 유지하기 위해서이다.   14 ⑤   15 ③   16 ③   17 ②
18 ⑤   19 ②   20 뜻이 서로 비슷한 단어라고 해도 의미 차이가 있다.

---

01 일정한 범위 안에 들어 있는 공통된 특성을 지닌 단어의 집합을 어휘라고 한다. 어휘는 지역적 요인과 사회적 요인에 따라 다양한 양상으로 나타나는데, 그중 세대, 직업, 성별 등 사회적 요인에 따라 달라진 말을 사회 방언이라고 한다. 사회 방언의 예로는 전문어, 은어 등이 있으며 ⑤의 유의어, 반의어, 상의어, 하의어는 어휘의 의미 관계에 따라 나타난 어휘의 양상이다.

오답 풀이 ① 단어들은 그 수가 워낙 많아서 각각의 특성을 한눈에 파악하기 어렵다. 그래서 공통된 성격을 지닌 단어끼리 묶어서 살피는데, 이렇게 일정한 범위 안에 들어 있는 단어의 집합을 어휘라고 한다.
② 어휘의 의미 관계에 따라 유의어, 반의어, 상의어, 하의어 등 어휘의 양상이 다양하게 나타난다.
③ 우리말 어휘는 고유어, 한자어, 외래어로 분류할 수 있다.
④ 같은 언어라 하더라도 지역적으로 떨어져 오랜 시간이 흐르면 단어의 형태가 달라지는데, 이렇게 지역에 따라 달라진 말을 지역 방언이라고 한다.

02 '몸'과 '처음'은 예부터 우리말에 있었거나 우리말에 기초하여 새로 만들어진 고유어이다. '운동(運動)'과 '수건(手巾)'은 한자에 기초하여 만들어진 한자어이다. '헬스'와 '샤워'는 다른 나라에서 들어온 말 가운데 우리말로 인정되는 외래어이다.

03 밑줄 친 단어들은 아이들이 연못에 돌을 던지는 소리, 개구리들이 뛰어오르는 모양이나 물속에 뛰어드는 소리 등을 생생하고 풍부하게 표현하고 있다.

> 아이들이 연못에 풍당풍당 돌을 던지자, 개구리들이 폴짝
> 작고 단단한 물건이 잇따라 물에 떨어   작은 것이 세차고 가볍게
> 지거나 빠질 때 가볍게 나는 소리.   한 번 뛰어오르는 모양.
> 뛰어오르며 물속으로 풍덩풍덩 뛰어들었다.
> 크고 무거운 물건이 깊은 물에 잇따라 떨어지거나 빠질 때 무겁게 나는 소리.

오답 풀이 ① 외래어에 대한 설명으로, 외래어는 다른 나라의 문화가 들어오면서 함께 들어온 새로운 사물이나 현상을 나타내는 말이 많다.
② 고유어와는 관련이 없는 내용이다. 같은 지역 방언을 사용하는 사람끼리는 친근감과 유대감을 느낄 수 있다.
③ 고유어는 본래부터 우리말에 있었거나 우리말에 기초하여 새로 만들어진 말이기 때문에 우리말로 굳어졌다는 설명은 적절하지 않다.
⑤ 한자어에 대한 설명으로, 한자어는 글자 하나가 하나의 의미를 나타내 개념을 압축적으로 표현하기에 좋다.

04 고유어가 여러 가지 의미로 쓰이는 데 비해 한자어는 좀 더 정

확하고 분화된 의미를 가지고 있어 의미를 구체적으로 표현한다. 고유어 '고치다'는 쓰임에 따라 한자어 '개선하다, 개정하다, 수선하다, 수정하다, 치료하다' 등으로 대신할 수 있는데 제시된 문장의 '고치다'는 '수정하다'로 바꾸어 쓸 때 문맥상 가장 자연스럽다.

오답 풀이 ① 개선(改善)하다 예 체질을 개선하다. 노동 환경을 개선하다.

② 개정(改正)하다 예 법률을 개정하다.

③ 수선(修繕)하다 예 옷을 수선하다. 구두를 수선하다.

⑤ 치료(治療)하다 예 병을 치료하다. 상처를 치료하다.

05 고유어는 하나의 단어가 여러 가지 의미를 표현하는 경우가 많지만, 한자어는 고유어에 비해 의미가 구체적인 경우가 많다. ㉠~㉤에 쓰인 고유어 '말'은 각각 다른 한자어로 바꾸어 쓸 수 있는데, 대화의 흐름을 고려할 때 ㉡은 '설명'으로 바꾸어 쓰는 것이 적절하다.

오답 풀이 ① ㉠: '대화'로 바꾸어 쓸 수 있다.

③ ㉢: '의도'로 바꾸어 쓸 수 있다.

④ ㉣: '표현'으로 바꾸어 쓸 수 있다.

⑤ ㉤: '해명', '설명' 등으로 바꾸어 쓸 수 있다.

06 '부럼'은 정월 대보름과 관련한 우리 민족의 풍습과 관련 있는 고유어, '연세(年歲)'는 '나이'의 높임말에 해당하는 한자어, '버스(bus)'는 외국 문화와의 접촉을 통해 들어온 외래어이다. 이 중에서 '연세'는 고유어 '나이'로 바꿀 수 있지만 높임의 의미가 사라져 대신해 쓰기에 적절하지 않으며, '버스'는 대신해 쓸 고유어를 찾기 어렵다.

┌─ 보기 ─┐

• 정월 보름날 아침이면 부럼을 깨문다.
음력 정월 대보름날 새벽에 깨물어 먹는 딱딱한 열매류인 땅콩, 호두, 잣, 밤, 은행 따위를 통틀어 이르는 말. → 고유어

• 할아버지께서는 연세가 어떻게 되십니까?
'나이'의 높임말. → 한자어

• 나는 오늘 늦잠을 자서 버스를 놓쳤다.
많은 사람이 함께 타는 대형 자동차. → 외래어

오답 풀이 ① 한자어 '연세'는 한자에 기초하여 만들어졌다.

② 한자어 '연세'는 고유어 '나이'를 보완해 주며, 외래어 '버스'는 외국 문화와의 접촉을 통해 들어와 우리말 어휘를 보충해 주므로, '연세'와 '버스'는 우리말을 풍부하게 해 준다.

④ 고유어 '부럼'은 정월 대보름날 새벽에 딱딱한 열매류를 깨물어 먹는 우리 민족의 풍습과 관련된 말이다. 이처럼 고유어에는 우리 민족의 문화와 관습을 나타내 주는 말이 많다.

⑤ '버스'처럼 다른 나라에서 들어온 말 가운데 우리말로 인정된 말을 외래어라고 한다.

07 해설자는 고유어나 쉬운 한자어로 표현할 수 있는데도 외래어를 지나치게 많이 사용하고 있다. '정○○ 선수가 김□□에게 공을 주었습니다. 김□□ 선수, 이 선수는 힘이 뛰어날 뿐만 아니라 몸의 균형이 참 좋고 속도가 남다르지요.' 정도로 바꿔 써도 의미를 잘 전달할 수 있다.

┌─────────────────────────────┐
해설자: 말씀드리는 순간, 정○○ 선수가 김□□에게 볼을
                                                              공
패스했습니다. 김□□ 선수, 이 선수는 파워가 뛰어날 뿐
같은 편끼리 공을 주거나 받다   힘
만 아니라 몸의 밸런스가 참 좋고 스피드가 남다르지요.
                  균형   속도, 빠르기
└─────────────────────────────┘

오답 풀이 ② 한자어의 경우 대체로 한 글자가 하나의 의미를 나타내 개념을 압축적으로 표현하기에 좋지만, 해설자의 말에는 의미를 지나치게 압축적으로 표현한 한자어는 쓰이지 않았다.

③ 특정 집단에 속하지 못한 사람들이 알아듣기 어려운 말은 은어이다. 해설자의 말에 은어는 쓰이지 않았다.

④ 해설자는 외래어를 많이 사용하고 있지만, 이 외래어가 실생활에서 잘 사용되지 않는 것은 아니다. 외래어를 상황에 맞게 적절하게 활용할 수 있지만, 해설자의 말에서처럼 지나치게 많이 사용하는 것은 바람직하지 않다.

⑤ 지역에 따라 달라진 말은 지역 방언으로, 해설자는 지역 방언을 사용하지 않았다.

08 제시된 대화에서 학생들은 제주도 방언인 '속았수다'의 의미를 이해하지 못해 의사소통에 어려움을 겪고 있다. 이처럼 같은 지역에 속하지 않는 사람들과 대화할 때 특정 지역 방언을 사용하면 의사소통에 문제가 생길 수 있으므로 대화 상황과 상대방을 고려하여 그에 맞는 적절한 어휘를 사용해야 한다.

┌─────────────────────────────┐
학생들이 제주도로 수학여행을 간 상황.
가이드: 먼 길들 오느라 피곤하지? 흘딱 속았수다.
                                        '수고하다'의 제주도 방언.
학생 1: 저희는 속은 적 없는데요?
가이드의 말을 표준어 '속다(남의 거짓이나 꾀에 넘어가다.)'의 의미로 이해함.
학생 2: 맞아요. 제대로 도착했잖아요.
└─────────────────────────────┘

오답 풀이 ①의 계층, ②의 세대, ④의 직업, ⑤의 성별은 사회적 요인에 해당하는데, 이와 같이 사회적 요인에 따라 달라진 어휘를 사회 방언이라고 한다.

09 민우는 고향 친구에게 날씨에 대해 이야기하는 비공식적인 상황에서 ㉠과 같이 유대감과 친밀감을 느낄 수 있는 지역 방언을 사용하였다. 하지만 시청자에게 일기 예보를 전달하는 공식적인 상황에서는 ㉡과 같이 표준어를 사용하였다. 이처럼

지역 방언과 표준어는 상황에 맞게 적절하게 사용하는 것이 효과적이기 때문에 지역 방언을 사용하지 않는 것이 좋다는 설명은 적절하지 않다.

오답 풀이 ① ㉠은 친밀한 대상인 고향 친구와 대화를 나누는 사적인 상황이며, ㉡은 뉴스에서 일기 예보를 전달하는 공적인 상황이다.

②, ③, ④ ㉠의 어휘는 지역에 따라 달라진 지역 방언으로, 그 지역의 특색과 정서를 잘 드러낸다. ㉡의 어휘는 의사소통의 불편함을 덜기 위해 공용어로 쓰는 말인 표준어로, 원활한 의사소통을 위해 공식적으로 정한 말이다.

지식+ 표준어

뜻	한 나라에서 공용어로 쓰도록 규범으로 정한 언어
특성	• 의사소통의 불편함을 덜기 위해 공용어로 씀. • 공식적인 상황에서 주로 쓰임. • 맞춤법과 표준 발음법의 대상이 됨.

10 지역 방언은 해당 지역의 특색과 정서를 드러내며 같은 지역 사람들끼리 지역 방언을 사용했을 때 서로 친근감과 유대감을 느낄 수 있기 때문에, 비공식적인 대화 상황이나 지역 특유의 정서를 표현할 때 사용하는 것이 효과적이다. 반면에 표준어는 모든 사람들이 원활하게 의사소통할 수 있는 말이기 때문에, 운동선수가 기자 회견을 하는 공식적인 상황에서는 표준어를 사용하는 것이 더 적절하다.

오답 풀이 ①, ③ 비공식적인 대화 상황이므로 친근감을 드러내는 지역 방언을 사용하는 것이 효과적이다.

④, ⑤ 지역 특유의 정서와 분위기를 드러내야 하는 상황에서는 지역 방언을 사용하는 것이 효과적이다.

지식+ 공식적인 상황과 비공식적인 상황

공식적인 상황	강연, 연설, 토의, 토론, 뉴스 보도, 회의 등
비공식적인 상황	친구 및 가족과의 대화

11 〈보기〉에서 의사는 의학 분야에서 사용하는 전문어를 사용해 같은 분야의 전문가인 간호사와 의사소통하고 있다. 이를 통해 전문어를 사용하면 필요한 의미를 정확하고 효율적으로 전달할 수 있음을 알 수 있다.

보기

의사: 이 환자, 립처는 아니니 엔세이드 쓰면서 얼음찜질하면
　　　　파열(전문어)　　　소염 진통제(전문어)
　　　되겠네요. → 의학 분야에 종사하는 간호사에게 전문어를 사용해 의사소통함.

간호사: 네, 알겠습니다.
　　　같은 의학 분야에 종사하기 때문에 의사소통에 어려움을 느끼지 않음.

오답 풀이 ①, ③ 비교적 짧은 어느 한 시기에 쓰는 것은 유행

어의 특징으로, 유행어는 당대의 사회상을 생생하게 반영하는 경우가 많다.

②, ⑤ 전문어는 업무의 효율성을 높여 주지만 그 전문 분야에 속하지 않은 사람은 해당 분야의 어휘를 이해하기 어려우므로, 전문어로는 모든 사람들과 원활하게 의사소통하기가 어렵다. 또한 상대방에게 웃음과 재미를 유발하는 것과도 거리가 멀다.

12 세대, 직업, 성별 등의 사회적 요인에 따라 다르게 쓰이는 말을 사회 방언이라고 한다. 밑줄 친 어휘들은 모두 세대에 따라 달라진 사회 방언에 해당하지만, '생파', '문상', '고구마', '생선'은 청소년층에서 즐겨 쓰는 줄임 말과 유행어이고, '평안(걱정이나 탈이 없음. 또는 무사히 잘 있음.)'은 장년층·노년층에서 즐겨 쓰는 한자어라는 점에서 차이가 있다.

오답 풀이 ① 생파: '생일 파티'를 줄인 말이다.

② 문상: '문화 상품권'을 줄인 말이다.

④ 고구마: 융통성이 없어 답답하게 구는 사람이나 일이 뜻대로 되지 않아 답답한 상황을 고구마를 먹고 목이 메는 것에 비유하여 이르는 말이다.

⑤ 생선: '생일 선물'을 줄인 말이다.

13 〈보기〉의 '대', '삼패'는 청과물 시장 상인들이 사용하는 은어로, 각각 숫자 2, 3을 뜻한다. 은어는 다른 사람들이 알아듣지 못하도록 특정 집단의 구성원들끼리 사용하는 말로, 집단의 비밀을 유지하는 기능이 있어 다른 사람들에게 알려지면 은어의 기능을 상실한다.

보기

상인 1: 이 사과 한 상자당 대에 살 수 있을까요?
　　　　　　　　　　　　　이만 원

상인 2: 아뇨, 이거 알이 굵어서 삼패는 주셔야 해요.
　　　　　　　　　　　　　　삼만 원

손님: 무슨 말이지?
　　집단(시장 상인) 밖의 사람이므로 무슨 말인지 알아듣지 못함.

14 제시된 대화에서 할머니와 손자는 각자 자신의 세대에서 즐겨 쓰는 어휘를 사용해 의사소통에 어려움을 겪고 있다. 이처럼 자신이 속한 집단에서 사용하는 사회 방언을 다른 집단에서 사용하면 의사소통이 원활하게 이루어지지 않을 수 있으므로, 대화 상대방을 고려하여 적절한 어휘를 사용해야 한다.

오답 풀이 ① 할머니는 청소년층에서 주로 사용하는 '어떤 프로그램의 본방송을 꼭 봄.'을 의미하는 '본방 사수'라는 말을 이해하지 못하고 있다.

② 손자는 노년층에서 주로 사용하는 '음력으로 열한 번째 달.'을 의미하는 '동짓달'과 '매달 첫째 날.'을 의미하는 '초하루'라는 말을 알지 못한다.

③, ④ 할머니와 손자는 세대라는 사회적 요인에 의해 달라진 어휘를 사용하여 의사소통이 원활히 이루어지지 않고 있다. 이처럼 대화 상대를 고려하지 않고 사회 방언을 하면 의사소통에 문제가 생기고 상대방이 소외감이나 이질감을 느낄 수 있으므로 주의해서 사용해야 한다.

15 '가끔'은 '시간적·공간적 간격이 얼마쯤씩 있게.'라는 의미를 지니고, '이따금'은 '얼마쯤씩 있다가 가끔.'이란 의미를 지닌다. 따라서 두 단어는 의미가 서로 비슷한 유의 관계에 있다.
　오답 풀이 ① '틈'은 '벌어져 사이가 난 자리.'를 의미하고, '사이'는 '한곳에서 다른 곳까지, 또는 한 물체에서 다른 물체까지의 거리나 공간.'을 의미하므로 두 단어는 유의 관계에 있다.
② '과일'은 '사과'의 상의어이고, '사과'는 '과일'의 하의어이므로 두 단어는 '과일'이 의미상 '사과'를 포함하는 상하 관계에 있다.
④ '곱다'는 '모양, 생김새, 행동거지 따위가 산뜻하고 아름답다.'라는 의미를 지니고, '아름답다'는 '보이는 대상이나 음향, 목소리 따위가 균형과 조화를 이루어 눈과 귀에 즐거움과 만족을 줄 만하다.'라는 의미를 지니므로 두 단어는 유의 관계에 있다.
⑤ '빠르다'는 '어떤 동작을 하는 데 걸리는 시간이 짧다.'라는 의미를 지니고, '느리다'는 '어떤 동작을 하는 데 걸리는 시간이 길다.'라는 의미를 지니므로 두 단어는 의미가 서로 반대되는 반의 관계에 있다.

16 상의어는 한쪽이 의미상 다른 쪽을 포함하는 단어이고, 하의어는 한쪽이 의미상 다른 쪽에 포함되는 단어이다. '윗옷'은 '옷'의 하의어이고, '옷'은 '윗옷'의 상의어이므로 상의어 '옷'이 하의어 '윗옷'의 의미를 모두 포함한다.
　오답 풀이 ① 제시된 단어들은 한쪽이 의미상 다른 한쪽을 포함하고, 한쪽이 다른 한쪽에 포함되는 상하 관계에 놓여 있다.
② '재킷'과 '티셔츠'는 모두 '윗옷'의 하의어이다.
④ '치마', '바지'는 '아래옷'의 하의어이므로 하의어 '치마', '바지'의 의미는 상의어 '아래옷'의 의미에 모두 포함된다.
⑤ '아래옷'은 '옷'의 하의어이면서 '치마', '바지'의 상의어이므로 상의어도 될 수 있고 하의어도 될 수 있다.

17 ㉠의 '다리'는 '물을 건너거나 또는 한편의 높은 곳에서 다른 편의 높은 곳으로 건너다닐 수 있도록 만든 시설물.'을 의미하고, ㉡의 '다리'는 '사람이나 동물의 몸통 아래 붙어 있는 신체의 부분.'을 의미하므로 ㉠, ㉡은 소리는 같지만 의미가 다른 동음이의어이다.
　오답 풀이 ①, ③, ④ ㉠, ㉡은 동음이의어로, 동음이의어 간에는 의미상의 연관성이 없다. 따라서 각 단어가 지닌 중심적 의

미가 서로 다르며, 사전에도 각각 다른 단어로 실린다.
⑤ ㉠, ㉡은 소리가 같기 때문에 각 단어가 쓰인 상황을 고려하여 단어의 의미를 파악해야 한다.

18 다의어는 두 가지 이상의 의미를 지닌 단어로, 하나의 중심적 의미에서 나온 여러 개의 주변적 의미가 있으며 사전에 하나의 단어로 실린다.

> **머리「명사」**
> ① 사람이나 동물의 목 위의 부분. ―중심적 의미
> ② 생각하고 판단하는 능력. ┐
> ③ 머리에 난 털. 머리털. ┘ 주변적 의미

'머리'는 다의어로, 위와 같이 하나의 중심적 의미와 여러 개의 주변적 의미를 지닌다. 〈보기〉의 '머리'는 주변적 의미인 '생각하고 판단하는 능력.'의 의미인데, ⑤의 '머리' 또한 같은 의미를 지닌다.
　오답 풀이 ①, ③ 모두 '머리'의 주변적 의미 중 '머리에 난 털.'을 의미한다.
②, ④ 모두 '머리'의 중심적 의미인 '사람이나 동물의 목 위의 부분.'을 의미한다.

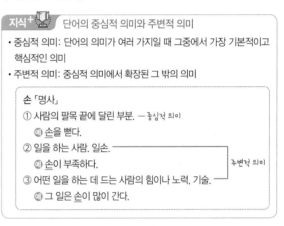

> **지식╋** 　단어의 중심적 의미와 주변적 의미
> • 중심적 의미: 단어의 의미가 여러 가지일 때 그중에서 가장 기본적이고 핵심적인 의미
> • 주변적 의미: 중심적 의미에서 확장된 그 밖의 의미
>
> > **손「명사」**
> > ① 사람의 팔목 끝에 달린 부분. ―중심적 의미
> > 　예 손을 뻗다.
> > ② 일을 하는 사람. 일손. ┐
> > 　예 손이 부족하다. ┤ 주변적 의미
> > ③ 어떤 일을 하는 데 드는 사람의 힘이나 노력, 기술. ┘
> > 　예 그 일은 손이 많이 간다.

19 단어가 다의어일 경우 의미가 다양하기 때문에 그 단어와 짝이 되는 반의어가 여러 개 있을 수 있다. '벗다'의 반의어 또한 '메다', '신다', '쓰다', '입다' 등 여러 개가 있다. 제시된 문장에서 '벗다'의 반의어로는 '신다'가 적절하다.
　오답 풀이 ① 메다 → '(가방을) 벗다'의 반의어
③ 쓰다 → '(모자를) 벗다'의 반의어
④ 씻다 → '(누명을) 벗다'의 반의어
⑤ 입다 → '(옷을) 벗다'의 반의어

20 '속'과 '안'은 유의 관계에 있지만 ㉠에서는 '안'으로 쓰는 것이 적절하다. 또한 '얇은'과 '가는'도 유의 관계에 있지만 ㉡에서

는 '가는'을 쓰는 것이 적절하다. 이처럼 유의 관계에 있는 단어들은 의미가 서로 비슷하지만 완전히 똑같지는 않으므로 함부로 바꾸어 쓰면 문장이 어색해질 수 있다.

> ㉠ 형이 방 (속(✗)/안(○))에서 문을 안 열어요.
>   - 속: 일정하게 둘러싸인 것의 안쪽인 부분. ⓔ 이불 속, 우물 속
>   - 안: 어떤 물체나 공간의 둘러싸인 가에서 가운데로 향한 쪽. 또는 그런 곳이나 부분.
>   ⓔ 건물 안, 국장 안
>
> ㉡ 어젯밤부터 (얇은(✗)/가는(○)) 비가 내렸다.
>   - 얇은: 두께가 두껍지 아니한. ⓔ 옷이 얇다, 고기를 얇게 저미다.
>   - 가는: 물체의 지름이 보통의 경우에 미치지 못하고 많은.
>   ⓔ 실이 가늘다, 허리가 개미처럼 가늘다.

교과서 실전 문제 (52~53쪽)

01 ④   02 ③   03 ②   04 ②   05 ①
06 ④   **07** 요리사는 ㉠에서 상대 요리사와 대화할 때는 업무를 효율적으로 수행하기 위해 전문어를 사용했지만, ㉡에서 일반인인 어머님들과 대화할 때는 이해하기 쉽게 풀어서 설명했다.   **08** 사회자는 ㉮에서 모든 시청자가 알아들을 수 있도록 표준어를 사용했고, ㉯에서는 참가자가 친근감을 느낄 수 있도록 지역 방언을 사용했다.

01 우리말의 어휘 체계는 ㉠의 고유어, ㉡의 한자어, ㉢의 외래어로 분류할 수 있다. ㉢의 외래어는 외국 문화와의 접촉을 통해 우리나라에 들어와 국어처럼 쓰이는 말로, 새로운 사물이나 현상을 나타내는 말이 많아 우리말 어휘를 보충해 준다.
오답 풀이 ① ㉡의 한자어에 대한 설명으로, 한자어는 대체로 한 글자가 하나의 의미를 나타내므로 개념을 압축적으로 표현하기에 좋다.
② ㉡의 한자어는 고유어에 비해 좀 더 분화된 의미를 지니고 있어 의미를 구체적으로 표현한다.
③ ㉠의 고유어에 대한 설명으로, 고유어는 예부터 우리말에 있었거나 우리말에 기초하여 새로 만들어진 말이다. ㉡의 한자어는 한자에 기초해서 만들어진 말로 우리말의 일부로 인정된다.
⑤ 외래어는 우리말의 일부로 인정되긴 하지만, 지나치게 사용할 경우 우리말의 정체성을 위협할 수도 있다. 따라서 대체할 수 있는 경우라면 고유어나 기존 우리말을 최대한 살려 쓰는 것이 좋다. 예를 들어 '홈페이지'는 '누리집'으로 대체하여 쓸 수 있고, '레스토랑'은 '식당'이나 '양식당'으로 대체하여 쓸 수 있다.

02 고유어는 오랜 기간 우리 민족의 삶과 밀접한 관련을 맺으며 발달해 왔기 때문에 고유의 문화와 정서를 나타내 주는 말이 많다. 제시된 '그네, 씨름, 달맞이, 강강술래' 모두 우리 민족 고유의 전통과 풍습을 나타내는 말이다.
오답 풀이 ① 외래어에 대한 설명이다. 고유어는 본디부터 있었던 말이지만, 외래어는 다른 나라와의 문화 교류 과정에서 외국 문물과 함께 그것을 가리키는 말도 들어와 쓰이게 된 것이므로 새로운 사물이나 현상을 나타내는 말이 많다.
② 고유어는 '반짝반짝, 번쩍번쩍', '파랗다, 새파랗다, 시퍼렇다'와 같이 모양, 색깔을 생생하게 표현하는 어휘가 많이 발달했지만, 제시된 어휘로는 알 수 없다.
④ 지역 방언에 대한 설명이다.
⑤ 사회 방언에 대한 설명이다.

03 청소년 세대는 '취존(취향 존중)', '깜놀(깜짝 놀라다)'과 같이 말을 줄여 쓰는 언어문화를 지니고 있다. 제시된 대화에서도 지영이는 청소년 세대가 즐겨 쓰는 줄임 말인 '생선(생일 선물)', '문상(문화 상품권)'을 사용하고 있는데, 중장년 세대인 엄마는 이를 알아듣지 못해 의사소통이 원활하게 이루어지지 못하고 있다.
오답 풀이 ① 제시된 대화에서는 성별이 아닌 세대라는 사회적 요인에 따라 달리 사용되는 어휘의 양상이 드러난다.
③ 지역적으로 격리되면서 달라진 어휘는 지역 방언으로, 제시된 대화에서 지역 방언은 나타나지 않는다.
④ 불쾌감을 유발하는 어휘는 '변소', '죽다'와 같은 금기어로, 이로 인한 불쾌감이나 불길함을 피하기 위해 '화장실', '돌아가다'와 같은 완곡어를 사용한다. 그러나 제시된 대화에서는 금기어와 완곡어 모두 나타나지 않는다.
⑤ 전문적인 일을 효과적으로 수행하기 위한 어휘는 전문어로, 제시된 대화에서 전문어는 나타나지 않는다.

지식⁺ 금기어와 완곡어	
금기어	불쾌감을 유발하여 사람들이 사용하기를 꺼리는 말로, 죽음, 질병, 배설 등과 관련된 경우가 많음. ⓔ 죽다, 천연두, 변소 등
완곡어	금기어 대신 쓰는 말로, 금기어보다 부드러운 느낌을 줌. ⓔ 죽다 → 돌아가다, 잠들다 천연두 → 마마, 손님 변소 → 뒷간, 화장실

04 한 언어가 지역적 요인이나 사회적 요인에 따라 달라진 말을 방언이라고 하는데, 이는 크게 지역 방언과 사회 방언으로 분류할 수 있다. ㉡~㉢은 모두 사회 방언으로 ㉡은 노년 세대에서 즐겨 쓰는 말이고, ㉢은 특정 집단 안에서 내부의 비밀을 유지하기 위해 그 집단 밖의 사람들은 알아듣지 못하도록 쓰

는 은어이다. ㄹ은 방송(영상)과 관련된 분야에서 쓰는 전문어로, 직업적 요인에 따라 달라진 말이다.

> ㉠ 엄마: 야야, 우리 강새이 어서 온나. → 지역 방언
> '강아지'의 경상도 방언.
> ㉡ 할아버지: 자당께서는 별고 없으시냐? → 세대에 따른 사회 방언
> 남의 어머니를 높여 이르는 말. 특별한 사고.
> ㉢ 독립운동가: 쩡(친일파)을 반드시 잡아야 해.
> → 특정 집단에 따른 사회 방언 - 은어
> ㉣ 연출가: 클로즈업 준비해 주세요. 숏 들어갑니다.
> 영화나 드라마 등에서, 배경이나 인물의 영화 따위의 촬영을
> 일부를 화면에 크게 나타내는 일. 시작하는 일.
> → 직업에 따른 사회 방언 - 전문어

오답 풀이 ① ㉠은 지역 방언으로, 지역적으로 떨어져 오랜 시간이 흐르면 단어의 형태 등이 달라진다.
③ '자당', '별고'는 주로 노년층에서 자주 쓰는 한자어로, 세대에 따라 어휘가 다르게 쓰이는 양상을 보여 준다.
④ ㉢은 특정 집단의 비밀을 유지하려고 쓰는 말이므로 많은 사람에게 알려지면 비밀 유지라는 은어의 역할을 할 수 없기 때문에 더 이상 은어로 사용되지 않는다.
⑤ '클로즈업', '숏'은 방송, 영상 등의 전문 분야에서 사용하는 말로, 이와 같은 전문어는 전문 분야의 일을 효율적으로 수행하는 데 도움을 준다.

05 동음이의어는 소리는 같지만 의미가 다른 단어로 각각의 중심적 의미가 달라 사전에 '배1', '배2'와 같이 다른 단어로 실린다. 이때 '배1'은 중심적 의미와 주변적 의미를 지닌 다의어이다. ①의 '배'는 '긴 물건 가운데의 볼록한 부분.'이라는 의미로 '배1'의 주변적 의미에 해당한다. 즉, '배1'과 '배2'는 동음이의 관계이지만 '배1'과 ①의 '배'는 다의 관계이다.

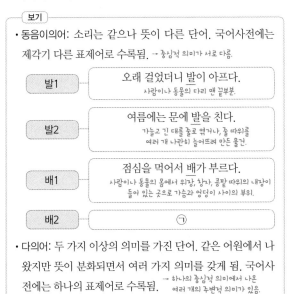

> **[보기]**
> • 동음이의: 소리는 같으나 뜻이 다른 단어. 국어사전에는 제각기 다른 표제어로 수록됨. → 중심적 의미가 서로 다름.
>
> 발1 — 오래 걸었더니 발이 아프다.
> 사람이나 동물의 다리 맨 끝부분.
>
> 발2 — 여름에는 문에 발을 친다.
> 가늘고 긴 대를 줄로 엮거나, 줄 따위를 여러 개 나란히 늘어뜨려 만든 물건.
>
> 배1 — 점심을 먹어서 배가 부르다.
> 사람이나 동물의 몸에서 위장, 창자, 콩팥 따위의 내장이 들어 있는 곳으로 가슴과 엉덩이 사이의 부위.
>
> 배2 — ㉠
>
> • 다의: 두 가지 이상의 의미를 가진 단어. 같은 어원에서 나왔지만 뜻이 분화되면서 여러 가지 의미를 갖게 됨. 국어사전에는 하나의 표제어로 수록됨. → 하나의 중심적 의미에서 나온 여러 개의 주변적 의미가 있음.

> 다리
> 민희가 다리를 다쳤다. → 중심적 의미
> 사람이나 동물의 몸통 아래 붙어 있는 신체의 부분.
>
> 책상 다리가 부러졌다. → 주변적 의미
> 물체의 아래쪽에 붙어서 그 물체를 받치거나 직접 땅에 닿지 아니하게 하거나 높이 있도록 버티어 놓은 부분.

오답 풀이 ② 이번 달에는 물가가 배로 올랐다. → '어떤 수나 양을 두 번 합한 만큼.'의 의미로 '배1'과 동음이의 관계이다.
③ 태풍 때문에 배가 뜨지 못하였다. → '사람이나 짐 따위를 싣고 물 위로 떠다니도록 나무나 쇠 따위로 만든 물건.'의 의미로 '배1'과 동음이의 관계이다.
④ 할아버지는 달콤한 배를 좋아하신다. → '배나무의 열매.'의 의미로 '배1'과 동음이의 관계이다.
⑤ 우리는 총장 배 야구 대회에서 우승을 하였다. → '운동 경기에서 우승한 팀이나 사람에게 주는 트로피.'의 의미로 '배1'과 동음이의 관계이다.

06 유의어는 말소리는 다르지만 의미가 비슷한 관계에 있는 단어들이다. 뜻이 서로 비슷한 단어라고 해도 미묘한 의미 차이가 있기 때문에 항상 바꾸어 쓸 수 있는 것은 아니다. 유의어로 바꾸어 쓸 때에는 문장에 넣어 보고 의미가 자연스러운지를 따져 보아야 하는데, ㉣ '올랐다' 대신 '탔다'를 써도 문장의 의미가 자연스러우므로 바꾸어 쓸 수 있다.

오답 풀이 ① ㉠은 '눈, 비, 서리, 이슬 따위가 오다.'의 의미를 지닌다. 따라서 ㉠의 반의어는 '계속되던 일이나 움직임이 멈추거나 끝나다. 또는 그렇게 하다.'의 의미를 지닌 '그치다'이므로 ㉣과 반의 관계가 성립하지 않는다.
② '이르다'는 '대중이나 기준을 잡은 때보다 앞서거나 빠르다.'를 뜻하는 단어로, '어떤 일이 이루어지는 과정이나 기간이 짧다.'를 뜻하는 '빠르다'와 의미가 비슷하긴 하지만, 완전히 똑같지는 않다. ㉡ '빠르게' 대신 '이르게'를 넣어 만든 문장 "새벽에 비구름이 이르게 지나가서 다행이다."는 의미가 자연스럽지 않으므로 ㉡을 '이르게'로 바꾸어 쓸 수 없다.
③ ㉢은 '대중교통'의 하의어이다.
⑤ ㉤ '버스' 역시 대중교통의 하의어이다. ㉢ '기차'와는 어느 한쪽이 의미상 다른 쪽을 포함하거나 포함되는 관계가 아니므로 두 단어는 상하 관계로 보기 어렵다.

07 요리사는 ㉠, ㉡의 상황에서 같은 내용을 다르게 표현하고 있는데, 이는 대화하는 상대가 다르기 때문이다. ㉠에서 상대 요리사와 대화할 때는 업무를 효율적으로 수행하기 위해 전문어를 사용하고 있지만, ㉡에서 일반인인 어머님들과 대화할 때는 이해하기 쉽게 풀어서 설명하고 있다.

평가 기준

평가 요소	확인
㉠, ㉡의 대화 상대의 특성을 포함하여 서술하였다.	
㉠에서 사용한 어휘가 전문어임을 밝혔다.	
대조의 방법을 사용하여 서술하였다.	

08 사회자는 ㉮에서 표준어를 사용하고, ㉯에서 지역 방언을 사용하고 있다. ㉮에서 표준어를 사용한 이유는 전국의 시청자를 대상으로 하는 말이므로 모든 시청자가 잘 알아들을 수 있도록 하기 위해서이고, ㉯에서 지역 방언을 사용한 이유는 지역 방언을 사용하는 참가자가 친근감을 느껴 긴장을 풀 수 있도록 도와주기 위해서이다.

평가 기준

평가 요소	확인
㉮에서 사용한 말이 표준어이고, ㉯에서 사용한 말이 지역 방언임을 밝혔다.	
주어진 문장 형식에 맞추어 서술하였다.	

IV | 담화의 개념과 특성

⑩ 담화의 개념과 특성　　58~59쪽

1　(1) 발화　(2) 발화, 담화　(3) 청자, 맥락　(4) 통일성
2　(1) ㉢　(2) ㉣　(3) ㉠　(4) ㉡
3　(1) ㉡　(2) ㉠
4　(1) ○　(2) ○　(3) ✕
5　국내에도, 있을까
6　(1) 상황　(2) 시간　(3) 사회, 문화적　(4) 문화
7　(1) ✕　(2) ○　(3) ○
8　(1) ㉡　(2) ㉠
9　(1) ㉠　(2) ㉡　(3) ㉢
10　(1) 세대　(2) 문화

🐱 개념 적용 훈련 문제　　61~63쪽

01 ②　　02 ④　　03 ④　　04 ⑤　　05 운동을 많이 하면 피부가 좋아진다.　06 '그래서'를 '그런데'나 '그러나', '하지만'으로 고친다.　07 ⑤　　08 ③　　09 ㉮: ㉢ / ㉯: ㉠ / ㉰: ㉡　　10 ⑤　　11 ②　　12 ③　　13 ①　　14 ①　　15 ④　　16 ⑤

01 담화는 화자와 청자가 주고받는 발화의 연속체로, 화자, 청자, 내용, 맥락으로 구성되어 있다.
　오답 풀이　① '내용'에 대한 설명이다.
　③ '화자'에 대한 설명이다.
　④ '발화'에 대한 설명이다.
　⑤ '청자'에 대한 설명이다.

02 통일성은 담화의 구성 요소가 아니라 담화의 의미가 잘 전달되기 위해 갖추어야 할 담화의 요건이다.

03 이 담화를 해석할 때 고려해야 할 맥락은 사회·문화적 맥락이 아니라 상황 맥락이다. 시간과 장소를 고려해야 식당 주인이 하는 말이 무슨 의미인지 정확하게 이해할 수 있기 때문이다.
　오답 풀이　①, ② 화자인 식당 주인은 청자인 손님들에게 "영업시간은 10시까지입니다."라고 말하고 있다.
　③ 그림을 보면 시곗바늘이 9시 50분 근처를 가리키고 있고, 식당 주인이 영업시간은 10시까지라고 말하고 있으므로, 담화가 이루어지는 시간과 장소를 알 수 있다.
　⑤ 식당 주인은 곧 영업시간이 끝나므로 식사를 마무리해 달라는 말을 간접적으로 하고 있다.

04 '그리고, 그러나, 한편' 등의 접속 표현을 활용하는 것은 담화의 통일성이 아니라 응집성을 갖추기 위한 것이다.

오답 풀이 ① 담화의 의미가 잘 전달되려면 담화는 통일성과 응집성을 갖추어야 한다.

②, ③ 응집성은 지시 표현이나 접속 표현 등을 활용하여 담화를 이루는 문장들이 형식적으로 긴밀하게 연결되는 것을 말한다.

④ 통일성은 발화들이 담화의 주제를 향해 밀접하게 연관되는 것을 말하는데, 모든 내용이 하나의 주제와 관련이 있고, 각 문장이나 문단의 내용이 글 전체의 주제와 밀접하게 연관되어 있어야 한다.

05 이 담화의 주제는 '지나친 운동은 몸을 해칠 수 있으므로 적당하게 해야 한다.'이다. 그러나 '운동을 많이 하면 피부가 좋아진다.'는 이 주제와 거리가 먼 내용이다.

> **지식+** 통일성이 부족한 글의 예
> • 한 문단에 두 개 이상의 주제가 들어 있는 글
> • 주제와 관계없는 내용이 들어 있는 글
> • 서로 앞뒤가 맞지 않는 내용이 들어 있는 글

06 달인의 답변 중 앞의 내용이 뒤의 내용의 원인이 아니므로 '그래서'는 적절하지 않다. 손님들의 예상과 다른 상반된 내용이 이어지므로 '그런데'나 '그러나', '하지만'이 적절하다.

> **지식+** 접속 표현의 종류
>
> | 나열 관계로 연결하는 표현 | 그리고 |
> | --- | --- |
> | 첨가 관계로 연결하는 표현 | 게다가, 더욱이, 또한 등 |
> | 대립 관계로 연결하는 표현 | 그러나, 하지만, 그렇지만 등 |
> | 인과 관계로 연결하는 표현 | 따라서, 그래서, 그러므로 등 |
> | 전환 관계로 연결하는 표현 | 그런데, 한편 등 |

07 담화를 해석할 때 상황 맥락과 사회·문화적 맥락 중 어느 것을 우선적으로 고려해야 하는 것은 아니다. 담화 상황에 맞게 두 맥락을 모두 고려해야 한다.

08 유리가 발화할 때에는 유리가 화자, 재호가 청자이지만, 재호가 발화할 때에는 재호가 화자, 유리가 청자가 된다.

> ㉮ 유리: (미용실에서 나온 후) 내 머리 어때?
> 재호: 괜찮아.
> ㉯ 유리: (보건실에서) 몸은 좀 어때?
> 재호: 괜찮아.
> ㉰ 유리: (급식실에서) 내 반찬 좀 더 줄까?
> 재호: 괜찮아.

→ ㉮~㉰에 나타난 상황 맥락

	장소	의도나 목적
㉮	미용실 밖	머리가 어울리는지, 머리가 잘되었는지 물어봄.
㉯	보건실	몸이 좀 나아졌는지, 아픈 곳은 없는지 물어봄.
㉰	급식실	반찬이 더 필요한지 물어봄.

※ 화자와 청자는 '유리'와 '재호'로 동일함.

오답 풀이 ① ㉮~㉰는 모두 발화가 모여 하나의 의미를 이루고 있다.

② ㉮는 미용실에서 나온 뒤에 하는 대화이고, ㉯는 보건실, ㉰는 급식실에서 나누는 대화이므로, 담화가 이루어지는 장소가 다르다. 또한 유리가 발화하는 의도도 각각 다르다. 따라서 ㉮~㉰의 상황 맥락은 모두 다르다.

④ 재호의 대답은 유리의 발화 의도와 담화가 이루어지는 장소에 따라 다 다르게 해석된다.

⑤ ㉮~㉰의 상황 맥락이 달라짐에 따라 재호의 '괜찮아.'라는 말의 의미가 각각 다르게 해석되므로, 상황 맥락이 의미 해석에 영향을 미침을 알 수 있다.

09 ㉮에서는 미용실에서 머리를 하고 나온 뒤 물어본 말에 대한 대답이므로 ㉢이, ㉯에서는 보건실에서 몸 상태를 묻고 있으므로 ㉠이, ㉰에서는 급식실에서 반찬을 더 줄지 묻고 있으므로 ㉡의 의미가 적절하다.

10 고려할 수 있는 상황 맥락이 주어지지 않은 상태이므로 화자와 청자의 관계, 대화가 이루어지는 시간과 장소를 알 수 없어 담화의 의미를 제대로 해석할 수 없다.

상황 맥락이 주어진 경우와 비교해 보면 왜 제시된 담화의 의미를 해석하기 어려운지 알 수 있다. 예를 들어 담화가 이루어지는 장소가 '옷 가게'이고, '가'와 '나'가 손님과 옷 가게 직원이라면 제시된 담화의 의미는 다음과 같이 해석될 수 있다.

> 가: 이번엔 잘 맞을까요? → 자신이 고른 옷이 잘 맞을지 점원에게 물어봄.
> 나: 잘 맞을 것 같은데요. → 옷이 잘 맞을 것 같다고 답함.
> 가: 안 맞으면 어떡하죠? → 이번에도 옷이 안 맞으면 어떡할지 고민함.
> 나: 제가 볼 땐 잘 맞을 것 같아요. → 이번에는 옷이 잘 맞을 것 같다고 이야기함.
> → 고른 옷이 몸에 잘 맞을지에 관해 손님과 옷 가게 직원이 의견을 나누는 상황임이 잘 드러남.

오답 풀이 ① 담화의 의미를 제대로 해석하려면 화자가 누구인지, 청자가 누구인지, 그리고 그들이 어떤 관계인지를 고려해야 한다.

②, ③ 담화의 의미를 제대로 해석하려면 담화가 이루어지는 시간적·공간적 상황을 고려해야 한다.

④ 화자와 청자의 관계, 시간과 장소뿐만 아니라 화자의 발화 의도나 목적 등도 제시되어 있지 않다.

11 ㉠~㉢의 발화 자체는 '불편한 점은 없으신가요?'로 동일하다.

> **보기**
>
> ㉠ (진료실에서) 불편한 점은 없으신가요?
> ㉡ (식당에서) 불편한 점은 없으신가요?
> ㉢ (신발 가게에서) 불편한 점은 없으신가요?
>
> → ㉠~㉢에 나타난 상황 맥락

	화자와 청자의 관계	장소	의도나 목적
㉠	의사(간호사)와 환자	병원 진료실	아픈 곳은 없는지, 치료를 한 곳은 괜찮은지 물어봄.
㉡	식당 직원과 손님	식당	현재 식사하는 데 만족하는지 물어봄.
㉢	신발 가게 직원과 손님	신발 가게	신발이 발에 잘 맞는지 물어봄.

오답 풀이 ① ㉠은 진료실에서 들은 말이므로 ㉠의 화자는 의사 또는 간호사일 것이고, ㉡은 식당에서 들은 말이므로 ㉡의 화자는 식당 직원일 것이다. ㉢은 신발 가게에서 들은 말이므로 신발 가게 직원일 것이다.
③ ㉠~㉢에 나타난 화자와 청자의 관계, 장소, 의도나 목적이 다 다르므로 ㉠~㉢의 상황 맥락은 모두 다르다.
④ 병원 진료실에서 의사나 간호사가 한 질문에 대한 답변이므로 가능하다.
⑤ ㉠~㉢은 담화 참여자, 즉 화자와 청자의 관계가 다르기 때문에 담화의 의미도 다 다르게 해석된다.

12 선생님의 발화 의도는 민희가 지각한 것을 꾸짖으려는 것이지, 현재 시간이 몇 시인지를 알아보기 위한 것이 아니다.

> 민희가 지각을 한 상황.
> 선생님: (교실에서) 지금 몇 시니?
> 민희: (시계를 보며) 아홉 시 삼십 분입니다.
> 선생님: (황당한 표정으로) 뭐라고?
>
> → 이 대화에 나타난 상황 맥락

화자와 청자의 관계	시간과 장소	의도나 목적
선생님과 학생(민희)	9시 30분, 교실	민희가 늦은 것을 꾸짖음.

오답 풀이 ①, ② 민희는 선생님의 발화 의도를 제대로 고려하지 않고, 사실적 정보만을 이야기하고 있다.
④ 민희는 선생님의 발화 의도 및 상황 맥락을 고려하지 않고 발화하였기 때문에 의사소통이 원활히 이루어지지 않았다.
⑤ 담화가 이루어지는 시간은 9시 30분, 장소는 교실이다.

13 우리나라 사람들은 '우리나라, 우리 집' 등과 같이 '우리'를 자신을 가리키는 말로 사용하기도 한다. 따라서 승우가 말한 '우

리 엄마'는 자신의 엄마를 가리키는 말이므로 승우와 윤재는 남매 관계가 아니다.
오답 풀이 ② 승우가 '우리 엄마셔.'라고 한 데서 알 수 있다.
③ '우리'라는 단어를 승우와 피터가 다르게 해석해서 의사소통에 어려움이 생겼다.
④ 언어는 문화의 영향을 받기 때문에 문화권별 특징이 나타나는 어휘나 표현이 있을 수 있다. 우리나라에서는 '우리'를 자신을 가리키는 말로 사용하기도 하지만 다른 나라에서는 일반적으로 자신을 가리킬 때 '나'를 사용한다.
⑤ 피터는 승우와 달리 '우리'를 '자기와 듣는 이를 포함한 여러 사람을 가리킬 때 쓰는 대명사'로 해석하였다.

14 임진각은 분단의 아픔을 상징하는 곳으로, 추석이 되면 임진각에 실향민이 모여 합동 제사를 지낸다. 따라서 예원이의 할아버지는 실향민일 것이라고 추측할 수 있다.

> 승혁: 추석 때 뭐 하니?
>
> 현준: 난 제주도에 있는 큰집에 갈 거야.
> <small>분가하여 나간 집에서 종가를 이르는 말.</small>
> 예원: 난 임진각에 갈 거야. 할아버지께서 해마다 가시거든.
> <small>분단의 아픔을 상징하는 곳으로, 실향민들이 자주 찾는 곳.</small>
> 현준: 저런, 가슴 아픈 일이야.
> 승혁: 빨리 통일이 되어야 할 텐데.
>
> → 이 대화에 나타난 사회·문화적 맥락
> • 우리나라에서는 큰 명절인 추석이 되면 차례를 지내고 집안어른들께 인사를 드리러 이동함.
> • 명절이 되면 임진각에 실향민들이 모여 합동 제사를 지내면서 고향과 가족을 그리워하는 마음을 달램.
> → 의사소통이 원활하게 이루어지는 이유: 담화 참여자들이 명절 때 어른들에게 인사를 드리는 관습과, 남북 분단 같은 역사적·사회적 배경을 공유하고 있으므로 의사소통이 원활하게 이루어지고 있음.

오답 풀이 ② 이 대화는 상황 맥락보다는 관습이나 역사적·사회적 배경 같은 사회·문화적 맥락을 잘 보여 준다.
③ 현준이는 예원이의 발화 맥락, 즉 예원이의 할아버지가 갈 수 없는 고향에 대한 그리움 때문에 해마다 임진각에 가신다는 것을 제대로 파악했기 때문에 예원이의 말을 듣고 가슴 아파하고 있다.
④ 승혁이는 대화의 화제를 제시하고, 사회·문화적 맥락을 고려하여 대화를 나누고 있지만, 청자들이 사회·문화적 맥락을 공유할 수 있도록 설명하고 있지는 않다.
⑤ 현준이가 말한 '큰집'은 규모가 큰 숙소가 아니라 분가하여 나간 집에서 종가를 이르는 말이다.

15 ㉡에서 승재가 말한 '공구'와 할아버지가 말한 '공구'는 뜻이 달라진 것이 아니라 아예 다른 단어이다.

보기

⑦ 통영 고모 댁에 온 주하

주하: 우아, 통영항 경치가 정말 멋있네요!

고모: 몬당서 채리보이 통영항 갱치가 참말로 좍이제?
<u>언덕에서 바라보니 통영항 경치가 정말 멋있지?</u>

주하: 네? 무슨 말씀이세요?
→ 주하는 고모와 사는 지역이 달라 고모의 말을 제대로 이해하지 못함. 지역에 따라 언어 표현이 달라 의사소통이 제대로 되지 않은 사례임.

⓵ 할아버지께 새 옷을 자랑하는 승재

승재: 할아버지, 이번에 공구로 산 옷인데 어때요?
<u>'공동 구매'의 줄임 말.</u>

할아버지: 집에 있는 공구를 팔아서 샀다는 거냐?
물건을 만들거나 고치는 데에 쓰는 기구나 도구를 통틀어 이르는 말.

→ 승재가 사용한 줄임 말을 할아버지가 제대로 이해하지 못함. 청소년 세대에서 주로 사용하는 언어 표현인 줄임 말을 노년 세대(다른 세대)가 이해하지 못해 의사소통이 제대로 되지 않은 사례임.

오답 풀이 ① 주하는 고모가 한 말의 의미를 이해하지 못해 무슨 말인지 되묻고 있다.

② 승재가 줄임 말을 사용하고 있어서 할아버지와 제대로 의사소통이 되고 있지 않다.

③ '몬당', '채리보이' 등은 지역 방언이다. 지역적으로 떨어져 오랜 시간이 흐르면 단어의 형태가 달라지는 등 원래의 언어와는 다른 모습으로 변하게 되는데, 이렇게 지역에 따라 달라진 말을 지역 방언이라고 한다.

⑤ ⑦는 지역이, ⓵는 세대가 담화의 해석에 영향을 준다는 점을 보여 주는 사례이다.

16 언어는 문화의 영향을 받기 때문에 문화권별 특징이 나타나는 어휘나 표현이 있을 수 있다. 이를 고려하여 담화를 해석해야 한다.

오답 풀이 ① 화자는 자신이 의도하는 바를 적절히 표현해야 하지만 청자의 반응도 같이 고려해야 한다.

② 화자가 말을 할 때 소리를 내지 않고 집중하는 것도 가능하지만, 그보다는 화자가 어떤 의도와 목적으로 말하는지 고려해야 한다.

③ 담화의 구체적인 뜻은 맥락에 의해 결정되므로 표면적 발화보다는 담화의 상황 맥락과 사회·문화적 맥락을 고려해야 한다.

④ 우리나라와 문화가 다른 환경에서 자란 사람과 의사소통할 때에는 우리 문화를 강조하는 방향으로 발화할 것이 아니라 우리나라와 다른 상대방의 문화를 이해하려 노력해야 하며, 상대방이 우리나라의 문화를 이해할 수 있도록 도움을 주어야 한다.

교과서 실전 문제   64~65쪽

01 ①   **02** ⑤   **03** 4층에는 제가 좋아하는 장난감 매장이 있습니다.   **04** 그것은 아저씨도 마찬가지인 듯했습니다.
05 ①   **06** ③   **07** ③   **08** ⓐ: 새치기하지 말고 차례를 지키시오. / ⓑ: 시험 시 부정행위를 하지 마시오. / ⓒ: 장애인 주차 구역에 주차를 하지 마시오.   **09** 점순이네는 마름이고 '나'의 집은 소작인이어서 점순이 부모님에게 잘못 보이면 농사지을 땅을 빌릴 수 없게 되므로 점순의 호의를 거절하고 있다.

01 ①에서 설명하는 것은 '담화'가 아닌 '발화'이다. '담화'는 화자와 청자가 주고받는 발화의 연속체를 가리킨다.

02 담화가 이루어지는 시간적 배경은 하교 시간 이후이다. 한글날은 봉사를 할 날이지, 담화가 이루어지는 날이 아니다.

오답 풀이 ①, ② 담화 참여자는 다연이와 복지관 담당자로, 다연이가 말을 할 때에는 다연이가 화자, 복지관 담당자가 청자가 되고, 복지관 담당자가 말을 할 때에는 복지관 담당자가 화자, 다연이가 청자가 된다. 즉, 이 담화에서 화자와 청자는 끊임없이 뒤바뀌고 있다.

③ 이 담화에서 다연이는 복지관 담당자와 의사소통을 하며 봉사 활동을 신청하고, 봉사 활동 일정을 잡고 있다.

④ 이 담화는 다연이가 하굣길에 들린 한 복지관에서 이루어지고 있다.

03 이 글은 승강기 안에서 일어난 방귀 사건과 관련된 내용을 다루고 있다. 장난감 매장 이야기는 주제와 관련이 없다.

04 '갑작스러운 일이라 놀랐지만, 한편으로 우습기도 한 것은'이란 표현이 반복되므로 '그것'이라는 지시 표현을 활용하여 '그것은'으로 고쳐 쓰는 것이 자연스럽다.

지식+ 지시 표현

지시 대명사	이것, 그것, 저것, 여기, 거기, 저기 등
지시 관형사	이, 그, 저, 이런, 그런, 저런
지시 부사	이리, 그리, 저리 등
지시 형용사	이러하다, 그러하다, 저러하다, 이리하다, 그리하다, 저리하다 등

05 ①의 밑줄 친 부분은 같이 영화를 보자는 동생의 의도가 직접적으로 드러난 발화이다. 나머지는 모두 의도를 간접적으로 표현하고 있다.

오답 풀이 ② 내일 학교에 안 가니? → 밤늦게까지 잠을 자지 않는 자식에게 빨리 자라는 의도를 간접적으로 표현함.

③ 우리 손주 도시락 안 가져갔죠? → 손주에게 도시락을 갖

다 주라는 의도를 간접적으로 표현함.

④ 우리 팀에서 일한 지 몇 년이 되었죠? → 업무상 실수를 저지른 사원에게 앞으로 주의하라는 의도를 간접적으로 표현함.

⑤ 시끄러워서 수업 집중이 잘 안 되네. → 시끄러우니 조용히 하라는 의도를 간접적으로 표현함.

06 ㉠은 주인에게 닭이 있으니 그것을 술안주로 달라는 의미이다.

> 김 선생이라는 사람이 우스갯소리를 잘했다. 일찍이 친구의 집을 찾아갔더니, 주인이 술상을 차렸는데 안주가 단지 채소뿐이었다. 〈중략〉 그때 마침 뭇 닭들이 마당에서 어지럽게 쪼고 있었다. → 먹을 것(닭)이 있는데도, 김 선생에게 채소만 대접하는 인색한 주인
> 김 선생이 "벗을 사귈 때엔 천금을 아끼지 않나니, 내 말을 잡아서 술안주를 해야겠네."라고 했다. → 주인의 인색한 태도를 간접적으로 지적함.
> 주인이 "한 마리뿐인 말을 잡아 버리면 무엇을 타고 돌아가겠나?"라고 말했다. → 김 선생의 발화 의도를 파악하고 걱정하게 대꾸를 해 줌.
> 김 선생이 ㉠"닭을 빌려서 타고 돌아가지."라고 대답하자, 주인이 크게 웃고 닭을 잡아 대접하고는 둘이서 크게 웃었다. → 김 선생의 말에 담긴 의미, 즉 닭을 잡아서 안주로 내놓으라는 것을 이해한 주인이 자신의 닭을 잡아 대접함.

(오답 풀이) ① ㉠은 말을 잡아 버리면 무엇을 타고 돌아가겠냐는 주인의 말에 김 선생이 답한 것이므로, 김 선생이 화자, 주인이 청자이다.

② 친구인 주인은 닭이 여러 마리 있는데도 김 선생에게 채소만 대접하는 인색한 태도를 보이고 있다.

④, ⑤ 김 선생은 자신의 의도를 재치 있게 간접적으로 표현하여 주인의 기분을 상하게 하지 않으면서도 원하는 바를 이루었다.

07 반어적 표현을 써서 아들을 나무라는 것은 상황 맥락과 관련된다.

(오답 풀이) ① 실제 친척이 아니어도 친밀한 관계에 있는 사람에게 친근감을 표현하기 위해 '이모'라고 부르는 문화가 반영되어 있다.

② 어른 세대는 음식이 차고 산뜻할 때뿐만 아니라, 뜨거우면서 속을 후련하게 할 때에도 시원하다는 말을 쓰는 경우가 있다.

④ 세대(나이)에 따라 자주 사용하는 언어 표현이 다를 수 있는데, 이러한 점 때문에 세대(나이)가 다른 사람과 의사소통이 잘 안 될 수도 있다. 손자는 '문화 상품권'의 준말로 '문상'을 말했지만, 그 말을 들은 할머니, 또는 할아버지는 '초상집에 찾아가 애도의 뜻을 표현하여 상주를 위로함.'을 뜻하는 '문상'으로 이해하고 있다.

⑤ 손님을 대접할 때 자신을 낮춰서 겸손하게 표현하는 문화가 언어 표현에 반영되어 있다.

08 상황 맥락을 고려해 의미를 해석하라는 것은 푯말이 설치된 장소를 고려하여 의미를 해석하라는 말이다. 각 장소에서 양심을 지키지 않는 행위, 양심에 어긋나는 행위가 무엇인지 생각해 본다.

(평가 기준)

평가 요소	확인
㉠~㉢ 장소에 놓인 푯말의 의미를 각각 해석하였다.	
상황 맥락(장소)을 고려하여 의미를 해석하였다.	

09 마름은 땅 주인을 대신해 소작인을 관리하는 사람으로, '나'가 '땅을 얻어 부쳐 일상 굽실거리는'이라고 말한 데서 알 수 있듯이 소작인인 '나'의 가족이 잘못 보이면 안 되는 사람이다. 이 대본에는 이러한 사회·문화적 상황이 반영되어 있다.

(평가 기준)

평가 요소	확인
'마름'과 '소작인'을 통해 알 수 있는 사회·문화적 맥락을 바르게 파악하였다.	
사회·문화적 맥락을 고려하여 '나'가 점순의 감자를 거절한 이유를 서술하였다.	

Ⅴ | 단어의 발음과 표기

11 올바른 발음

70~71쪽

1 (1) ○ (2) X (3) ○ (4) X

2 (1) 띠, 띠 (2) 의, 의, 의, 이 (3) 의, 에, 히

3 (1) ㄱ, ㄴ, ㄷ, ㄹ, ㅁ, ㅂ, ㅇ (2) ㄱ, ㄷ, ㅂ (3) 형식, 제 소릿값

　(4) 실질, 대표음

4 ㄱ: 국, 밖, 키읔

　ㄷ: 갓, 곧, 낮, 솥, 윷, 있다, 히읗

　ㅂ: 밥, 무릎

5 (1) [꼬자] (2) [더피다] (3) [마덥따] (4) [부어간]

6 받, 바테, 바다래, 바뒤

7 (1) ㄳ, ㄵ, ㄼ, ㄾ, ㅄ (2) ㄻ, ㄿ (3) ㄺ, ㄽ

8 (1) ⓛ － ⓑ (2) ㄱ － ⓐ

9 (1) 갑 (2) 닥 (3) 삼: (4) 골 (5) 여덜 (6) 넉꽈 (7) 안따

　(8) 할따

10 ㄱ, ㄹ

11 (1) [말께] (2) [막찌] (3) [널따] (4) [밥:찌] (5) [넙뚱글다]

12 뒤엣것, 된소리, 갑쓸, 안자, 널비

13 (1) ㅋ, ㅌ, ㅊ (2) ㅆ (3) ㄴ

14 (1) 올치 (2) 만:쏘 (3) 아는 (4) 싼네 (5) 조:타 (6) 일코

15 마딛따, 머딛따, 마싣따, 머싣따

12 올바른 표기

73쪽

1 (1) ○ (2) X (3) ○

2 (1) ㄱ, ㄷ, ㄹ, ㅁ (2) ㄴ, ㅂ

3 어간, 어미, 만듦, 시듦

4 (1) 않다 (2) 안 (3) 돼서

5 (1) 안 돼 (2) 뵈었다, 봤다 (3) 나으세요

6 (1) ㄱ (2) ㄷ (3) ㄴ

7 (1) 반듯이 (2) 반드시 (3) 붙였다 (4) 부치고

8 (1) 찌개 (2) 떡볶이 (3) 설거지 (4) 수제비 (5) 오뚝이

　(6) 육개장

개념 적용 훈련 문제

75~77쪽

01 ④	02 ②	03 ①	04 ㄱ 웬지 → 왠지, 수재

비 → 수제비 / ㄴ 왠 → 웬　05 [의사], [히망], [주의/주이], [우리의/우
리에]　06 ⑤　07 ⑤　08 ⑤　09 ②
10 ③　11 ⑤　12 ④　13 ③　14 ④
15 ④　16 ③　17 ⑤　18 ④　19 안, 않았
다　20 ④　21 ④

---

01 자신의 생각과 의도를 정확하게 전달하고, 다른 사람들과 원활하게 의사소통하기 위해서는 단어를 규칙에 맞게 발음하고 표기해야 한다. 이러한 규칙을 정해 놓은 것이 바로 표준 발음법과 한글 맞춤법이다. 그중 표준 발음법은 표준어에 대한 발음을 규정한 것으로, 여기서 표준어란 '교양 있는 사람들이 두루 쓰는 현대 서울말'이다. 그러나 표준 발음법에 따라 표준어를 정확하게 발음한다고 해서 모두 교양 있는 사람이 될 수 있는 것은 아니다.

　오답 풀이　①, ② '빛이 있어.'의 '빛이'를 [비치]가 아니라 [비시]라고 잘못 발음할 경우 그 내용이 제대로 전달되지 않아 의사소통이 원활하지 않을 수 있다.

　③, ⑤ '너한테 빚이 많네.'의 '빚이'를 [비지]가 아니라 [비시]라고 잘못 발음할 경우 자신의 생각이 정확하게 표현되지 못해 상대방이 발화 의도를 오해할 수 있다.

02 ㄱ의 '꼬치, 꼰만, 꼳꽈'는 소리 나는 대로 표기한 것이고, ㄴ의 '꽃이, 꽃만, 꽃과'는 단어의 원래 형태를 밝혀서 표기한 것이다. ㄱ과 같이 소리 나는 대로만 표기할 경우 '꽃'이라는 의미를 쉽게 파악할 수 없으므로 ㄴ과 같이 단어의 원형을 밝혀서 표기한 것이다.

　오답 풀이　① 단어를 보다 정확하게 발음하려면 ㄴ이 아니라 ㄱ과 같이 표기하는 것이 도움이 될 수 있다. 그러나 '꼬치', '꼰만', '꼳꽈'와 같이 소리 나는 대로만 적는다면 그 뜻이 바로 파악되기 어렵기 때문에 어법에 맞게 적는다는 또 하나의 원칙이 붙어 ㄴ과 같이 표기하는 것이다.

　③, ④, ⑤ 단어는 쓰이는 환경에 따라 소리가 달라지기 때문에 표준어를 소리 나는 대로 적는다는 원칙이 적용되면 ㄱ의 '꼬치, 꼰만, 꼳꽈'와 같이 환경에 따라 달라지는 발음으로 적게 되어 의미가 같은 하나의 말이 여러 형태로 적히게 된다. 이처럼 단어를 소리 나는 대로 적을 때 발생하는 문제를 피하기 위해 ㄴ과 같이 단어의 원래 형태를 밝혀서 표기하는 것이 단어의 의미를 파악하는 데 효과적이다.

03 '가위[가위], 창문[창문], 칠판[칠판]'은 발음과 표기가 일치하

는 단어이고, '책꽂이[책꼬지], 연필깎이[연필까끼]'는 발음과 표기가 일치하지 않는 단어이다.

오답 풀이 ② '창문(窓門), 책(冊), 칠판(漆板), 연필(鉛筆)'은 한자에서 유래한 단어들이지만 '가위, 꽂이, 깎이'는 고유어이다.

③ 제시된 단어는 모두 명사이므로 주격 조사 '이/가'가 결합할 수 있다.

④ '창문'은 '창+문', '칠판'은 '칠+판'으로, 두 개의 어근이 결합하여 이루어진 단어이다. '책꽂이'는 '책+꽂-+-이', '연필깎이'는 '연필+깎-+-이'로, 두 개의 어근과 하나의 접사가 결합하여 이루어진 단어이다. 그러나 '가위'는 하나의 어근으로 이루어진 단일어이다.

⑤ '교양 있는 사람들이 두루 쓰는 현대 서울말'을 표준어라고 하는데, 제시된 단어들은 모두 표준어이다.

> **지식+** 어근과 접사, 단일어와 복합어
> • 어근: 단어의 실질적인 의미를 나타내는 중심이 되는 부분. 예 '맨손'의 '손', '시퍼렇다'의 '퍼렇다', '덮개'의 '덮-', '어른스럽다'의 '어른'
> • 접사: 어근의 앞이나 뒤에 붙어 특정한 의미나 기능을 더해 주는 부분. 어근의 앞에 붙으면 '접두사', 뒤에 붙으면 '접미사'임. 예 '맨손'의 '맨-', '시퍼렇다'의 '시-', '덮개'의 '-개', '어른스럽다'의 '-스럽다'
> • 단일어와 복합어
>
> | 단일어 | 하나의 어근으로 이루어진 단어 예 손, 어른 | |
> |---|---|---|
> | 복합어 | 둘 이상의 어근이나, 어근과 접사의 결합으로 이루어진 단어 | |
> | | 합성어 | 둘 이상의 어근이 합쳐져 이루어진 단어 예 창문, 칠판 |
> | | 파생어 | 어근에 접사가 합쳐져 이루어진 단어 예 맨손, 덮개 |

04 ㉠ 문장에서 '웬지'는 '왠지'의 잘못된 표현이다. '왠지'는 '왜 그런지 모르게. 또는 뚜렷한 이유도 없이.'를 뜻하는 말로, '왜 인지'에서 줄어든 말이므로 '왠지'로 고쳐 써야 한다. 또한 '수 재비'는 '수제비'의 잘못된 표현이므로 '수제비'로 고쳐 써야 한다. ㉡ 문장에서 '왠'은 '웬'의 잘못된 표현이다. '어찌 된.'의 뜻을 지닌 '웬'은 '왜'와 관련이 없는 말이므로 '웬'으로 고쳐 써야 한다.

05 단어의 첫음절에 오는 '의'는 이중 모음 [ㅢ]로 발음하는 것이 원칙이므로 '의사'는 [의사]로 발음한다. 다만 자음을 첫소리로 가지고 있는 음절의 'ㅢ'는 [ㅣ]로 발음하므로 '희망'은 [히 망]으로 발음한다. 단어의 첫음절 이외의 '의'는 [ㅢ]로 발음하는 것이 원칙이지만 [ㅣ]로 발음하는 것도 허용하므로 '주의'는 [주의] 또는 [주이]로 발음한다. 조사 '의'는 [ㅢ]로 발음하는 것이 원칙이지만 [ㅔ]로 발음하는 것도 허용하므로 [우리의] 또는 [우리에]로 발음한다.

06 'ㅌ'은 어말에서 [ㄷ]으로 발음된다. 따라서 '겹'은 [겹], '곁'은 [겯]으로 발음하므로 단어의 받침소리가 서로 다르다.

오답 풀이 ① 입[입], 앞[압] → 'ㅂ'과 'ㅍ'은 어말에서 모두 [ㅂ]으로 발음한다.

② 빗[빋], 낮[낟] → 'ㅅ'과 'ㅈ'은 어말에서 모두 [ㄷ]으로 발음한다.

③ 죽[죽], 밖[박] → 'ㄱ'과 'ㄲ'은 어말에서 모두 [ㄱ]으로 발음한다.

④ 곧[곧], 옷[옫] → 'ㄷ'과 'ㅅ'은 어말에서 모두 [ㄷ]으로 발음한다.

07 겹받침 'ㄼ'은 어말 또는 자음 앞에서 [ㄹ]로 발음하며 겹받침 'ㄾ' 또한 어말 또는 자음 앞에서 [ㄹ]로 발음한다.

오답 풀이 ①, ④ 겹받침 'ㄻ'은 어말 또는 자음 앞에서 [ㅁ]으로 발음하므로 '삶'은 [삼:]으로, '젊다'는 [점따]로 발음한다.

② 겹받침 'ㄺ'은 어말 또는 자음 앞에서 [ㄱ]으로 발음하므로 '맑다'는 [막따]로 발음한다.

③ 겹받침 'ㄿ'은 어말 또는 자음 앞에서 [ㅂ]으로 발음하므로 '읊다'는 [읍따]로 발음한다.

> **지식+** 된소리로 발음되는 현상
> • 받침 'ㄱ(ㄲ, ㅋ, ㄳ, ㄺ), ㄷ(ㅅ, ㅆ, ㅈ, ㅊ, ㅌ), ㅂ(ㅍ, ㄼ, ㄿ, ㅄ)' 뒤에 연결되는 'ㄱ, ㄷ, ㅂ, ㅅ, ㅈ'은 된소리로 발음한다.
> 예 맑다[막따], 옷고름[옫꼬름], 읊다[읍따]
> • 어간 받침 'ㄴ(ㄵ), ㅁ(ㄻ)' 뒤에 결합되는 어미의 첫소리 'ㄱ, ㄷ, ㅅ, ㅈ'은 된소리로 발음한다.
> 예 앉고[안꼬], 젊대[짐따]
> • 어간 받침 'ㄼ, ㄾ' 뒤에 결합되는 어미의 첫소리 'ㄱ, ㄷ, ㅅ, ㅈ'은 된소리로 발음한다.
> 예 넓게[널께], 핥다[할따]

08 '옷'의 받침 'ㅅ'이 제 소릿값 [ㅅ]으로 발음되는 것은 〈보기〉에서 '옷이[오시]'이다. 받침이 모음으로 시작된 형식 형태소(조사, 어미, 접미사)와 결합되는 경우 제 소릿값대로 뒤 음절 첫소리로 옮겨 발음하는데, '옷' 뒤에 이어지는 '이'가 조사, 즉 형식 형태소이므로 받침 'ㅅ'이 제 소릿값대로 발음된다.

오답 풀이 ① 이어지는 말이 없이 '옷'으로 끝날 경우 [옫]으로 발음하므로 'ㅅ'이 제 소릿값대로 발음되지 않는다.

② '옷차림'과 같이 자음으로 시작하는 말이 이어질 경우 [옫차림]으로 발음하므로 'ㅅ'이 제 소릿값대로 발음되지 않는다.

③ '옷이', '옷 위'와 같이 모음으로 시작하는 말이 이어질 경우 각각 [오시], [오뒤]로 발음하므로 'ㅅ'이 제 소릿값대로 발음되기도 하고, 발음되지 않기도 한다.

④ '옷 위'처럼 모음으로 시작하는 실질 형태소가 이어질 경우 [오뒤]로 발음하므로, 'ㅅ'이 제 소릿값대로 발음되지 않는다.

09 받침 'ㅌ'과 'ㅅ'은 모음으로 시작되는 실질 형태소가 연결되는 경우 대표음 [ㄷ]으로 바꾸어서 뒤 음절 첫소리로 옮겨 발음하고, 모음으로 시작되는 조사나 어미, 접미사와 결합되는 경우에는 제 소릿값대로 뒤 음절 첫소리로 옮겨 발음한다. '겉옷을'에서 '겉' 다음에 이어지는 '옷'은 모음으로 시작되는 실질 형태소이고, '옷' 다음에 이어지는 '을'은 모음으로 시작되는 조사이다. 따라서 '겉'의 'ㅌ'은 대표음 [ㄷ]으로, '옷'의 'ㅅ'은 제 소릿값대로 발음되어 '겉옷을'은 [거도슬]로 발음한다.

오답 풀이 ① '을'은 모음으로 시작되는 조사이므로 '꽃'의 'ㅊ'이 제 소릿값대로 발음되어 [꼬츨]로 발음한다.
③ '이'는 모음으로 시작되는 조사이므로 '무릎'의 'ㅍ'이 제 소릿값대로 발음되어 [무르피]로 발음한다.
④ '에서'는 모음으로 시작되는 조사이므로 '부엌'의 'ㅋ'이 제 소릿값대로 발음되어 [부어케서]로 발음한다.
⑤ '어른'은 모음으로 시작하는 실질 형태소이므로 '옷'의 'ㅅ'이 대표음 [ㄷ]으로 바뀌어 [우더른]으로 발음한다. 조사 '의'는 이중 모음 [ㅢ]로 발음하는 것이 원칙이며 [ㅔ]로 발음하는 것도 허용한다. 따라서 '옷어른의'는 [우더르늬] 또는 [우더르네]로 발음한다.

10 겹받침 'ㄹ'은 어말 또는 자음 앞에서 [ㄱ]으로 발음하지만, 용언의 어간 말음 'ㄹ'은 'ㄱ' 앞에서 [ㄹ]로 발음한다. 따라서 '읽고'는 용언의 어간 '읽-'에 어미 '-고'가 결합된 것이므로 [일꼬]로 발음해야 한다.

오답 풀이 ① 겹받침 'ㄳ'은 어말 또는 자음 앞에서 [ㄱ]으로 발음하므로 '넋과'는 [넉꽈]로 발음한다.
② 겹받침 'ㄹ'은 어말 또는 자음 앞에서 [ㄱ]으로 발음하므로 '맑지'는 [막찌]로 발음한다.
④ 겹받침 'ㄹ'은 어말 또는 자음 앞에서 [ㄱ]으로 발음하므로 '흙과'는 [흑꽈]로 발음한다.
⑤ 겹받침 'ㅄ'은 어말 또는 자음 앞에서 [ㅂ]으로 발음하므로 '없다'는 [업:따]로 발음한다.

11 겹받침 'ㄼ'은 원칙적으로 어말 또는 자음 앞에서 [ㄹ]로 발음한다. 다만 예외적으로 '넓-'이 포함된 단어 중 '넓적하다', '넓죽하다', '넓둥글다' 등에서는 [ㅂ]으로 발음한다. 따라서 '넓적하게'는 [넙쩌카게]로 발음한다.

오답 풀이 ① 겹받침 'ㄼ'은 어말 또는 자음 앞에서 [ㄹ]로 발음하므로 '넓다'는 [널따]로 발음한다.
② '밟-'은 예외적으로 자음 앞에서 [밥]으로 발음하므로 '밟다'는 [밥:따]로 발음한다.
③, ④ 겹받침이 모음으로 시작된 조사나 어미, 접미사와 결합되는 경우 뒤엣것만을 뒤 음절 첫소리로 옮겨 발음한다. 따라

서 '넓이'는 '넓-'에 접미사 '-이'가 결합된 것이므로 [널비]로 발음하고 '밟아'는 '밟-'에 어미 '-아'가 결합된 것이므로 [발바]로 발음한다.

> **지식+** 접미사의 기능 ①
> 접미사는 의미를 더할 뿐만 아니라 품사를 바꾸는 역할을 하기도 한다.
> 예 명사를 만드는 접미사
> • -이: 넓이, 길이, 높이
> • -(으)ㅁ: 삶, 얼음, 웃음

12 〈보기〉에 따르면 겹받침을 가진 말 뒤에 모음으로 시작된 조사나 어미, 접미사가 결합하면 겹받침의 앞 자음은 음절의 끝소리에서 발음되고, 뒤 자음은 다음 음절의 첫소리로 이동하여 발음된다. 따라서 '앉아'는 '앉-' 뒤에 모음으로 시작된 어미 '-아'가 결합된 것이므로 'ㄴ'은 그대로 음절의 끝소리에서 발음되고, 'ㅈ'만을 뒤 음절 첫소리로 옮겨 [안자]로 발음한다.

오답 풀이 ① '몫은'은 '몫'에 모음으로 시작된 조사 '은'이 결합된 것이므로 'ㅅ'만을 뒤 음절 첫소리로 옮겨 발음되는데, 이때 'ㅅ'은 된소리로 발음하므로 [목쓴]으로 발음한다.
② '닭을'은 '닭'에 모음으로 시작된 조사 '을'이 결합된 것이므로 'ㄱ'만을 뒤 음절 첫소리로 옮겨 [달글]로 발음한다.
③ '삶이'는 '삶'에 모음으로 시작된 조사 '이'가 결합된 것이므로 'ㅁ'만을 뒤 음절 첫소리로 옮겨 [살:미]로 발음한다.
⑤ '젊어'는 '젊-'에 모음으로 시작된 어미 '-어'가 결합된 것이므로 'ㅁ'만을 뒤 음절 첫소리로 옮겨 [절머]로 발음한다.

13 받침 'ㅎ'은 조건에 따라 발음의 양상이 달라지는데, 'ㅎ' 뒤에 'ㄱ'이 결합되는 경우에는 뒤 음절 첫소리와 합쳐서 [ㅋ]으로 발음하므로 '쌓기는'은 [싸키는]으로 발음한다.

오답 풀이 ① 'ㅎ' 뒤에 'ㅈ'이 결합되는 경우에는 뒤 음절 첫소리와 합쳐서 [ㅊ]으로 발음하므로 '쌓지'는 [싸치]로 발음한다.
② 'ㅎ' 뒤에 모음으로 시작된 어미가 결합되는 경우에는 'ㅎ'을 발음하지 않으므로 '쌓아도'는 [싸아도]로 발음한다.
④ 'ㅎ' 뒤에 'ㄷ'이 결합되는 경우에는 뒤 음절 첫소리와 합쳐서 [ㅌ]으로 발음하므로 '쌓다가는'은 [싸타가는]으로 발음한다.
⑤ 'ㅎ' 뒤에 'ㄴ'이 결합되는 경우에는 [ㄴ]으로 발음하므로 '쌓는'은 [싼는]으로 발음한다.

14 'ㅀ' 뒤에 모음으로 시작된 접미사가 결합되는 경우에는 'ㅎ'을 발음하지 않으므로 '끓이다'는 [끄리다]로 발음한다. 따라서 'ㅎ'을 발음하지 않는 예로는 '끓이다'가 적절하다.

오답 풀이 ① 'ㅎ' 뒤에 'ㄷ'이 결합되는 경우에는 뒤 음절 첫소리와 합쳐서 [ㅌ]으로 발음하므로 '좋던'은 [조:턴]으로 발음한다.
②, ⑤ 'ㅎ(ㅀ)' 뒤에 'ㄱ'이 결합되는 경우에는 뒤 음절 첫소리

와 합쳐서 [ㅋ]으로 발음하므로 '많고'는 [만ː코]로, '이렇게'는 [이러케]로 발음한다.

③ 'ㄶ' 뒤에 'ㅈ'이 결합되는 경우에는 뒤 음절 첫소리와 합쳐서 [ㅊ]으로 발음하므로 '닳지'는 [달치]로 발음한다.

15 겹받침 'ㄻ'은 어말 또는 자음 앞에서 [ㅁ]으로 발음한다. 따라서 '젊고'는 [점ː꼬]로 발음하므로 받침소리는 [ㅁ]이다. 나머지는 받침소리가 모두 [ㄹ]이다.

오답 풀이 ① 'ㅀ' 뒤에 'ㅅ'이 결합되는 경우에는 'ㅅ'을 [ㅆ]으로 발음하므로 '싫소'는 [실쏘]로 발음한다.
② 겹받침 'ㄼ'은 어말 또는 자음 앞에서 [ㄹ]로 발음하므로 '짧다'는 [짤따]로 발음된다.
③ 겹받침 'ㄺ'은 어말 또는 자음 앞에서 [ㄱ]으로 발음하지만, 용언의 어간 말음 'ㄺ'은 'ㄱ' 앞에서 [ㄹ]로 발음하므로 '밝게'는 [발께]로 발음한다.
⑤ 겹받침이 모음으로 시작된 조사나 어미, 접미사와 결합되는 경우 뒤엣것만을 뒤 음절 첫소리로 옮겨 발음하는데, '훑어'의 '-어'는 어미이므로 '훑어'는 [훌터]로 발음한다.

16 자음을 첫소리로 가지고 있는 음절의 'ㅢ'는 [ㅣ]로 발음하므로 '흰'은 [힌]으로 발음해야 한다.

오답 풀이 ① 단어의 첫음절에 오는 'ㅢ'는 이중 모음 [ㅢ]로 발음하는 것이 원칙이므로 '의자'는 [의자]로 발음한다.
② 조사 '의'는 [ㅢ]로 발음하는 것이 원칙이지만 [ㅔ]로 발음하는 것도 허용하므로 '너의'는 [너의] 또는 [너에]로 발음한다.
④ 자음을 첫소리로 가지고 있는 음절의 'ㅢ'는 [ㅣ]로 발음하므로 '무늬'는 [무니]로 발음한다.
⑤ 단어의 첫음절 이외의 '의'는 [ㅢ]로 발음하는 것이 원칙이지만 [ㅣ]로 발음하는 것도 허용하므로 '거의'는 [거의] 또는 [거이]로 발음한다.

17 용언의 어간과 어미는 구별하여 적는 것이 원칙이다. '늙어, 늙으니, 늙어서'와 같이 용언 '늙다'의 어간 '늙-'과 어미 '-어, -으니, -어서'를 구별하여 적으면 단어의 의미를 보다 쉽게 파악할 수 있기 때문이다.
㉠ 용언 '없다'의 어간 '없-'에 어미 '-음'이 결합하였으므로 '없음'으로 표기하고 [업ː씀]으로 발음한다.
㉡ 용언 '울다'의 어간 '울-'에 어미 '-ㅁ'이 결합하였으므로 '욺'으로 표기하고 [움ː]으로 발음한다.
㉢ 용언 '싶다'의 어간 '싶-'에 어미 '-어'가 결합하였으므로 '싶어'로 표기하고 [시퍼]로 발음한다.
㉣ 용언 '만들다'의 어간 '만들-'에 어미 '-ㅁ'이 결합하였으므로 '만듦'으로 표기하고 [만듬]으로 발음한다.

'가다, 뛰다'와 같은 동사와 '예쁘다, 상냥하다'와 같은 형용사를 통틀어 용언이라고 한다. 용언은 문장에서 쓰일 때 어간에 어미가 붙어 형태가 다양하게 변하는데, 이때 형태가 변하지 않는 부분을 어간이라고 하고, 어간에 결합하여 변하는 부분을 어미라고 한다. 예를 들어 '가다', '가고', '가니'에서 '가-'는 어간이고, '-다', '-고', '-니'는 어미이다.

18 모음 'ㅚ' 뒤에 '-어, -었-'이 결합하면 'ㅙ, ㅙㅆ'으로 적는다. 따라서 '되어요'의 준말은 '돼요'이다.

오답 풀이 ① '쐬어'의 준말은 '쐐'이고, '쐬었다'의 준말은 '쐤다'이다.
② '죄어'의 준말은 '좨'이다.
③ '뵈어'의 준말은 '봬'이고, '뵈었는데'의 준말은 '뵀는데'이다.
⑤ '괴어'의 준말은 '괘'이고, '괴었지'의 준말은 '괬지'이다.

19 부정을 나타내는 부사 '아니'의 준말은 '안'이므로 〈보기 2〉의 첫 번째 문장에는 '안'이 들어가야 한다. 부정을 나타내는 보조 용언 '아니하다'의 준말은 '않다'이며 주로 '-지 않다'의 형태로 쓰이므로 〈보기 2〉의 두 번째 문장에는 '않았다'가 들어가야 한다.

20 '가르치다'는 '지식이나 기능, 이치 따위를 깨닫게 하거나 익히게 하다.'라는 뜻이고, '가리키다'는 '손가락 따위로 어떤 방향이나 대상을 집어서 보이거나 말하거나 알리다.'라는 뜻이다. 따라서 '선생님은 시곗바늘을 가리키며 아이들에게 시계 보는 법을 가르치고 계셨다.'라고 고쳐 써야 한다.

오답 풀이 ① '무난(無難)하다'는 '별로 어려움이 없다. 이렇다 할 단점이나 흠잡을 만한 것이 없다.'라는 뜻이고, '문안(問安)하다'는 '웃어른께 안부를 여쭈다.'라는 뜻이다.
② '바래다'는 '볕이나 습기를 받아 색이 변하다.'라는 뜻이고, '바라다'는 '생각이나 바람대로 어떤 일이나 상태가 이루어지거나 그렇게 되었으면 하고 생각하다.'라는 뜻이다. 밑줄 친 '바라'의 경우 '바라다'의 어간 '바라-'에 어미 '-아'가 결합하여 '바라'가 된 것이다.
③ '낫다'는 '병이나 상처 따위가 고쳐져 본래대로 되다.'라는 뜻이고, '낳다'는 '배 속의 아이, 새끼, 알을 몸 밖으로 내놓다.'라는 뜻이다.
⑤ '맞추다'는 '둘 이상의 일정한 대상들을 나란히 놓고 비교하여 살피다.'라는 뜻이고, '맞히다'는 '문제에 대한 답을 틀리지 않게 하다.'라는 뜻이다.

21 오이의 허리를 서너 갈래로 갈라 속에 파, 마늘, 생강, 고춧가루를 섞은 소를 넣어 담근 김치를 '오이소박이'라고 한다. '소박이'는 소를 넣어서 만든 음식을 통틀어 이르는 말이다.

오답 풀이 ① 뒤 체언이 나타내는 대상이 앞 체언에 소유되거나 소속됨을 나타내는 조사는 '의'이므로 '음식의 맛이 좋기로'로 고쳐 써야 한다.

② '육개장'이 올바른 표기이다.

③ '찌개'가 올바른 표기이므로 '순두부찌개'로 고쳐 써야 한다.

⑤ '건드리다'가 올바른 표기이므로 '건드리지도 않는'으로 고쳐 써야 한다.

🐱 **교과서 실전 문제** `78~79쪽`

01 ④	02 ①	03 ②	04 ③	05 ②
06 ④	07 ③	08 ⑤	09 ⑤	10 ⓐ: 어

말 또는 자음 앞 / ⓑ: '을, 이'와 같이 모음으로 시작된 조사와 결합되는 경우
11 ⓝ처럼 적으면 단어의 뜻이 얼른 파악되지 않지만, ⓖ처럼 적으면 단어의 뜻을 쉽게 파악할 수 있기 때문이다.

---

01 받침 'ㅅ'과 'ㅊ'은 어말이나 자음 앞에서 대표음 [ㄷ]으로 바뀌어 발음된다. 따라서 '빗'과 '빛'의 받침은 다르지만 단독으로 발음할 때는 동일하게 [빋]으로 발음된다.

오답 풀이 ①, ⑤ 홑받침이 모음으로 시작된 조사와 결합되는 경우 제 소릿값대로 뒤 음절 첫소리로 옮겨 발음하므로 '빛이'는 [비치]로, '빗이'는 [비시]로 발음된다.

② '되-' 뒤에 '-어'가 결합할 경우에는 '돼'로 적는다.

③ 학생 1이 [비치]라고 발음해야 할 것을 [비시]라고 발음하여 학생 2는 '빗이 많은 곳'이라고 오해하였으므로, 부정확한 발음이 원활한 의사소통을 방해한다고 할 수 있다.

02 '억그제'의 올바른 표기는 '엊그제'이다. 받침 'ㅈ'의 대표음은 [ㄷ]이므로 '엊그제'는 [얻끄제]로 발음해야 한다.

오답 풀이 ② '조타고'의 올바른 표기는 '좋다고'이다. 받침 'ㅎ' 뒤에 'ㄷ'이 결합되는 경우에는 뒤 음절 첫소리와 합쳐서 [ㅌ]으로 발음하므로 '좋다고'는 [조:타고]로 발음해야 한다.

③ '업서'의 올바른 표기는 '없어'이다. '없어'는 '없-'에 모음으로 시작된 어미 '-어'가 결합된 것이므로 'ㅅ'만을 뒤 음절 첫소리로 옮겨 발음한다. 이때 'ㅅ'은 된소리로 발음하므로 [업:써]로 발음해야 한다.

④ '시른'의 올바른 표기는 '싫은'이다. 겹받침 'ㅀ' 뒤에 모음으로 시작된 어미가 결합되는 경우에는 'ㅎ'을 발음하지 않으므로 '싫은'은 [시른]으로 발음해야 한다.

⑤ '받아드릴'의 올바른 표기는 '받아들일'이다. 받침 'ㄷ'과 'ㄹ'은 모음으로 시작된 조사나 어미, 접미사와 결합되는 경우 제 소릿값대로 뒤 음절 첫소리로 옮겨 발음한다. '받-' 다음에 이어지는 '-아'는 어미이고, '들-' 다음에 이어지는 '-일'은 접미사 '-이-'에 어미 '-ㄹ'이 결합된 것이므로 받침 'ㄷ'과 'ㄹ'은 제 소릿값대로 발음되어 '받아들일'은 [바다드릴]로 발음한다.

03 '구슬땀'은 [구슬땀]으로 발음하므로 발음과 표기가 일치하는 단어이다.

오답 풀이 ① '겨울옷'의 받침 'ㄹ' 뒤에 모음 'ㅗ'로 시작하는 실질 형태소 '옷'이 연결되어 'ㄹ'은 뒤 음절 첫소리로 옮겨 발음하고, 'ㅅ'은 어말에서 [ㄷ]으로 발음하므로 [겨우론]으로 발음한다.

③ '꽃다발'의 받침 'ㅊ'은 자음 앞에서 대표음 [ㄷ]으로 발음하므로 [꼳따발]로 발음한다.

④ '물안개'의 받침 'ㄹ' 뒤에 모음 'ㅏ'로 시작하는 실질 형태소 '안개'가 연결되어 'ㄹ'은 뒤 음절 첫소리로 옮겨 발음하므로 [무란개]로 발음한다.

⑤ '흙장난'의 받침 'ㄺ'은 자음 앞에서 [ㄱ]으로 발음하므로 [흑짱난]으로 발음한다.

04 우리말에서 음절의 끝소리로 발음되는 대표음은 'ㄱ, ㄴ, ㄷ, ㄹ, ㅁ, ㅂ, ㅇ'의 7개 자음만이며 받침 'ㄷ, ㅌ, ㅅ, ㅆ, ㅈ, ㅊ, ㅎ'의 대표음은 [ㄷ]이다.

낟	낫	낮	낮	낟개	히읗	낟다
[낟:]	[낟]	[낟]	[낟]	[낟:깨]	[히읃]	[낟따]

오답 풀이 ①, ②, ⑤ 받침 'ㄷ'은 대표음 [ㄷ]으로 발음하기 때문에 제 소릿값으로 발음되고, 받침 'ㅅ, ㅈ, ㅊ, ㅌ, ㅎ, ㅆ'은 제 소릿값이 아닌 대표음 [ㄷ]으로 바뀌어 발음된다. 따라서 제시된 단어들의 받침은 모두 같은 소리로 발음된다.

④ 받침 'ㅌ, ㅆ'은 어말 또는 자음 앞에서 [ㄷ]으로 발음되므로 '낱개'는 [낟:깨]로, '났다'는 [낟따]로 발음한다.

05 겹받침 'ㄶ' 뒤에 모음으로 시작된 어미가 결합되는 경우에는 'ㅎ'을 발음하지 않으므로 [마:느실]로 발음한다.

오답 풀이 ① 용언의 어간 말음 'ㄺ'은 'ㄱ' 앞에서 [ㄹ]로 발음하므로 [말꼬]로 발음한다.

③ 받침 'ㅌ'이 모음으로 시작된 조사와 결합되는 경우 제 소릿값대로 뒤 음절 첫소리로 옮겨 발음하므로 [벼테]로 발음한다.

④ '예, 례' 이외의 'ㅖ'는 [ㅖ]로 발음하는 것이 원칙이지만 [ㅔ]로 발음하는 것도 허용한다. 따라서 [단계로] 또는 [단게

로]로 발음한다.

⑤ '깨끗이'는 형용사 '깨끗하다'의 어간 '깨끗-'에 부사를 만드는 접미사 '-이'가 결합된 것이므로 받침 'ㅅ'이 제 소릿값대로 뒤 음절 첫소리로 옮겨 [깨끄시]로 발음한다.

06 ㉢의 '떡볶이'는 '떡+볶-+-이'로 이루어진 것이므로 원래 형태를 밝혀 '떡볶이'로 표기한다. 또한 '김치찌개'의 '찌개'는 올바른 표기이다. ㉣의 '닫히다(하루의 영업이 끝나다.)'는 동사 '닫다'의 어간 '닫-'에 피동의 뜻을 더하는 접미사 '-히-'가 결합된 것이므로 원래 형태를 밝혀 '닫히기'로 표기한다.

오답 풀이 ㉠ '부치다'는 '편지나 물건 따위를 일정한 수단이나 방법을 써서 상대에게로 보내다.'라는 뜻이고, '붙이다'는 동사 '붙다'의 어간 '붙-'에 사동의 뜻을 더하는 접미사 '-이-'가 결합된 것으로 '맞닿아 떨어지지 않게 하다.'라는 뜻이다. 따라서 '봉투에 우표를 붙여야 편지를 부치지.'로 표기해야 한다.

㉡ '돼'는 '되어'의 준말이므로 '되는'으로 표기해야 한다.

㉤ 부정을 나타내는 부사 '아니'의 준말은 '안'이다. 따라서 '안'으로 표기해야 한다.

지식⁺ 접미사의 기능 ②

접미사 중에는 용언의 어간에 붙어 '피동'과 '사동'의 의미를 더해 주는 접미사가 있다.

• 피동과 사동

	개념	예
피동	• 주어가 남에게 어떤 동작이나 행위를 당하게 되는 것 • 동사의 어간에 피동 접미사를 결합하여 만들 수 있음.	• 쥐가 고양이에게 잡히다. → 동사 '잡다'의 어간 '잡-'에 피동의 뜻을 더하는 접미사 '-히-'가 결합됨. • 피동 접미사에는 '-이-', '-히-', '-리-', '-기-' 등이 있음.
사동	• 주어가 다른 대상에게 어떤 동작이나 행위를 하도록 시키는 것 • 동사(일부 형용사)의 어간에 사동 접미사를 결합하여 만들 수 있음.	• 아버지가 아이에게 밥을 먹이다. → 동사 '먹다'의 어간 '먹-'에 사동의 뜻을 더하는 접미사 '-이-'가 결합됨. • 사동 접미사에는 '-이-', '-히-', '-리-', '-기-', '-우-', '-구-', '-추-' 등이 있음.

07 〈보기 1〉에 따르면 '민주주의의 의의'는 다음과 같이 8가지로 발음할 수 있다.

보기 1

• 'ㅢ'는 이중 모음이므로 [ㅢ]로 발음하는 것이 원칙이다.
→ [민주주의의 의ː의]
①

• 단어의 첫음절 이외의 '의'는 [ㅢ]로 발음하는 것이 원칙이지만 [ㅣ]로 발음함도 허용한다. → [민주주이/민주주이], [의ː의/의ː이]
→ [민주주의의 의ː의], [민주주의의 의ː이], [민주주이의 의ː이]
②

• 조사 '의'는 [ㅢ]로 발음하는 것이 원칙이지만 [ㅔ]로 발음함도 허용한다.
→ [민주주의에 의ː의], [민주주이에 의ː의], [민주주의에 의ː이], [민주주이에 의ː이]
④ ⑤

그러나 '민주주의의'의 두 번째 '의'는 조사이기 때문에 [ㅢ] 또는 [ㅔ]로만 발음할 수 있으므로 [민주주의이 의ː의]는 올바르지 않은 발음이다.

08 받침 'ㅆ'은 어말 또는 자음 앞에서 대표음 [ㄷ]으로 바뀌어 발음하므로 '재미있다'는 [재미읻따]로 발음한다.

오답 풀이 ①, ④ 겹받침이 모음으로 시작된 조사와 결합되는 경우 뒤엣것만을 뒤 음절 첫소리로 옮겨 발음한다. 따라서 '칡으로'는 '칡'에 모음으로 시작된 조사 '으로'가 결합된 것이므로 'ㄱ'만을 뒤 음절 첫소리로 옮겨 [칠그로]로 발음한다. '여덟이다' 또한 '여덟'에 모음으로 시작된 조사 '이다'가 결합된 것이므로 'ㅂ'만을 뒤 음절 첫소리로 옮겨 [여덜비다]로 발음한다.

②, ③ 'ㅎ(ㄶ)' 뒤에 'ㄱ, ㄷ'이 결합되는 경우에는 뒤 음절 첫소리와 합쳐서 [ㅋ, ㅌ]으로 발음하므로 '괜찮다'는 [괜찬타]로, '사이좋게'는 [사이조케]로 발음한다.

09 '좋아요'는 형용사 '좋다'의 어간 '좋-'에 어미 '-아요'가 결합된 것이므로 'ㅎ'을 발음하지 않는다. 따라서 [조아요]라고 발음한다.

오답 풀이 ① 받침 'ㅎ' 뒤에 'ㅅ'이 결합되는 경우에는 'ㅅ'을 [ㅆ]으로 발음하므로 [다ː쏘]라고 발음한다.

②, ④ 받침 'ㅎ' 뒤에 'ㄷ, ㅈ'이 결합되는 경우에는 뒤 음절 첫소리와 합쳐서 [ㅌ, ㅊ]으로 발음한다. 따라서 '하얗다'는 [하ː야타]로, '그렇죠'는 [그러쵸]로 발음한다.

③ 받침 'ㅎ' 뒤에 'ㄴ'이 결합되는 경우에는 [ㄴ]으로 발음하므로 [논는다]라고 발음한다.

10 겹받침 'ㄼ'은 ㉠과 같이 어말 또는 자음 앞에서 [ㅂ]으로 발음한다. 그런데 ㉡과 같이 모음으로 시작된 조사와 결합되는 경우에는 뒤엣것 'ㅅ'만을 뒤 음절 첫소리로 옮겨 발음한다. 이 경우 'ㅅ'은 된소리로 발음한다.

평가 기준

평가 요소	확인
ⓐ에는 ㉠을 통해 알 수 있는 겹받침 'ㄼ'의 발음 조건을 서술하였다.	
ⓑ에는 ㉡을 통해 알 수 있는 겹받침 'ㄼ'의 발음 조건을 서술하였다.	
ⓑ의 경우 ㉡의 예를 활용하여 구체적인 단어의 품사를 밝혔다.	

겹받침 뒤에 모음으로 시작되는 실질 형태소가 연결되는 경우에는 그중 하나만을 옮겨 발음한다.
예 값있다[가빈따], 넋 없다[너겁따], 닭 앞에[다가페]

11 '넓다'의 활용형을 ❶와 같이 소리 나는 대로 적으면 여러 형태로 표기되어 단어의 뜻을 한눈에 파악하기 어려울 수 있다. 그러나 ❷처럼 어간과 어미를 구별하여 적으면 단어가 지닌 뜻을 쉽게 파악할 수 있다.

평가 기준

평가 요소	확인
❷와 ❶를 비교하여 ❷처럼 적는 이유를 서술하였다.	
주어진 문장 형식에 맞추어 서술하였다.	

VI | 한글의 창제 원리

13 자음자의 제자 원리 83쪽

1 (1) ○ (2) X (3) ○
2 (1) 상형 (2) 발음 기관 (3) 획
3 (1) ㉠ (2) ㉣ (3) ㉤ (4) ㉢ (5) ㉡
4 (1) ㄷ, ㅌ (2) ㅂ, ㅍ (3) ㆆ, ㅎ
5 가획자: ㅈ, ㅋ, ㅊ / 이체자: ㆁ, ㄹ / 병서자: ㅉ, ㅾ
6 ㆁ, ㅿ

14 모음자의 제자 원리 85쪽

1 (1) ○ (2) X (3) X
2 (1) 합성 (2) 사람 (3) 초출자
3 (1) ㉢ (2) ㉡ (3) ㉠
4 (1) 초 (2) 재
5 (1) ㅓ (2) ㅜ (3) ㅛ (4) ㅠ
6 하늘

15 한글의 특성 87쪽

1 (1) X (2) ○ (3) ○
2 (1) 뜻, 말소리 (2) 하나 (3) 음절
3 (1) ㉡ (2) ㉢ (3) ㉠
4 갈수록 태산
5 (1) ○ (2) ○ (3) X

개념 적용 훈련 문제 89~91쪽

01 ① 02 ⑤ 03 ③ 04 ㉠: 세짐 / ㉡: 획
05 ②, ④ 06 ① 07 ① 08 ⑤ 09 ③
10 기본자: ·, ㅡ, ㅣ / 초출자: ㅏ, ㅓ, ㅗ, ㅜ / 재출자: ㅑ, ㅕ, ㅛ, ㅠ
11 ① 12 자음자: ㆆ, ㆁ, ㅿ / 모음자: · 13 ④
14 ④ 15 ⑤ 16 ④ 17 ⑤ 18 한글을 입력하는 방식이 더 쉽고 간편하다. / 한자를 입력할 때에 비해 입력 속도가 빠를 것이다. 19 ③

01 우리나라 말이 중국과 달라 한자로는 서로 통하지 않고, 백성들도 글자를 읽고 쓰는 데에 어려움이 많았으므로 한글을 만든 것이지, 한자 자체를 없애기 위해서 만든 것은 아니다.
오답 풀이 ②, ④ 세종은 글자를 몰라 말하고자 하는 바가 있어도 자신의 생각을 제대로 표현하지 못하는 백성들을 불쌍히 여겨 훈민정음을 창제하였다. 이는 애민 정신과 관련이 있다.

③ 세종은 새 글자를 모든 사람이 쉽게 익혀서 편리하게 쓸 것을 바라고 있다. 이는 실용 정신과 관련이 있다.

⑤ 우리말은 중국과 달라 한자로 제대로 표현할 수 없기 때문에 훈민정음을 창제한 것이다. 이는 자주정신과 관련이 있다.

지식+ 《훈민정음》 서문에 담긴 훈민정음의 창제 정신

훈민정음의 창제 취지는 《훈민정음》의 서문을 통해 알 수 있다. 이 글을 현대어로 풀이하면 다음과 같다.

우리나라 말이 중국과 달라 한자와 서로 통하지 아니하여서, 이런 까닭으로 어리석은 백성이 말하고자 하는 바가 있어도 끝내 제 뜻을 펴지 못하는 사람이 많다. 내가 이것을 가엾게 생각하여 새로 스물여덟 글자를 만드니, 모든 사람으로 하여금 쉽게 익혀서 날마다 쓰는 데 편하게 하고자 할 따름이다.

02 이체자는 'ㆁ(옛이응)', 'ㄹ', 'ㅿ(반치음)'을 가리킨다. 이 세 글자는 소리의 성질이 더 세지 않음에도 자음자의 기본자에 획을 더하여 만들었으므로 따로 '이체자'라 부른다.

오답 풀이 ①, ② 자음자의 기본자의 제자 원리는 상형(象形)으로, 발음 기관의 모양을 본떠 만들었다. 자음자의 기본자에는 'ㄱ, ㄴ, ㅁ, ㅅ, ㅇ'가 있다.

③, ④ 'ㄱ'은 혀뿌리가 목구멍을 막는 모양을, 'ㅁ'은 입의 모양을, 'ㅅ'은 이의 모양을 본떴다. 이외에 'ㄴ'은 혀끝이 윗잇몸에 붙는 모양을, 'ㅇ'은 목구멍의 모양을 본떠 만들었다.

03 자음자의 기본자 'ㄱ, ㄴ, ㅁ, ㅅ, ㅇ'은 발음 기관의 모양을 본떠 만든 글자인데, 코는 자음자의 제자 원리와 관련이 없다.

오답 풀이 ① 입과 관련 있는 글자는 'ㅁ'이다.

② 이와 관련 있는 글자는 'ㅅ'이다.

④ 혀와 관련 있는 글자는 'ㄱ'과 'ㄴ'이다. 'ㄱ'은 혀뿌리가 목구멍을 막는 모양을, 'ㄴ'은 혀끝이 윗잇몸에 붙는 모양을 본떴다.

⑤ 목구멍과 관련 있는 글자는 'ㅇ'이다.

04 소리가 세짐에 따라 자음자의 기본자에 획을 더하여 가획자를 만들었다.

05 자음자의 기본자에 획을 더하여 만든 가획자는 그 기본자와 소리 나는 위치가 같다. 'ㄷ'은 기본자 'ㄴ'에 획을 더하여 만들어진 글자이고, 'ㅂ'은 기본자 'ㅁ'에 획을 더하여 만들어진 글자이므로 서로 소리 나는 위치가 같다.

오답 풀이 ① 'ㄱ'과 'ㄴ'은 둘 다 기본자이며 소리 나는 위치가 다르다.

③ 'ㅁ'과 소리 나는 위치가 같은 글자는 'ㅂ'과 'ㅍ'이다.

⑤ 'ㅂ'과 소리 나는 위치가 같은 글자는 'ㅁ'과 'ㅍ'이고, 'ㅅ'과 소리 나는 위치가 같은 글자는 'ㅈ'과 'ㅊ'이다.

06 'ㅁ'은 발음 기관(입)의 모양을 본떠 만든 글자이고, 나머지는 발음 기관의 모양을 본뜬 글자에 획을 더해 만든 글자이다.

오답 풀이 ②, ③ 기본자 'ㄴ'에 획을 더해 만든 글자이다.

④ 기본자 'ㅅ'에 획을 더해 만든 글자이다.

⑤ 기본자 'ㅇ'에 획을 더해 만든 글자이다.

07 〈보기〉의 글자들은 더 많은 소리를 표현하기 위해 이미 만든 자음자를 가로로 나란히 쓰거나 세로로 이어 써서 만든 글자들이다. 다만 훈민정음 28자에 속하는 글자는 아니다. 훈민정음 28자에 속하는 글자는 다음과 같다.

- 자음 17자: ㄱ, ㄴ, ㅁ, ㅅ, ㅇ, ㅋ, ㄷ, ㅌ, ㅂ, ㅍ, ㅈ, ㅊ, ㆆ, ㅎ, ㆁ, ㄹ, ㅿ
- 모음 11자: ㆍ, ㅡ, ㅣ, ㅗ, ㅏ, ㅜ, ㅓ, ㅛ, ㅑ, ㅠ, ㅕ

오답 풀이 ② 'ㅱ, ㅸ, ㅹ, ㆄ'과 같이 자음자를 세로로 이어 쓴 방법을 '연서'라고 한다.

③ 'ㄲ, ㄸ, ㅃ, ㅆ, ㅼ, ㅄ, ㅴ'과 같이 둘 이상의 같거나 다른 자음자를 가로로 나란히 쓴 방법을 '병서'라고 한다.

08 가획된 자음자는 기본자보다 소리의 성질이 더 세며, 소리 나는 위치가 기본자와 같다.

오답 풀이 ① 가획자는 소리가 세짐에 따라 기본자에 획을 더하여 만든 것이므로 가획된 자음자는 그 기본자보다 소리가 세다.

②, ③ 모양을 본떠서 글자를 만든 원리는 '합성'이 아니라 '상형'이다. '합성'은 모음자의 제자 원리로, 기본자를 합하여 초출자와 재출자를 만든 원리이다.

④ 'ㆆ'은 가획자이다. 이체자는 'ㆁ, ㄹ, ㅿ'이다.

09 모음자의 기본자는 'ㆍ, ㅡ, ㅣ'로 'ㆍ'는 하늘의 둥근 모양을, 'ㅡ'는 땅의 평평한 모양을, 'ㅣ'는 사람이 서 있는 모양을 본떠 만들었다.

10 'ㆍ, ㅡ, ㅣ'는 하늘, 땅, 사람의 모양을 본떠 만든 기본자이다. 'ㅗ, ㅏ, ㅜ, ㅓ'는 기본자인 'ㅡ'와 'ㅣ'에 'ㆍ'를 한 번 합하여 만든 초출자이고, 'ㅛ, ㅑ, ㅠ, ㅕ'는 'ㅗ, ㅏ, ㅜ, ㅓ'에 'ㆍ'를 한 번 더 합하여 만든 재출자이다. 초출자와 재출자는 합성의 원리로 만들어졌다.

11 'ㅛ'는 초출자 'ㅗ'에 'ㆍ'가 한 번 더 합하여 만들어진 재출자이다.

오답 풀이 ② ㅏ+ㆍ→ㅑ / ㅏ+ㅣ→ㅐ

③, ④ ㆍ+ㅡ→ㅗ / ㅡ+ㆍ→ㅜ

⑤ ㆍ+ㅣ→ㅓ / ㅓ+ㆍ→ㅕ

12 훈민정음 창제 당시 자음자는 17자, 모음자는 11자로 총 28자이지만, 현재는 자음자 14자, 모음자 10자로 총 24자이다. 현재 쓰이지 않는 자음자는 'ㆆ(여린히읗)', 'ㆁ(옛이응)', 'ㅿ(반치음)'이고, 모음자는 'ㆍ(아래아)'이다.

13 더 많은 소리를 표현하기 위해 병서와 연서 등의 방법으로 글자를 더 만들었지만, 현대에 와서 새로 만든 것은 아니다.
오답 풀이 ①, ②, ③ 자음자와 모음자의 기본자는 모두 상형의 원리로 만들었다는 공통점이 있다. 그러나 본뜬 대상은 서로 다르다. 자음자의 기본자는 발음 기관의 모양을 본떠 만들었고, 모음자의 기본자는 하늘, 땅, 사람을 본떠 만들었다.
⑤ 훈민정음의 글자 수는 자음자 17자, 모음자 11자로 총 28자이다.

14 〈보기〉에서는 한글이 한자와 달리 소리를 나타내는 문자이므로, 적은 수의 글자들을 다양하게 조합해서 많은 소리를 나타낼 수 있음을 설명하고 있다. ①, ②, ③, ⑤는 〈보기〉의 설명과 관련이 없다.
오답 풀이 ① 한글은 기존에 있던 글자를 바꿔서 만든 게 아닌 새롭게 만든 글자이다.
② 창제 당시 한글의 자음자는 17자, 모음자는 11자(현재는 자음자 14자, 모음자 10자)로 차이가 있지만, 영어 알파벳(자음자 21개, 모음자 5개, 총 26개)에 비하면 그 차이가 크지 않다.
③ 한글은 세종 대왕이 1443년에 만들고, 1446년에 반포한 글자이다.
⑤ 한글의 자음자는 가획의 원리에 따라 만들어졌기 때문에 소리 나는 위치가 같은 글자들의 모양이 서로 비슷하다. 따라서 글자의 모양을 보고 글자들의 소리 나는 위치나 세기 등을 파악할 수 있다.

지식⁺ 문자의 유형

구분		개념	예
상형 문자		물건의 모양을 본떠 글자를 만들어 글자의 모양에서 원형과의 관련이 조금이라도 보이는 문자	이집트 문자
표의 문자		하나하나의 글자가 언어의 음과 상관없이 일정한 뜻을 나타내는 문자	중국의 한자
표음 문자	음절 문자	한 글자가 한 음절을 나타내는 문자	일본의 가나
	음소 문자	음소 단위의 음을 표기하는 문자	한글, 로마자

15 글자의 모양을 통해 글자들의 관계를 짐작할 수 있는 것은 한글의 특징이다.
오답 풀이 ②, ③ 'ㄷ'과 'ㅌ'은 기본자 'ㄴ'에 획을 더하여 만든 글자이므로 모양이 비슷하다.

16 ⓛ은 모음자를 자음자의 오른쪽 또는 아래쪽에 붙여 모아쓰는 방식이다.
오답 풀이 ①, ③ 'ㅎㅏ ㄱㄱㅛ'와 같이 초성, 중성, 종성의 차례대로 늘어놓아 쓰는 방식을 '풀어쓰기'라고 한다.
② '학교'와 같이 한글 자모를 가로세로로 묶어서 쓰는 방식을 '모아쓰기'라고 한다.
⑤ 모아쓰기는 풀어쓰기에 비해 의미 파악이 용이하다.

17 한글 'ㅏ'는 항상 [아]로 소리 나는데, 영어 알파벳 'a'는 [애], [에이], [아]와 같이 여러 가지로 소리 난다.
오답 풀이 ① 글자 하나하나가 의미를 가지고 있는 것은 중국의 한자와 같은 표의 문자이다.
② 제시된 내용으로는 발음의 특성을 고려하여 글자를 만들었음을 알 수 없다.
③ 한글은 영어 알파벳에 비해 모음자의 숫자가 더 많지만, 제시된 내용으로는 알 수 없다.
④ 한글은 초성과 중성으로 글자가 이루어지기도 하지만, '침'처럼 자음자를 초성으로, 모음자를 중성으로, 자음자를 종성으로 하여 글자를 만들기도 한다.

18 중국어는 컴퓨터에 한자를 입력할 때, 로마자를 이용해 소리로 글자를 찾고 그 후에 알맞은 뜻을 찾는 방법으로 몇 번의 절차를 거쳐야만 글자를 입력할 수 있지만, 한글은 소리글자여서 발음 자체가 표기로 변한다. 따라서 한글은 한자를 입력할 때보다 입력 속도가 더 빠르고 간편하다.

19 한글은 만든 사람과 창제 시기가 알려져 있지만, 이것이 정보화 시대에 두드러지는 우수성이라고 보기는 어렵다.
오답 풀이 ① 중국의 한자와 비교하면 알 수 있는 특성이다.
② 가획, 합성 등의 창제 원리를 활용해 입력한다.
④ 풀어쓰기 방식에 비해 모아쓰기 방식이 의미 파악에 더 용이하며 정보를 전달하는 데에도 실용적이다.
⑤ 한글은 문자와 소리가 대체로 대응된다.

교과서 실전 문제 92~93쪽

01 ③	02 ③	03 ①	04 ③	05 ③

06 ⑤　　**07** ③　　**08** 자음자의 기본자 'ㄱ, ㄴ, ㅁ, ㅅ, ㅇ'과 모음자의 기본자 'ㆍ, ㅡ, ㅣ'는 모두 상형의 원리로 만들어졌다. 그러나 자음자의 기본자는 발음 기관의 모양을 본떠 만들었고, 모음자의 기본자는 각각 하늘, 땅, 사람을 본떠 만들었다는 점에서 차이가 있다. **09** ⓐ는 모음자를 입력할 때 합성의 원리를, ⓑ는 자음자를 입력할 때 가획의 원리를 적용하였다.

01 〈보기〉는 《훈민정음》 서문을 현대어로 풀이한 것으로, 세종 대왕이 훈민정음을 창제한 취지를 직접 밝히고 있는 글이다. 이 글에서 세종 대왕은 백성들이 한자를 몰라 제 뜻을 펴지 못하는 것을 안타까워하고 있지 분노하고 있지는 않다.

오답 풀이 ② '내가 이것을 가엾게 생각하여 새로 스물여덟 글자를 만드니'에서 알 수 있다.

④ '모든 사람으로 하여금 날마다 쓰는 데 편하게 하고자 할 따름이다.'에서 알 수 있다.

⑤ '우리나라 말이 중국과 달라 한자와 서로 통하지 아니하여서'에서 알 수 있다.

02 이체자 'ㅿ'은 소리의 성질이 더 세지 않은데도 자음자의 기본자에 획을 더하여 만든 글자라고 하였으므로 ③은 잘못된 내용이다.

오답 풀이 ①, ② 기본자에 획을 더하여 소리가 더 세게 나는 가획자를 만들었다고 하였는데, 'ㅋ'은 기본자 'ㄱ'에 가획을 한 것이고, 'ㄷ, ㅌ'은 기본자 'ㄴ'에 가획을 한 것이다.

④ 기본자에 획을 더하여 소리가 더 세게 나는 가획자를 만들었다고 하였으므로 가획자 'ㅎ'은 기본자 'ㅇ'보다 소리가 더 세게 난다.

⑤ '훈민정음의 자음자는 발음 기관을 상형하여 기본자 'ㄱ, ㄴ, ㅁ, ㅅ, ㅇ'를 만들고'에서 알 수 있다.

03 'ㄲ'은 'ㄱ, ㅋ'에 획을 더해 만든 글자가 아니라 'ㄱ'을 가로로 나란히 붙여 쓴 글자이다.

오답 풀이 ②, ③, ④, ⑤ 소리가 세짐에 따라 자음자의 기본자에 획을 더하여 글자를 만들었다. 기본자에서 획이 추가되는 과정은 다음과 같다.

기본자	획을 더하여 만든 글자(가획자)	
ㄱ	ㅋ	
ㄴ	ㄷ	ㅌ
ㅁ	ㅂ	ㅍ
ㅅ	ㅈ	ㅊ
ㅇ	ㅎ	ㅎ

04 ㉠에 해당하는 글자는 'ㆍ, ㅡ, ㅣ'이고, ㉡은 'ㅗ, ㅏ, ㅜ, ㅓ'이고, ㉢은 'ㅛ, ㅑ, ㅠ, ㅕ'이다. 'ㅒ'는 훈민정음 모음자 11자에 속하지 않는 글자로, 합용에 의한 글자이다.

05 자음자는 소리가 세짐에 따라 기본자에 획을 추가했다. 그러므로 'ㅁ-ㅂ-ㅍ' 순서로 소리의 세기가 강하다.

오답 풀이 ① 자음자의 기본자는 발음 기관의 모양을 본떠 만들었다.

② 모음자의 기본자는 'ㆍ, ㅡ, ㅣ'로 각각 하늘의 둥근 모양, 땅의 평평한 모양, 사람이 서 있는 모양을 본떠 만들었다.

④ 둘 이상의 같거나 다른 자음자를 가로로 나란히 써서 더 많은 소리를 표현했는데, 이를 '병서'라고 한다.

⑤ 휴대 전화 자판 중에는 기본자 'ㆍ, ㅡ, ㅣ'만으로 모든 모음자를 입력할 수 있는 자판이 있는데, 이는 모음자의 기본자를 합성해 나머지 모음을 표기할 수 있는 제자 원리를 반영한 자판이다.

06 한글은 첫소리, 가운뎃소리, 끝소리를 차례대로 늘어놓아 쓰지 않고, 가로세로로 묶어서 음절 단위로 모아쓴다.

오답 풀이 ① 한글 자음자는 발음 기관의 모양을 본떠 만들었지만 〈보기〉의 내용과는 관련이 없다.

② 한글의 'ㄱ, ㅋ', 'ㄴ, ㄷ, ㅌ' 등 기본자와 그 기본자에 획을 더한 글자들은 같은 위치에서 소리가 나지만 〈보기〉의 내용과는 관련이 없다.

③ 한글은 창제 당시부터 글자들을 음절 단위로 모아썼다.

④ 글자를 풀어쓰는 것은 한글이 아니라 영어, 프랑스어, 이탈리아어 알파벳이다.

07 한글 'ㅏ'는 [아]로만 소리 나지만, 영어 'a'는 [에이], [애] 등 여러 소리가 난다는 점을 고려하면 ㉢에는 글자와 소리가 거의 일대일로 대응된다는 내용이 들어가야 한다.

오답 풀이 ① 한자는 뜻글자, 한글은 소리글자이다.

② 한자는 의미의 수만큼 글자가 필요하지만, 한글은 적은 수의 글자를 조합해 수많은 음절을 표현할 수 있다.

④ 한글은 'ㄴ, ㄷ, ㅌ'과 같이 모양이 비슷하면 소리 나는 위치도 동일하지만, 영어 알파벳은 'n, d, t'에서 알 수 있듯이 그러한 특성이 없다.

⑤ 한글은 글자의 모양과 소리의 성질이 관련이 있어 체계적으로 익히기 쉽다.

08 자음자와 모음자의 기본자는 둘 다 상형의 원리로 만들어졌지만, 본뜬 대상이 다르다.

평가 기준

평가 요소	확인
자음자와 모음자의 기본자가 상형이라는 공통 원리에 의해 창제되었다는 점을 서술하였다.	
자음자의 기본자와 모음자의 기본자가 각각 본뜬 대상을 제시해 차이점을 서술하였다.	
자음자의 기본자와 모음자의 기본자가 무엇인지 구체적으로 밝혔다.	

09 ㉮의 '파도'에서 모음자 'ㅏ'와 'ㅗ'는 각각 모음자의 기본자 'ㅣ'와 'ㆍ', 'ㆍ'와 'ㅡ'를 합쳐서 만든 글자이다. 즉, 합성의 원리가 적용되었다. ㉯의 '바다'에서 자음자 'ㅂ'과 'ㄷ'은 각각

자음자의 기본자 'ㅁ'과 'ㄴ'에 획을 더해 만든 글자이다. 즉, 가획의 원리가 적용되었다.

평가 기준

평가 요소	확인
㉮에 적용된 창제 원리가 합성의 원리임을 밝혔다.	
㉯에 적용된 창제 원리가 가획의 원리임을 밝혔다.	

VII | 음운의 체계와 특성

16 음운의 개념 97쪽

1 (1) 소리 (2) 모음 (3) 자음 (4) 음운
2 빠진 모음의 개수: 3개 / 빠진 모음: ㅑ, ㅗ, ㅢ
3 빠진 자음의 개수: 4개 / 빠진 자음: ㄲ, ㄹ, ㅊ, ㅎ
4 (1) 자음 'ㅂ'과 'ㅍ' (2) 모음 'ㅗ'와 'ㅏ' (3) 자음 'ㅅ'과 'ㅎ'
5 (1) ㅅ + ㅗ + ㅁ (2) ㄷ + ㅏ + ㄹ
   (3) ㄱ + ㅓ + ㄴ + ㅁ + ㅜ + ㄹ (4) ㄷ + ㅗ + ㅌ + ㅗ + ㄹ + ㅣ
6 (1) ㉠ (2) ㉡ (3) ㉠

17 우리말의 모음 체계 100~101쪽

1 (1) ○ (2) ✕ (3) ✕
2 (1) 단모음 (2) 10
3 (1) 단 (2) 이 (3) 단 (4) 이 (5) 이 (6) 단
4 (1) 단모음 (2) 전설, 후설 (3) 고모음 (4) 평순
5 (1) ✕ (2) ○
6 (1) ㅣ, ㅔ, ㅐ, ㅟ, ㅚ (2) ㅡ, ㅓ, ㅏ, ㅜ, ㅗ
7 (1) 낮아진다 (2) 작게
8 (1) ㉠ (2) ㉢ (3) ㉡
9 (1) 원순 (2) 평순
10 (1) ㅟ, ㅚ, ㅜ, ㅗ (2) ㅣ, ㅔ, ㅐ, ㅡ, ㅓ, ㅏ
11 (1) ㉢, ㉤, ㉦ (2) ㉨ (3) ㉡, ㉤, ㉦ (4) ㉡, ㉣, ㉦ (5) ㉡, ㉤, ㉥
    (6) ㉨ (7) ㉠, ㉣, ㉥ (8) ㉠, ㉤, ㉦ (9) ㉨ (10) ㉠, ㉣, ㉦
12 (1) ㅐ (2) ㅚ (3) ㅜ (4) ㅡ

18 우리말의 자음 체계 104~105쪽

1 (1) ○ (2) ✕ (3) ○
2 (1) ㉣ (2) ㉡ (3) ㉠ (4) ㉡ (5) ㉢ (6) ㉠
3 (1) ㄴ, ㄷ, ㄸ, ㄹ, ㅅ, ㅆ, ㅌ (2) ㄱ, ㄲ, ㅇ, ㅋ (3) ㅎ
4 (1) 비음 (2) 파열음 (3) 마찰 (4) 유음 (5) 파찰음
5 (1) ㉡ (2) ㉢ (3) ㉠
6 (1) ㅁ, ㄴ, ㅇ (2) ㄹ
7 (1) ○ (2) ✕ (3) ○
8 (1) ㄱ, ㄷ, ㅂ, ㅅ, ㅈ (2) ㄲ, ㄸ, ㅃ, ㅆ, ㅉ (3) ㅋ, ㅌ, ㅍ, ㅊ
9 (1) ㉠ (2) ㉢ (3) ㉡
10 (1) ㄹ (2) ㅂ, ㅃ, ㅍ (3) ㅎ (4) ㄸ, ㅆ (5) ㅍ, ㅌ, ㅋ (6) ㅇ
    (7) ㅈ, ㅉ, ㅊ
11 (1) ㄱ (2) ㅁ (3) ㅆ

01 ⑤	02 ⑤	03 ⑤	04 ②	05 ③
06 ④	07 ②	08 ②	09 ③	10 혀의 높
낮이	11 ④	12 ②	13 ②	14 ②
15 ②	16 ③	17 입술 모양 / 입술이 둥글게 오므라지는		
지 여부	18 ③	19 ⑤	20 ④	21 ③
22 ④	23 ④	24 ⑤	25 ③	26 ③
27 ②	28 ③	29 ④	30 ③	31 ①
32 ④	33 ⑤	34 ⑤	35 ③	36 담
37 ⑤				

01 음운은 서로 결합하여 음절을 이루는데 '아', '어', '오' 등 모음 하나로도 음절을 이룰 수 있다.

오답 풀이 ① 음절은 '모음(아)', '모음+자음(악)', '자음+모음(가)', '자음+모음+자음(각)' 등과 같이 음운이 모여 이루어진다.

② 언어마다 말소리를 이루는 자음과 모음이 다르므로, 언어에 따라 서로 다른 음운 체계를 지닌다.

③ 음운은 말의 뜻을 구별해 주는 소리의 가장 작은 단위로, 더 이상 쪼갤 수 없다.

④ 우리말 음운에는 모음, 자음, 소리의 길이가 있다. 소리의 길이가 길고 짧음에 따라 단어의 뜻이 구별되는 경우가 있는데, 이 점에서 소리의 길이는 음운의 역할을 한다.

> **지식+** 음향, 음성, 음운
>
> ① 음향(音響): 바람 소리, 물 흐르는 소리, 자동차의 경적 소리 등 사람의 발음 기관에서 나오는 음성 이외의 자연계의 모든 소리.
>
> ② 음성(音聲): 웃음소리, 울음소리, 재채기, 기침 등을 제외하고 사람이 발음 기관을 통하여 내는 구체적인 소리로, 발음하는 사람이나 발음하는 때에 따라 다르게 나는 구체적인 소리.
>
> ③ 음운(音韻): 말의 뜻을 구성하여 주는 소리의 최소 단위를 말한다. 즉, 말을 사용하는 사람들의 머릿속에 기억되어 동일한 소릿값을 가졌다고 인정되는 추상적, 관념적인 소리. 이 음운을 공통된 약속으로 받아들일 경우에야 비로소 사람들 사이에 말이 통하게 된다.

02 ①~④는 '자음+모음'이 결합하여 음절을 이루지만, ⑤의 '아'는 모음 'ㅏ'만으로 음절을 이루고 있다. 'ㅇ'은 받침(종성)으로 쓰일 때만 소리가 난다.

오답 풀이 ① 가 → ㄱ+ㅏ

② 다 → ㄷ+ㅏ

③ 라 → ㄹ+ㅏ

④ 바 → ㅂ+ㅏ

03 '다리'와 '도리'의 뜻을 구별해 주는 음운은 모음 'ㅏ'와 'ㅗ'이다.

오답 풀이 ① '발'과 '벌'은 모음 'ㅏ'와 'ㅓ'에 의해 말의 뜻이 구별된다.

② '불'과 '물'은 자음 'ㅂ'과 'ㅁ'에 의해 말의 뜻이 구별된다.

③ '손'과 '산'은 모음 'ㅗ'와 'ㅏ'에 의해 말의 뜻이 구별된다.

④ '감'과 '강'은 자음 'ㅁ'과 'ㅇ'에 의해 말의 뜻이 구별된다.

> **지식+** 음운과 최소 대립쌍
>
> 어떤 소리가 음운인지 아닌지를 알기 위해서는 최소 대립쌍을 찾아보는 것이 편리하다. 최소 대립쌍이란 하나의 음운만 차이 남으로써 그 뜻이 구별되는 단어 묶음이다. '물:불', '서리:허리', '마음:마을' 등은 모두 최소 대립쌍의 예이다. 최소 대립쌍에서 구분되는 두 개의 소리는 모두 별개의 음운이 된다.
>
> – 이진호, 《국어 음운론 강의》

04 '과'는 자음 'ㄱ'과 모음 'ㅘ', '제'는 자음 'ㅈ'과 모음 'ㅔ'로 구성되었다.

오답 풀이 ① 땅 → ㄸ, ㅏ, ㅇ

③ 헤엄 → ㅎ, ㅔ, ㅓ, ㅁ

④ 튀김 → ㅌ, ㅟ, ㄱ, ㅣ, ㅁ

⑤ 살짝 → ㅅ, ㅏ, ㄹ, ㅉ, ㅏ, ㄱ

05 〈보기〉는 '자음'에 대한 설명이다. ③ '아기'는 'ㅏ, ㄱ, ㅣ'의 세 음운이 쓰였으며 이 중 자음은 'ㄱ' 1개이다. ① 2개, ② 3개, ④ 2개, ⑤ 3개의 자음이 쓰였다.

오답 풀이 ① 사자 → ㅅ, ㅏ, ㅈ, ㅏ ┌자음

② 새장 → ㅅ, ㅐ, ㅈ, ㅏ, ㅇ

④ 이슬 → ㅣ, ㅅ, ㅡ, ㄹ

⑤ 하늘 → ㅎ, ㅏ, ㄴ, ㅡ, ㄹ

> **지식+** 첫소리의 'ㅇ'과 끝소리의 'ㅇ'
>
> 끝소리에 오는 'ㅇ'은 소릿값을 가지지만, 모음 앞의 'ㅇ', 즉 첫소리에 오는 'ㅇ'은 소릿값이 없다. 따라서 첫소리의 'ㅇ'은 음운의 개수에 포함되지 않는다.
>
> 예 • 땅[땅] → ㄸ+ㅏ+ㅇ (음운 개수 3개)
>
> • 헤엄[헤엄] → ㅎ+ㅔ+ㅓ+ㅁ (음운 개수 4개)

06 〈보기〉의 단어에는 'ㄷ, ㅁ, ㅈ, ㅇ' 4개의 자음이 쓰였다. ①~⑤ 중 자음이 4개 쓰인 단어는 ④ '다람쥐(ㄷ, ㄹ, ㅁ, ㅈ)'이다. ① 2개, ② 3개, ③ 2개, ⑤ 3개의 자음이 쓰였다.

오답 풀이 ① 마루 → ㅁ, ㅏ, ㄹ, ㅜ ┌자음

② 온실 → ㅗ, ㄴ, ㅅ, ㅣ, ㄹ

③ 자음 → ㅈ, ㅏ, ㅡ, ㅁ

⑤ 호랑이 → ㅎ, ㅗ, ㄹ, ㅏ, ㅇ, ㅣ

07 우리말 모음에는 단모음이 10개, 이중 모음이 11개 있다.

오답 풀이 ① 우리말 모음은 'ㅏ, ㅐ, ㅑ, ㅒ, ㅓ, ㅔ, ㅕ, ㅖ, ㅗ, ㅘ, ㅙ, ㅚ, ㅛ, ㅜ, ㅝ, ㅞ, ㅟ, ㅠ, ㅡ, ㅢ, ㅣ'로, 총 21개이다.
③ 모음을 발음할 때에는 허파에서 만들어진 공기가 입 밖으로 나오는 동안 어디에서도 장애를 받지 않는다.
④ 이중 모음은 발음하는 도중에 입술 모양이나 혀의 위치가 변하는 모음으로, 'ㅑ, ㅒ, ㅕ, ㅖ, ㅘ, ㅙ, ㅛ, ㅝ, ㅞ, ㅠ, ㅢ'가 해당된다.
⑤ 단모음은 발음하는 도중에 입술 모양이나 혀의 위치가 변하지 않는 모음으로, 'ㅏ, ㅐ, ㅓ, ㅔ, ㅗ, ㅚ, ㅜ, ㅟ, ㅡ, ㅣ'가 해당된다.

08 〈보기〉는 이중 모음에 관한 설명이다. 이중 모음은 'ㅑ, ㅒ, ㅕ, ㅖ, ㅘ, ㅙ, ㅛ, ㅝ, ㅞ, ㅠ, ㅢ'이므로, ②가 해당된다.

오답 풀이 ①, ③, ④, ⑤ 모두 단모음이다.

09 ①~⑤ 중 단모음만으로 구성된 것은 ③ '상처'이다(ㅅ, ㅏ, ㅇ, ㅊ, ㅓ).

오답 풀이 ① 교문 → ㄱ, ㅛ, ㅁ, ㅜ, ㄴ　　:단모음, ▨:이중 모음
② 규칙 → ㄱ, ㅠ, ㅊ, ㅣ, ㄱ
④ 여자 → ㅕ, ㅈ, ㅏ
⑤ 의사 → ㅢ, ㅅ, ㅏ

10 우리말 단모음은 혀의 최고점의 위치에 따라 전설 모음과 후설 모음, 혀의 높낮이에 따라 고모음, 중모음, 저모음, 입술 모양에 따라 원순 모음과 평순 모음으로 나뉜다.

11 〈보기〉는 모음을 입천장의 중간점을 기준으로 혀의 최고점의 위치가 앞쪽에 있는 전설 모음과 뒤쪽에 있는 후설 모음으로 분류한 것이다.

┌─ 보기 ─────────────────────────┐
│　ㅣ, ㅔ, ㅐ, ㅟ, ㅚ : ㅡ, ㅓ, ㅏ, ㅜ, ㅗ │
│　　전설 모음　　　　　　후설 모음　　│
└────────────────────────────┘

오답 풀이 ① 혀의 높낮이에 따라서는 발음할 때 혀의 높이가 높은 고모음(ㅣ, ㅟ, ㅡ, ㅜ), 중간 정도인 중모음(ㅔ, ㅚ, ㅓ, ㅗ), 혀의 높이가 낮은 저모음(ㅐ, ㅏ)으로 나뉜다.
② 입술 모양에 따라서는 발음할 때 입술이 둥글게 오므라지는 원순 모음(ㅟ, ㅚ, ㅜ, ㅗ)과 둥글게 오므라지지 않는 평순 모음(ㅣ, ㅔ, ㅐ, ㅡ, ㅓ, ㅏ)으로 나뉜다.
③ 모음은 소리의 길이로 분류되지 않는다.
⑤ 입술 모양이나 혀의 위치의 변화 여부는 단모음과 이중 모음을 구분하는 기준이다.

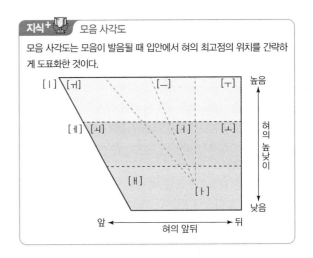

지식⁺　모음 사각도

모음 사각도는 모음이 발음될 때 입안에서 혀의 최고점의 위치를 간략하게 도표화한 것이다.

12 전설 모음은 'ㅣ, ㅔ, ㅐ, ㅟ, ㅚ'이다. ② '동산(ㄷ, ㅗ, ㅇ, ㅅ, ㅏ, ㄴ)'에는 후설 모음만 쓰였다.

오답 풀이 ① 가지 → ㄱ, ㅏ, ㅈ, ㅣ　　　:전설 모음, ▨:후설 모음
③ 왼손 → ㅚ, ㄴ, ㅅ, ㅗ, ㄴ
④ 위로 → ㅟ, ㄹ, ㅗ
⑤ 쟁반 → ㅈ, ㅐ, ㅇ, ㅂ, ㅏ, ㄴ

13 〈보기〉에서 설명하는 첫 번째 글자의 모음은 후설 모음이고, 두 번째 글자의 모음은 전설 모음이다. ② '애이'는 첫 번째와 두 번째 모음 모두 전설 모음이다.

오답 풀이 ①, ③, ④, ⑤ 모두 첫 번째 글자에는 후설 모음, 두 번째 글자에는 전설 모음이 쓰였다.

14 제시된 모음들은 모두 발음할 때 혀의 높이가 높은 고모음이다.

오답 풀이 ① 발음할 때 혀의 높이가 낮은 모음은 'ㅐ, ㅏ'이다.
③ 발음할 때 혀의 높이가 중간인 모음은 'ㅔ, ㅚ, ㅓ, ㅗ'이다.
④, ⑤ 발음하는 도중 혀의 위치, 입술 모양이 변하는 모음은 이중 모음으로, 'ㅑ, ㅒ, ㅕ, ㅖ, ㅘ, ㅙ, ㅛ, ㅝ, ㅞ, ㅠ, ㅢ'가 있다.

15 'ㅡ'는 고모음, 'ㅓ'는 중모음, 'ㅏ'는 저모음이므로, 혀의 높이가 높았다가 점점 낮아진다.

오답 풀이 ① 혀의 높이가 낮았다가 높아지려면 'ㅏ → ㅓ → ㅡ' 순서로 발음해야 한다.
③, ④ 'ㅡ, ㅓ, ㅏ'는 모두 평순 모음이므로, 입술 모양이 평평하다.
⑤ 'ㅡ, ㅓ, ㅏ'는 모두 후설 모음이므로 혀의 최고점이 입천장의 중간점을 기준으로 뒤쪽에 있다.

16 'ㅔ'는 중모음, 'ㅐ'는 저모음이다. 혀의 높이가 높을수록 입은 작게 벌어지므로 'ㅔ'는 'ㅐ'보다 입을 작게 벌리고 혀의 높이

를 높게 해서 발음해야 한다.

오답 풀이 ①, ② 'ㅔ, ㅐ'는 둘 다 발음할 때 입술이 둥글게 오므라지지 않는 평순 모음이므로 입술 모양으로는 구분하기 어렵다.

⑤ 'ㅔ, ㅐ'는 둘 다 발음할 때 혀의 최고점의 위치가 입천장의 중간점보다 앞쪽에 있는 전설 모음이므로 혀의 최고점의 위치로는 구분하기 어렵다.

17 〈보기〉는 모음을 발음할 때 입술 모양에 따라 분류한 것으로, 발음할 때 입술이 둥글게 오므라지는 원순 모음과 둥글게 오므라지지 않는 평순 모음으로 분류하였다.

18 '문'의 'ㅜ'는 원순 모음이다.
오답 풀이 ①'ㅔ', ②'ㅡ', ④'ㅓ', ⑤'ㅏ'는 평순 모음이다.

19 〈보기〉에서 설명하는 모음은 원순 모음이다. ⑤ '흔적(ㅎ, ㅡ, ㄴ, ㅈ, ㅓ, ㄱ)'에는 평순 모음만 쓰였다.
오답 풀이 ① 가족 → ㄱ, ㅏ, ㅈ, ㅗ, ㄱ ▢: 원순 모음, ▢: 평순 모음
② 나무 → ㄴ, ㅏ, ㅁ, ㅜ
③ 소외 → ㅅ, ㅗ, ㅚ
④ 주위 → ㅈ, ㅜ, ㅟ

20 ㉠은 전설 모음으로 'ㅣ, ㅔ, ㅐ, ㅟ, ㅚ'가 있고, ㉡은 고모음으로 'ㅣ, ㅟ, ㅡ, ㅜ'가 있다. ㉢은 원순 모음으로 'ㅟ, ㅚ, ㅜ, ㅗ'가 있다. ㉠~㉢이 모두 알맞게 연결된 것은 ④이다.

오답 풀이

	㉠	㉡	㉢
①	ㅏ 후설	ㅣ 고모음	ㅐ 평순
②	ㅓ 후설	ㅏ 저모음	ㅡ 평순
③	ㅟ 전설	ㅚ 중모음	ㄴ 원순
④	ㅣ 전설	ㅡ 고모음	ㅜ 원순
⑤	ㅔ 전설	ㅐ 저모음	ㅚ 원순

21 'ㅟ, ㅚ'는 발음 도중에 입술 모양이나 혀의 위치가 변하지 않는 단모음이다.
오답 풀이 ①'ㅔ'는 중모음, 'ㅐ'는 저모음이다.
④ 'ㅣ'와 'ㅡ'는 둘 다 평순 모음이자 고모음이다. 단 'ㅣ'는 발음할 때 혀의 최고점의 위치가 앞쪽에 있는 전설 모음이고, 'ㅡ'는 뒤쪽에 있는 후설 모음이다.
⑤ 'ㅐ'와 'ㅏ'는 둘 다 평순 모음이지만, 'ㅐ'는 발음할 때 혀의 최고점의 위치가 앞쪽에 있는 전설 모음이고, 'ㅏ'는 뒤쪽에 있는 후설 모음이다.

지식+ 단모음 'ㅚ'와 'ㅟ'의 발음

'ㅚ'와 'ㅟ'는 단모음으로 발음하는 것이 원칙이지만, 이중 모음으로 발음하는 것도 허용된다.

> **표준 발음법 제4항**
> 'ㅏ ㅐ ㅓ ㅔ ㅗ ㅚ ㅜ ㅟ ㅡ ㅣ'는 단모음(單母音)으로 발음한다.
> [붙임] 'ㅚ, ㅟ'는 이중 모음으로 발음할 수 있다.

전설 원순 모음인 'ㅚ, ㅟ'는 원칙적으로 단모음으로 규정한다. 즉, 입술을 둥글게 하면서 동시에 'ㅔ, ㅣ'를 각각 발음한다. 그러나 입술을 둥글게 하면서 계기적으로 'ㅔ, ㅣ'를 내는 이중 모음으로 발음함도 허용하는 규정이다. 특히 'ㅚ'는 이중 모음으로 발음하는 경우에 문자와는 달리 'ㅞ'와 발음이 비슷하게 된다. '금괴(金塊)'가 '금궤(金櫃)'와 같이 발음되는 경우가 그 한 예다.

22 우리말 자음 19개 전체가 예사소리, 된소리, 거센소리로 나뉘는 것은 아니다. 파열음과 파찰음은 예사소리, 된소리, 거센소리로 나뉘고, 마찰음은 예사소리와 된소리로 나뉜다.
오답 풀이 ① 우리말 자음은 총 19자로, 'ㄱ, ㄲ, ㄴ, ㄷ, ㄸ, ㄹ, ㅁ, ㅂ, ㅃ, ㅅ, ㅆ, ㅇ, ㅈ, ㅉ, ㅊ, ㅋ, ㅌ, ㅍ, ㅎ'이 있다.
② 우리말 자음은 홀로 발음될 수 없으므로, 자음을 발음하려면 모음 'ㅡ'나 'ㅏ' 등을 붙여 발음한다.

23 〈보기〉의 ○ 표시한 부분에서 나는 소리는 입술소리이다. 'ㅊ'은 혓바닥과 센입천장 사이에서 나는 센입천장소리이다.

24 ①~④는 모두 혀 뒷부분과 여린입천장 사이에서 나는 여린입천장소리이고, ⑤는 목청 사이에서 나는 목청소리이다.

25 'ㄴ'은 혀끝과 윗잇몸 사이에서 나는 잇몸소리이다. 잇몸소리에는 'ㄴ, ㄷ, ㄸ, ㄹ, ㅅ, ㅆ, ㅌ'이 있다. 'ㅈ'은 혓바닥과 센입천장 사이에서 나는 센입천장소리이다.

26 〈보기〉에서 설명하는 자음은 센입천장소리로 'ㅈ, ㅉ, ㅊ'이 해당한다. ③ '청주(ㅊ, ㅓ, ㅇ, ㅈ, ㅜ)'에 쓰였다.
오답 풀이 ① 서울 → ㅅ, ㅓ, ㅜ, ㄹ
　　　　　　　잇몸소리　　　잇몸소리
② 동해 → ㄷ, ㅗ, ㅇ, ㅎ, ㅐ
　　　　잇몸소리 여린입천장소리 └목청소리
④ 목포 → ㅁ, ㅗ, ㄱ, ㅍ, ㅗ
　　　　입술소리 여린입천장소리 └ 입술소리
⑤ 부산 → ㅂ, ㅜ, ㅅ, ㅏ, ㄴ
　　　　입술소리　잇몸소리　잇몸소리

27 파열음에 대한 설명은 ②이다. 파열음에는 'ㄱ, ㄲ, ㄷ, ㄸ, ㅂ, ㅃ, ㅋ, ㅌ, ㅍ'이 있다.
오답 풀이 ① 비음(ㅁ, ㄴ, ㅇ)에 대한 설명이다.
③ 마찰음(ㅅ, ㅆ, ㅎ)에 대한 설명이다.
④ 유음(ㄹ)에 대한 설명이다.
⑤ 파찰음(ㅈ, ㅉ, ㅊ)에 대한 설명이다.

28 'ㄱ'은 파열음이지만 'ㅊ'은 파찰음이다.

오답 풀이 ①, ②, ④, ⑤ 파열음에는 'ㄱ, ㄲ, ㄷ, ㄸ, ㅂ, ㅃ, ㅋ, ㅌ, ㅍ'이 있다.

29 마찰음에 해당하는 자음은 'ㅅ, ㅆ, ㅎ'이다.

오답 풀이 ① ㄱ, ㅋ, ㅇ
　　　　　 파열음　비음

② ㄴ, ㄷ, ㄸ
　 비음　파열음

③ ㅁ, ㅂ, ㅃ
　 비음　파열음

⑤ ㅈ, ㅉ, ㅊ
　 파찰음

30 〈보기〉는 비음에 대한 설명으로, 비음에는 'ㅁ, ㄴ, ㅇ'이 있다. ③의 '나무'에는 'ㄴ, ㅁ'이, '운명'에는 'ㄴ, ㅁ, ㅇ'이 쓰였다.

오답 풀이 ① 새(→ ㅅ, ㅐ), 교복(→ ㄱ, ㅛ, ㅂ, ㅗ, ㄱ)
　　　　　　　　 마찰음　　　　파열음　　 파열음　파열음

② 풀(→ ㅍ, ㅜ, ㄹ), 소리(→ ㅅ, ㅗ, ㄹ, ㅣ)
　　 파열음　　유음　　　마찰음　　유음

④ 바다(→ ㅂ, ㅏ, ㄷ, ㅏ), 수업(→ ㅅ, ㅜ, ㅓ, ㅂ)
　　 파열음　파열음　　　마찰음　　파열음

⑤ 형제(→ ㅎ, ㅕ, ㅇ, ㅈ, ㅔ), 바위(→ ㅂ, ㅏ, ㅟ)
　　 마찰음　비음　파찰음　　　파열음

31 파열음과 파찰음은 소리의 세기에 따라 예사소리, 된소리, 거센소리로 나뉘지만, 마찰음은 예사소리와 된소리로 나뉜다.

오답 풀이 ② 된소리는 발음할 때 성대 근육이 긴장되고, 숨이 거세게 나오지 않는다. 'ㄲ, ㄸ, ㅃ, ㅆ, ㅉ'이 해당한다.
③ 예사소리는 성대를 편안히 둔 상태에서 발음되고, 숨이 거세게 나오지 않는다. 'ㄱ, ㄷ, ㅂ, ㅅ, ㅈ'이 해당한다.
④ '캄캄', '탄탄'과 같은 거센소리는 '감감', '단단'과 같은 예사소리에 비해 크고 거친 느낌을 준다.
⑤ '깜깜', '딴딴'과 같은 된소리는 '감감', '단단'과 같은 예사소리에 비해 강하고 단단한 느낌을 준다.

32 발음할 때 성대 근육이 긴장되지 않는 자음은 예사소리이다. ①~⑤ 중 예사소리는 ④이다.

오답 풀이 ① 'ㄲ'은 된소리이다.
② 'ㅌ'은 거센소리이다.
③ 'ㅍ'은 거센소리이다.
⑤ 'ㅆ'은 된소리이다.

33 제시된 내용은 '된소리'에 대한 설명이다. 된소리가 쓰이지 않은 것은 ⑤ '찬바람(ㅊ, ㅏ, ㄴ, ㅂ, ㅏ, ㄹ, ㅏ, ㅁ)'으로, 'ㅊ'은 거센소리이다.

오답 풀이 ① '뼈'의 'ㅃ', ② '꼬리'의 'ㄲ', ③ '땀샘'의 'ㄸ', ④ '쑥국[쑥꾹]'의 'ㅆ'과 'ㄲ'이 된소리이다.

34 ㉠은 잇몸소리, ㉡은 파열음, ㉢은 거센소리에 대한 설명이다. 이를 모두 만족하는 자음은 'ㅌ'이다.

오답 풀이 ① '꿀'의 'ㄲ'은 여린입천장소리, 파열음, 된소리이다. 'ㄹ'은 잇몸소리, 유음이다.
② '뿔'의 'ㅃ'은 입술소리, 파열음, 된소리이다.
③ '쌀'의 'ㅆ'은 잇몸소리, 마찰음, 된소리이다.
④ '철'의 'ㅊ'은 센입천장소리, 파찰음, 거센소리이다.

35 '사람이나 동물의 얼굴에 있으며 빛의 자극을 받아 물체를 볼 수 있는 감각 기관.'을 뜻하는 '눈'은 짧게 발음한다. '대기 중의 수증기가 찬 기운을 만나 얼어서 땅 위로 떨어지는 얼음의 결정체.'를 뜻하는 '눈'을 길게 발음한다.

오답 풀이 ① '밤나무의 열매.'를 뜻하는 '밤'은 길게 발음한다.
② 곤충 '벌'은 길게 발음한다.
④ '질병'의 뜻을 나타내는 '병'은 길게 발음한다.
⑤ '생각이나 느낌을 표현하고 전달하는 사람의 소리.'를 뜻하는 '말'은 길게 발음한다.

지식+ 소리의 길이와 관련된 어문 규정_표준 발음법 제6항

모음의 장단을 구별하여 발음하되, 단어의 첫음절에서만 긴소리가 나타나는 것을 원칙으로 한다.

| (1) 눈보래[눈ː보라] | 말씨[말ː씨] | 밤나무[밤ː나무] |
| (2) 첫눈[천눈] | 참말[참말] | 쌍동밤[쌍동밤] |

다만, 합성어의 경우에는 둘째 음절 이하에서도 분명한 긴소리를 인정한다.

| 반신반의[반ː신바ː늬/반ː신바ː니] | 재삼재새[재ː삼재ː사] |

36 잇몸소리와 파열음, 예사소리를 모두 만족하는 자음은 'ㄷ', 후설 모음이자 저모음, 평순 모음인 것은 'ㅏ', 입술소리이자 비음인 것은 'ㅁ'이다.

37 〈보기〉를 음운으로 분석하면 'ㅎ, ㅕ, ㅇ, ㅈ, ㅔ'이다. 혀끝을 윗잇몸에 댄 채 공기를 그 양옆으로 흘려보내면서 내는 소리는 유음인데, 유음에 해당하는 자음은 'ㄹ'뿐이다. 'ㅇ'은 유음이 아니라 비음이다.

오답 풀이 ① 이중 모음 'ㅕ'와 단모음 'ㅔ'가 쓰였다.
② 'ㅔ'는 전설 모음이자, 중모음, 평순 모음이다.
③ 목청 사이에서 나는 소리는 목청소리로, 'ㅎ'이 해당한다.
④ 성대를 편안히 둔 상태에서 발음되는 소리는 예사소리로, 'ㅈ'이 해당한다.

01 ⑤	**02** ①	**03** ㅣ,ㄲ,ㅡ,ㄹ,ㅁ,ㅗ,ㅏ,ㅌ,ㅒ,ㅅ,ㅏ,ㄴ		
04 ②	**05** ④	**06** ④	**07** ①	**08** ④
09 ③	**10** ⑤	**11** ②	**12** ②	**13** ④
14 ⑤	**15** ⑤	**16** 해설 참조		**17** 음운은 말의 뜻을 구별

해 주는 소리의 최소 단위이다. 우리말에서는 소리의 길이가 길고 짧음에 따라 단어의 뜻이 구별되는 경우가 있으므로 소리의 길이도 음운으로 볼 수 있다. 예를 들어 '밤'을 길게 발음하면 '먹는 밤'을 의미하고, 짧게 발음 하면 '어두운 밤'을 의미한다. **18** 엄마가 'ㅗ'를 'ㅓ'로 잘못 발음했거나, 윤수가 'ㅗ'를 'ㅓ'로 잘못 들어서 오해가 발생했다. 이와 같은 상황이 일어 나지 않기 위해서는 'ㅗ'를 발음할 때에는 입술을 둥글게 오므려야 하고, 'ㅓ'를 발음할 때에는 입술을 둥글게 오므리지 않아야 한다.

---

01 음절은 '자음+모음+자음'뿐만 아니라 '모음(아)', '자음+모음 (가)', '모음+자음(악)' 형태로도 구성될 수 있다.
오답 풀이 ① 'ㅁ'을 첫소리, 'ㅏ'를 가운뎃소리, 'ㄱ'을 끝소리 로 해서 '막'이란 단어를 만들 수 있다.
② '막'의 가운뎃소리인 'ㅏ' 대신에 'ㅗ'를 사용하면 '목'이란 단어를 만들 수 있다.
③ '막'에서는 'ㅁ'이 첫소리이지만, '곰'에서는 'ㅁ'이 끝소리이다.
④ 음운은 말의 뜻을 구별해 주는 소리의 최소 단위이므로 음 운을 어떻게 결합하느냐에 따라 의미가 다른 다양한 말을 만 들 수 있다.

02 ①은 세 글자 모두 '자음+모음+자음'의 구조를 지니고 있다.
오답 풀이 ② '담, 중'은 '자음+모음+자음'의 구조로, '끼'는 '자음+모음'의 구조로 이루어진 음절이다.
③ '묵, 적'은 '자음+모음+자음'의 구조로, '옥'은 '모음+자음' 의 구조로 이루어진 음절이다.
④ '잠, 꿈'은 '자음+모음+자음'의 구조로, '다'는 '자음+모음' 의 구조로 이루어진 음절이다.
⑤ '숲[숩]'은 '자음+모음+자음'의 구조로, '잎[입], 앞[압]'은 '모음+자음'의 구조로 이루어진 음절이다.

03 '아'는 모음으로만 이루어진 음절이다.

04 (ㄱ)과 (ㄴ)에서는 음운을 교체하거나, 발음의 길이를 다르게 했을 때 단어의 뜻이 구별되고 있다. 이를 통해 음운은 단어의 뜻을 구별해 줌을 알 수 있다.
오답 풀이 ① 자음과 모음은 문자로 표기했지만 소리의 길이 는 문자로 표기하지 않았다.
③ 제시된 학습 활동지에서는 음운의 변화를 다루지 않았다.

④ 자음은 음절의 초성과 종성에서, 모음은 음절의 중성에서 나타나므로 어떤 위치든 나타난다고 할 수 없다.
⑤ 음운이 감정의 차이를 표현한다는 내용은 학습 활동지에서 다루지 않았다.

05 'ㅟ, ㅚ'는 발음할 때 입술이 둥글게 오므라지는 원순 모음은 맞지만, 혀의 최고점이 뒤쪽이 아니라 입천장의 중간점보다 앞쪽에 위치하는 전설 모음이다.
오답 풀이 ① 'ㅐ'와 'ㅏ'는 모두 저모음이어서 발음할 때 입이 크게 벌어진다.
② 'ㅣ, ㅟ, ㅡ, ㅜ'는 모두 고모음이다.
③ 'ㅔ'와 'ㅚ'는 모두 전설 모음이지만, 'ㅔ'는 평순 모음, 'ㅚ'는 원순 모음이다.
⑤ 'ㅣ, ㅔ, ㅐ, ㅡ, ㅓ, ㅏ'는 모두 평순 모음으로 입술 모양이 같다. 그러나 'ㅣ, ㅔ, ㅐ'는 전설 모음, 'ㅡ, ㅓ, ㅏ'는 후설 모음 으로 혀의 최고점의 위치가 다르다.

06 〈보기〉는 전설 모음에 대한 설명이다. 전설 모음에는 'ㅣ, ㅔ, ㅐ, ㅟ, ㅚ'가 있다. ㄴ에는 'ㅟ'가, ㄷ과 ㄹ에는 'ㅣ'가 쓰였다.
ㄴ 다람쥐 → ㄷ, **ㅏ**, ㄹ, **ㅏ**, ㅁ, ㅈ, ㅟ   :전설 모음, ▓:후설 모음
ㄷ 도토리 → ㄷ, **ㅗ**, ㅌ, **ㅗ**, ㄹ, ㅣ
ㄹ 점심 → ㅈ, **ㅓ**, ㅁ, ㅅ, ㅣ, ㅁ
오답 풀이 ㄱ 산골짝[산꼴짝] → ㅅ, **ㅏ**, ㄴ, ㄲ, **ㅗ**, ㄹ, ㅉ, **ㅏ**, ㄱ
ㅁ 소풍 → ㅅ, **ㅗ**, ㅍ, **ㅜ**, ㅇ

07 'ㅁ'과 'ㅂ'은 둘 다 입술 사이에서 나는 입술소리이지만, 'ㅁ'은 비음, 'ㅂ'은 파열음으로 소리 내는 방법이 다르다.
오답 풀이 ② 'ㄱ'과 'ㅇ'은 모두 혀 뒷부분과 여린입천장 사이 에서 소리 나는 여린입천장소리이다. 'ㄱ'은 파열음이고, 'ㅇ' 은 비음이므로 소리 내는 방법이 다르다.
③ 'ㄷ'과 'ㅌ'은 모두 잇몸소리이고, 파열음이다. 단 'ㄷ'은 발 음할 때 숨이 거세게 나지 않는 예사소리지만 'ㅌ'은 발음할 때 숨이 거세게 나는 거센소리이다.
④ 'ㅅ'과 'ㅆ'은 모두 마찰음이다.
⑤ 'ㅈ'과 'ㅊ'은 모두 센입천장소리이고, 파열과 마찰이 한꺼 번에 이루어져 파찰음이라고 한다.

08 ㉠은 파열음, ㉡은 잇몸소리에 대한 설명이다. 두 조건을 모두 만족하는 자음은 'ㄷ, ㄸ, ㅌ'이므로 ④ '당나귀'에 쓰였다.
오답 풀이 ① 가랑비, ② 시골길[시골낄], ③ 고라니, ⑤ 소나무 에는 파열음이면서 잇몸소리인 'ㄷ, ㄸ, ㅌ'이 쓰이지 않았다.

09 우리말 음운 체계에서 'ㅅ'에 대응하는 거센소리는 없다.
오답 풀이 ①, ⑤ '예사소리-된소리-거센소리'를 쉽게 구분

하지 못하는 외국인들은 자신들의 모국어에서 이들이 서로 다른 음운의 역할을 하지 못하기 때문이다. 이를 통해 이러한 외국인들의 모국어는 우리말과는 다른 자음 체계를 지니고 있다고 추론할 수 있다.

② '예사소리-된소리-거센소리'를 잘 구분하는 외국인은 자신들의 모국어에서도 이 셋이 서로 다른 음운의 역할을 하기 때문이라고 추론할 수 있다.

④ '예사소리-된소리-거센소리'로 이루어졌기에 삼중 체계라고 한다.

10 첫소리는 잇몸소리로 'ㄴ, ㄷ, ㄸ, ㄹ, ㅅ, ㅆ, ㅌ'이 있고, 가운뎃소리는 중모음이자 후설 모음이므로 'ㅓ, ㅗ'가 있다. 끝소리는 여린입천장소리로 'ㄱ, ㅇ'이 있다('ㄲ, ㅋ'은 여린입천장소리이지만 음절의 끝에서는 대표음 [ㄱ]으로 발음된다.). 이에 해당하지 않는 음절은 ⑤ '놀'이다.

〔오답 풀이〕 ①, ②, ③, ④ 'ㅅ, ㄷ, ㅆ, ㄸ'은 모두 혀끝과 윗잇몸 사이에서 소리 나는 잇몸소리이다. 'ㅓ, ㅗ'는 모두 중모음이자 후설 모음이다. 'ㅇ, ㄱ'은 모두 혀의 뒷부분과 여린입천장 사이에서 소리 나는 여린입천장소리이다.

11 제시된 설명에서 가리키는 자음은 센입천장소리로 'ㅈ, ㅉ, ㅊ'이 있고, 모음은 평순 모음으로 'ㅣ, ㅔ, ㅐ, ㅡ, ㅓ, ㅏ'가 있다. 해당 자음과 모음만으로 이루어진 단어는 ② '재즈'이다.

〔오답 풀이〕 ① 탱고 → ㅌ, ㅐ, ㅇ, ㄱ, ㅗ ┊ : 원순 모음, ▨ : 평순 모음
　　　　　　　　잇몸소리　여린입천장소리

③ 삼바 → ㅅ, ㅏ, ㅁ, ㅂ, ㅏ
　　　　　잇몸소리　　입술소리

④ 첼로 → ㅊ, ㅔ, ㄹ, ㄹ, ㅗ
　　　　센입천장소리　잇몸소리

⑤ 대금 → ㄷ, ㅐ, ㄱ, ㅡ, ㅁ
　　　　잇몸소리　여린입천장소리　입술소리

12 'ㅐ'는 저모음, 'ㅔ'는 중모음이므로 'ㅐ'를 발음할 때에는 'ㅔ'를 발음할 때보다 입을 더 크게 벌려서 혀의 높이를 낮게 한다.

〔오답 풀이〕 ①, ③ 'ㅐ, ㅔ'는 둘 다 평순 모음이므로 입술 모양이 서로 다르지 않다.

④ 'ㅐ, ㅔ'는 둘 다 단모음이므로 발음할 때 입술 모양이나 혀의 위치가 변하지 않는다.

⑤ 'ㅐ, ㅔ'는 둘 다 전설 모음이므로 발음할 때 혀의 최고점이 입천장의 중간점보다 앞쪽에 있다.

13 목청소리는 'ㅎ', 저모음은 'ㅐ, ㅏ', 비음은 'ㅁ, ㄴ, ㅇ'이므로 제시된 구조로 이루어진 음절은 ㉣ '한'이다.

〔오답 풀이〕 ① '동'은 '잇몸소리+중모음+비음'의 구조로 이루어졌다.

② '백'은 '입술소리+저모음+파열음'의 구조로 이루어졌다.

③ '삼'은 '잇몸소리+저모음+비음'의 구조로 이루어졌다.

⑤ '전'은 '센입천장소리+중모음+비음'의 구조로 이루어졌다.

14 소리의 길이로 뜻이 구별되므로 '성인(聖人)'을 [성ː인]이라고 길게 발음해야 한다.

〔오답 풀이〕 ①, ④ 우리말에서 억양과 세기는 음운의 역할을 하지 못한다.

②, ③ '성인(成人)'과 '성인(聖人)'은 모음과 자음의 교체로 뜻이 구별되는 말이 아니다.

15 ㉤에 쓰인 자음 'ㅁ, ㅊ, ㄱ'은 각각 '비음, 파찰음, 파열음'으로 소리 내는 방법이 다 다르다.

〔오답 풀이〕 ① '해가 져서 어두워진 때부터 다음 날 해가 떠서 밝아지기 전까지의 동안.'을 뜻하는 '밤'은 짧게 발음한다.

② '알록달록'의 'ㅏ, ㅗ'는 양성 모음, '얼룩덜룩'의 'ㅓ, ㅜ'는 음성 모음이다. 양성 모음은 밝고, 가볍고, 맑고, 작은 느낌을 주는 반면, 음성 모음은 어둡고, 무겁고, 탁하고, 큰 느낌을 준다.

③ '단풍'에는 잇몸소리가 2개(ㄷ, ㄴ), 입술소리가 1개(ㅍ), 여린입천장소리가 1개(ㅇ) 쓰였다.

④ '기분'의 'ㅣ, ㅜ'는 모두 고모음이다.

16 음운을 분류할 때는 먼저 단어의 발음을 살펴봐야 한다. 특히 '소록소록'과 '사륵사륵'은 각각 세 번째 음절에서 [소록쏘록], [사륵싸륵]과 같이 된소리로 발음되므로 이 발음에 따라 음운을 분류해야 한다.

〔예시 답〕 • 모음: ㅣ, ㅏ, ㅗ, ㅑ, ㅡ, ㅜ, ㅕ, ㅓ

단모음	이중 모음
ㅣ, ㅏ, ㅗ, ㅡ, ㅜ, ㅓ	ㅑ, ㅕ

전설 모음	ㅣ
후설 모음	ㅏ, ㅗ, ㅡ, ㅜ, ㅓ
고모음	ㅣ, ㅡ, ㅜ
중모음	ㅗ, ㅓ
저모음	ㅏ
원순 모음	ㅗ, ㅜ
평순 모음	ㅣ, ㅏ, ㅡ, ㅓ

• 자음: ㅂ, ㄱ, ㄴ, ㄷ, ㅅ, ㄹ, ㅆ, ㅎ, ㅍ, ㅁ

파열음	ㅂ, ㄱ, ㄷ, ㅍ
마찰음	ㅅ, ㅆ, ㅎ
파찰음	없음.
비음	ㄴ, ㅁ
유음	ㄹ

평가 기준

평가 요소	확인
노랫말에 쓰인 모음을 모두 찾았다.	
노랫말에 쓰인 모음을 제시된 기준에 따라 알맞게 분류하였다.	
노랫말에 쓰인 자음을 모두 찾았다.	
노랫말에 쓰인 자음을 제시된 기준에 따라 알맞게 분류하였다.	

17 음운은 말의 뜻을 구별해 주는 역할을 한다. 우리말에서는 소리의 길이가 길고 짧음에 따라 단어의 뜻이 구별되는 경우가 있기 때문에 소리의 길이를 음운으로 보고 있다.

평가 기준

평가 요소	확인
음운의 개념을 정확하게 밝혔다.	
우리말에서 소리의 길이로 단어의 뜻이 구별되는 경우가 있음을 서술하였다.	
소리의 길이가 길고 짧음에 따라 뜻이 구별되는 사례를 제시하였다.	

18 윤수와 엄마는 모음 'ㅗ'와 'ㅓ' 때문에 의사소통이 원활하게 이루어지지 않았다.

평가 기준

평가 요소	확인
'신촌'과 '신천'을 바탕으로 하여 윤수가 엄마의 말을 오해한 까닭을 밝혔다.	
모음 'ㅗ'와 'ㅓ'의 차이점을 바탕으로 하여 발음할 때 유의할 점을 서술하였다.	

VIII | 문장의 짜임

19 문장 성분 1   119쪽

1 (1) ○ (2) X (3) ○ (4) ○
2 3어절
3 (1) ㉡ (2) ㉠ (3) ㉢
4 (1) ㉠ (2) ㉣ (3) ㉡ (4) ㉢
5 (1) 할머니께서 (2) 바다 (3) 고양이가
6 철규가 – 주어, 운동화만 – 목적어, 샀다 – 서술어

20 문장 성분 2   121쪽

1 (1) ○ (2) ○ (3) ○ (4) X
2 (1) 관형사, 의 (2) 부사, 어미 (3) 호격
3 (1) 관 (2) 관 (3) 부
4 (1) ㉡ (2) ㉢ (3) ㉠
5 와, 윤호야
6 관형어: ㉡ / 부사어: ㉣ / 독립어: ㉠
7 (1) 관형어 (2) 부사어

21 홑문장과 겹문장   123쪽

1 (1) 홑문장 (2) 겹문장 (3) 이어진문장, 안은문장
2 (1) 나는 책을 읽었다.

(2) 나는 떡볶이를 가장 좋아한다.

(3) 지아는 비가 그치기를 간절히 바랐다.

(4) 은채는 고양이를 키우고 현지는 강아지를 키운다.

3 (1) 홑 (2) 겹 (3) 겹 (4) 겹 (5) 홑
4 나는 고등학생이고 동생은 중학생이다.
5 ㉡, ㉠

22 이어진문장   125쪽

1 (1) ○ (2) X (3) ○ (4) ○ (5) X
2 (1) 대 (2) 종 (3) 대 (4) 종 (5) 종 (6) 종
3 (1) ㉢ (2) ㉣ (3) ㉥ (4) ㉠ (5) ㉡ (6) ㉦
4 (1) 약속을 했으니 지켜야 한다.
(2) 바람이 심하게 불지만 날씨가 춥지 않다.
(3) 동생은 운동을 하려고 일찍 일어난다.
(4) 내일은 비가 오거나 눈이 올 것이다.

1   (1) 안은문장, 안긴문장   (2) 명사절   (3) 관형절
2   (1) ㉡, ㉢   (2) ㉠, ㉣
3   (1) 지수가 그 일을 해냈음, 명사절   (2) 드라마가 시작하기, 명사절
    (3) 학교에 가기, 명사절   (4) 내가 어제 본, 관형절
4   (1) 그가 돌아왔음   (2) 그가 돌아왔다는
5   (1) 농부는 농사가 잘되기를 바란다, 목적어
    (2) 이것은 내가 읽은 책이다, 관형어

1   (1) 부사어   (2) 게, 이   (3) 절 전체   (4) 라고, 고
2   (1) ㉡   (2) ㉠   (3) ㉢
3   (1) 앞발이 짧다, 서술어   (2) 손이 매우 예쁘다, 서술어
    (3) 소리도 없이, 부사어   (4) 배꼽이 빠지도록, 부사어
4   (1) 주애는 머리카락이 휘날리게 뛰어갔다.
    (2) 승한이는 키가 크다.
5   (1) 민기는 "제가 가겠습니다."라고 말했다.
    (2) 남주가 다음에 만나자고 말했다.

개념 적용 훈련 문제   131~134쪽

01 ④	02 ⑤	03 ②	04 ③	05 ③
06 ②	07 ③	08 ④	09 ⑤	10 ④
11 ①	12 ③	13 ②	14 ②	15 ②
16 ②	17 ④	18 ⑤	19 ⑤	20 ③
21 ④	22 ②	23 ⑤	24 ②	25 ③
26 ①	27 ⑤	28 ④		

01   부사어는 주로 용언을 꾸며 주는 문장 성분으로, 때로는 관형어나 다른 부사어를 꾸며 주기도 하고, 문장 전체를 꾸며 주기도 한다. 체언을 꾸며 주는 문장 성분은 관형어이다.
    오답 풀이 ① 주성분은 문장을 이루는 데 기본적으로 필요한 성분으로, 주성분에는 주어, 서술어, 목적어, 보어가 있다.
    ② 보어는 서술어 '되다/아니다' 앞에서 의미를 보충한다.
    ③ 부속 성분은 주성분의 내용을 자세하게 꾸며 주는 역할을 하는 문장 성분으로, 부속 성분에는 관형어, 부사어가 있다.
    ⑤ 독립 성분은 문장의 어느 성분과도 관련 없이 독립적으로 쓰이는 문장 성분으로, 독립 성분에는 독립어가 있다.

02   '붉은'은 '노을'을 꾸며 주는 관형어로, 부속 성분이다.
    오답 풀이 ①은 주어, ②는 서술어, ③은 보어, ④는 목적어로, 모두 주성분에 해당한다.

03   '떡을'은 목적어로, 서술어 '먹는다'가 나타내는 동작의 대상이

된다.

우리는 떡을 먹는다.
주어   목적어   서술어

오답 풀이 ①은 관형어, ③은 서술어, ④는 주어, ⑤는 보어가 문장에서 하는 역할이다.

04   〈보기〉 문장의 구조는 다음과 같다.

> **보기**
> 지윤이가 회장이 되었다.   : 보격 조사
> 주어   보어   서술어

    보어는 '되다', '아니다'와 같은 서술어가 주어 외에 요구하는 문장 성분으로, 체언에 보격 조사 '이/가'가 붙어 나타난다. "용준이는 막내가 아니다."에서 '용준이는'은 주어, '막내가'는 보어, '아니다'는 서술어이므로 〈보기〉의 문장과 구조가 같다.
    오답 풀이 ① 병선이가 달린다.
       주어   서술어
    ② 개미가 먹이를 나른다.
       주어   목적어   서술어
    ④ 승희가 윤주를 기다렸다.
       주어   목적어   서술어
    ⑤ 율미가 새로운 모자를 썼다.
       주어   관형어   목적어   서술어

05   제시된 문장에는 각각 순서대로 주어, 보어, 서술어, 목적어가 빠져 있다. 따라서 ㉠에는 '햇살이'와 같은 주어, ㉡에는 '회장이'와 같은 보어, ㉢에는 '부른다'와 같은 서술어, ㉣에는 '간식을'과 같은 목적어가 들어가야 한다.

06   부속 성분은 주성분의 내용을 자세하게 꾸며 주는 역할을 하는 문장 성분으로, 체언을 꾸며 주는 관형어와 주로 용언을 꾸며 주는 부사어가 있다. 그러나 "동생은 유치원생이 아니다."는 '주어+보어+서술어'로 구성된 문장으로, 주성분 외에 부속 성분이 사용되지 않았다.
    오답 풀이 ① 장미꽃이 참 예쁘다.   : 부속 성분
       주어   부사어   서술어
    ③ 근우가 헌 책을 발견하였다.
       주어   관형어   목적어   서술어
    ④ 시간이 매우 빨리 흘러간다.
       주어   부사어   부사어   서술어
    ⑤ 범수가 모든 유리창을 닦았다.
       주어   관형어   목적어   서술어

07   "준성이가 새 책을 꺼냈다."는 '주어+관형어+목적어+서술어'로 구성된 문장으로, 부사어가 사용되지 않았다.
    오답 풀이 ① 글씨가 무척 예쁘구나.
       주어   부사어   서술어
    ② 석양이 눈부시게 빛났다.
       주어   부사어   서술어

④ 오빠가 설거지를 열심히 한다.
　　주어　　목적어　　부사어　서술어
⑤ 소율이가 빵을 허겁지겁 먹었다.
　　주어　　목적어　　부사어　서술어

08 "좋다, 네가 말한 해결 방법이."에서 '좋다'는 문장의 서술어이다. "네가 말한 해결 방법이 좋다."라는 문장에서 '좋다'의 위치가 문장 앞쪽으로 이동한 것이다.

〔오답 풀이〕 ① '네'는 응답을 나타내는 감탄사로, 독립어이다.
② '세상에'는 뜻밖의 일이 생겨서 놀랐을 때 하는 감탄사로, 독립어이다.
③ '우아'는 뜻밖에 기쁜 일이 생겼을 때 내는 감탄사로, 독립어이다.
⑤ '가영아'는 체언 '가영'에 호격 조사 '아'가 붙은 것으로, 부름을 나타내는 독립어이다.

09 제시된 문장에서 '계절이야'는 서술어이다. 서술어는 주어의 동작이나 작용, 상태나 성질 등을 풀이하는 문장 성분이며, 서술어가 나타내는 동작의 대상이 되는 문장 성분은 목적어이다.

> 응, 과연 가을은 독서의 계절이야.
> 독립어 부사어 주어 관형어 서술어

〔오답 풀이〕 ① '응'은 독립어로, 독립 성분에 해당한다.
② '과연'은 뒤에 오는 문장을 꾸미는 부사어이며, 부속 성분에 해당한다.
③ '가을은'은 주어로, 주성분에 해당한다.
④ '독서의'는 '계절'을 꾸미는 관형어로, 부속 성분에 해당한다.

10 "나는 어제 친구의 부모님을 만났다."에서 주어는 '나는'이고 서술어는 '만났다'로, 이 문장은 주어와 서술어의 관계가 한 번만 나타나는 홑문장이다. '친구의'는 관형어, '부모님을'은 목적어이다.

〔오답 풀이〕 ① 제비꽃은 정말 예쁘다.
　　　　　　　　　주어　　　　서술어
② 버스가 종점으로 달린다.
　　주어　　　　　　서술어
③ 나는 동생이 어지른 방을 치웠다. → 안긴문장
　　주어　주어　서술어　　　서술어
　　　　　　　　　　　: 안긴문장(관형절)
⑤ 미경이는 영화를 보고, 민희는 책을 읽는다. → 이어진문장
　　주어　　목적어　서술어　주어　목적어　서술어

11 "꽃을 든 아이가 달린다."는 "아이가 꽃을 들었다."와 "아이가 달린다."라는 두 홑문장이 결합된 문장으로 '(아이가), 든', '아이가, 달린다'와 같이 주어, 서술어의 관계가 두 번 나타나는 겹문장이다.

〔오답 풀이〕 ② 내 동생은 중학생이 아니다. → 홑문장
　　　　　　　　　　주어　　　　　서술어

---

③ 두 사람이 손을 마주 잡았다.
　　　주어　　　　　　　서술어 ┐
④ 사람들이 운동장에 모여들었다. ├ 홑문장
　　　주어　　　　　　　서술어
⑤ 나는 신발장에서 새 운동화를 꺼냈다. ┘
　　주어　　　　　　　　　　서술어

12 "윤재가 노래하고 하진이가 춤춘다."는 "윤재가 노래한다."와 "하진이가 춤춘다."라는 두 홑문장이 대등적 연결 어미 '-고'로 이어진 대등하게 이어진문장이다.

〔오답 풀이〕 ① 아침 해가 눈이 부시게 떠오른다. → 부사절을 가진 안은문장
　　　　　　　주어　주어　서술어　　서술어
　　　　　　　　　　　　　　　: 안긴문장
② 내년에 내 동생은 중학생이 된다. → 홑문장
　　　　　　　주어　　　　　　서술어
④ 나는 효석이가 일찍 오기를 바란다. → 명사절을 가진 안은문장
　　주어　주어　　　서술어　　서술어
⑤ 나는 다연이가 여행을 떠난 사실을 알았다. → 관형절을 가진 안은문장
　　주어　주어　　　　서술어　　　　서술어

13 ㉡은 "민규는 노래를 잘 부른다."와 "신아는 춤을 잘 춘다."라는 두 홑문장이 대등한 의미 관계로 이어진 대등하게 이어진문장이다. 이때 '-고'는 두 가지 이상의 사실을 대등하게 벌여 놓는 연결 어미로, 나열의 의미 관계를 나타낸다.

> ㉠ 이것은 감이며 저것은 사과이다.
> 　나열의 의미 관계를 나타냄. □ : 대등적 연결 어미
> ㉡ 민규는 노래를 잘 부르고 신아는 춤을 잘 춘다. ┐ 대등하게
> 　　　나열의 의미 관계를 나타냄. ├ 이어진문장
> ㉢ 동생은 시험에 합격했으나 형은 합격하지 못했다. ┘
> 　　대조의 의미 관계를 나타냄.

〔오답 풀이〕 ① ㉠은 "이것은 감이다."와 "저것은 사과이다."라는 두 홑문장이 대등한 의미 관계로 이어진 대등하게 이어진문장이다. 이때 '-며'는 두 가지 이상의 동작이나 상태 따위를 나열할 때 쓰는 연결 어미로, 나열의 의미 관계를 나타낸다. 대조의 의미를 나타내는 어미에는 '-지만', '-(으)나' 등이 있으며 이는 대등적 연결 어미에 해당한다.
③ 조건의 의미 관계를 나타내는 어미에는 '-(으)면', '-거든' 등이 있으며 이는 종속적 연결 어미에 해당한다.
④ ㉢은 "동생은 시험에 합격했다."와 "형은 시험에 합격하지 못했다."라는 두 홑문장이 대등한 의미 관계로 이어진 대등하게 이어진문장이다. 이때 '-으나'는 앞 절의 내용과 뒤 절의 내용이 서로 다름을 나타내는 어미로, 대조의 의미 관계를 나타낸다. 원인의 의미를 드러내는 어미에는 '-아서/어서', '-(으)니' 등이 있으며 이는 종속적 연결 어미에 해당한다.
⑤ 선택의 의미 관계를 나타내는 어미에는 '-거나', '-든지' 등이 있으며 이는 대등적 연결 어미에 해당한다.

14 "눈이 와서 도로가 미끄럽다."는 "눈이 오다."와 "도로가 미끄

럽다."라는 두 홑문장이 원인의 의미 관계를 나타내는 종속적 연결 어미 '-아서'로 이어진 종속적으로 이어진문장이다. 나머지는 모두 대등하게 이어진문장이다.

오답 풀이 ① 비가 오고 바람이 분다.
나열의 의미 관계를 나타냄. □: 대등적 연결 어미
③ 부인은 친절하며 남편은 인정이 많다.
나열의 의미 관계를 나타냄.
④ 아버지가 함께 가시거나 어머니가 함께 가신다.
선택의 의미 관계를 나타냄.
⑤ 서희는 김밥을 먹었지만 재훈이는 김밥을 먹지 않았다.
대조의 의미 관계를 나타냄.
대등하게 이어진문장

15 ①~⑤ 모두 종속적으로 이어진문장이지만 그중 의도의 의미 관계를 가지는 문장은 ② "책을 읽으려고 도서관으로 갔다."이다. 이 문장은 "책을 읽다."와 "도서관으로 갔다."라는 두 홑문장이 의도의 의미 관계를 나타내는 종속적 연결 어미 '-으려고'로 이어진 문장이다.

오답 풀이 ① 책을 읽으면 마음이 편안해진다.
조건의 의미 관계를 나타냄. □: 종속적 연결 어미
③ 책을 반복해서 읽으니 이해가 잘 되었다.
원인의 의미 관계를 나타냄.
④ 책을 읽고 있는데 친구가 자꾸 나를 부른다.
배경의 의미 관계를 나타냄.
⑤ 책을 다양하게 읽어서 그의 지식이 풍부해졌다.
원인의 의미 관계를 나타냄.
종속적으로 이어진문장

16 "우리는 어제 학교로 돌아왔다."에서 주어는 '우리는'이고 서술어는 '돌아왔다'로, 이 문장은 주어와 서술어의 관계가 한 번만 나타나는 홑문장이다. 따라서 ⓒ이 아닌 ⓐ의 예로 적절하다.

오답 풀이 ① 현호가 그 공을 힘껏 던졌다. → 홑문장
주어 서술어
③ 승우는 우리가 돌아온 사실을 모른다. → 안긴문장(관형절)
주어 주어 서술어 서술어
④ 사람은 길을 만들고 길은 사람을 이끈다. → 대등하게 이어진문장
주어 서술어 주어 서술어
⑤ 가을이 오면 곡식이 익는다. → 종속적으로 이어진문장 □: 연결 어미
주어 서술어 주어 서술어

17 ⓐ, ⓒ은 모두 명사절을 가진 안은문장이다. 명사절은 뒤에 붙는 격 조사에 따라 문장에서의 역할이 달라지는데 ⓐ의 명사절에는 목적격 조사 '를'이 붙어 문장에서 목적어의 역할을 하고 있음을 알 수 있다.

ⓐ 음식이 도착하기를 나는 바라고 있다. → 명사절을 가진 : 안긴문장
목적어 역할 → 목적격 조사 안은문장 (명사절)
ⓒ 나는 은지가 잠이 많음을 알고 있다.
목적어 역할 → 목적격 조사

오답 풀이 ①, ②ⓐ, ⓒ은 모두 명사절을 가진 안은문장이다.
③ '-기'와 '-음'은 명사형 어미로 명사절을 만든다.

⑤ 명사절에 목적격 조사 '을'이 붙어 목적어의 역할을 하고 있다.

18 "이순신 장군이 만든 거북선은 세계 최초의 철갑선이다."가 관형절을 가진 안은문장이다. 안긴문장인 '이순신 장군이 만든'은 관형사형 어미 '-ㄴ'이 붙어 만들어진 관형절로, 문장에서 체언인 '거북선'을 꾸미는 관형어의 역할을 하고 있다.

오답 풀이 ① 토끼는 앞발이 짧다. → 서술절을 가진 안은문장 : 안긴문장
② 빙수는 이가 시리도록 차가웠다. → 부사절을 가진 안은문장
부사형 어미
③ 현준이는 "저도 이제 중학생이에요."라고 말했다. → 인용절을 가진 안은문장
□: 조사
④ 나는 우리 반이 체육 대회에서 우승하기를 원한다. → 명사절을 가진 안은문장
명사형 어미

19 "상희는 내가 화장실에 간 사실을 몰랐다."에서 안긴문장인 '내가 화장실에 간'은 관형사형 어미 '-ㄴ'이 붙어 만들어진 관형절로, 문장에서 체언인 '사실'을 꾸미는 관형어의 역할을 하고 있으므로 관형절을 가진 안은문장이다.

오답 풀이 ① 비가 소리도 없이 내린다. : 안긴문장
부사를 만드는 접미사 (부사절)
② 민규는 발바닥에 땀이 나게 뛰었다.
부사형 어미 부사절을 가진
③ 용우는 목이 아프도록 노래를 불렀다. 안은문장
부사형 어미
④ 우리는 예원이를 눈이 빠지게 기다렸다.
부사형 어미

20 "작은 고추가 더 맵다."는 관형절을 가진 안은문장이다. "고추가 작다."라는 문장에 관형사형 어미 '-은'이 붙어 관형절로 안겨 있으며 문장에서 체언인 '고추'를 꾸미는 관형어의 역할을 하고 있다.

오답 풀이 ① 옷이 소매가 짧다. : 안긴문장(서술절)
주어 서술어 역할
② 기린은 목이 길다.
주어 서술어 역할 서술절을 가진
④ 희재는 동작이 재빠르다. 안은문장
주어 서술어 역할
⑤ 신아는 마음씨가 예쁘다.
주어 서술어 역할

21 ⓐ, ⓒ은 모두 인용절을 가진 안은문장이다. ⓐ처럼 직접 인용을 하는 경우에는 인용한 말 뒤에 조사 '라고'가 붙고, ⓒ처럼 간접 인용을 하는 경우에는 인용한 말 뒤에 조사 '고'가 붙는다.

ⓐ 민재는 "혁수의 말이 옳다."라고 말했어. → 인용절을 가진 안은문장
직접 인용절
ⓒ 민재는 혁수의 말이 옳다고 말했어.
간접 인용절 : 안긴문장(인용절) □: 조사

오답 풀이 ①, ②, ③ ⓐ, ⓒ은 모두 인용절을 가진 안은문장으로, ⓐ은 민재의 말을 그대로 직접 인용하였고 ⓒ은 민재의 말

을 인용하는 사람의 표현으로 바꾸어 간접 인용하였다.

⑤ ㉠처럼 직접 인용을 하는 경우에는 따옴표를 사용하며 인용한 말 뒤에 조사 '라고'가 붙는다.

22 "희은이는 작가가 되었다."는 서술절을 가진 안은문장처럼 보이지만, 서술절을 가진 안은문장이 아니라 보어가 사용된 홑문장이다. '희은이는'이 주어, '작가가'가 보어, '되었다'가 서술어로, 주어와 서술어의 관계가 한 번만 나타나는 홑문장이다. 나머지는 모두 서술절을 가진 안은문장이다.

[오답 풀이] ① 하마는 몸집이 크다.
　　주어　　서술어 역할 ┐ : 안긴문장(서술절)

③ 그 펜이 글씨가 잘 써진다.
　　주어　　서술어 역할 ┐ 서술절을
④ 이 집은 마당이 너무 좁다. ├ 가진
　　주어　　서술어 역할 ┘ 안은문장
⑤ 부모님이 인정이 많으시다.
　　주어　　서술어 역할 ┘

23 "그 소설은 해외에서 유명하고 영화로 만들어졌다."는 "그 소설은 해외에서 유명하다."와 "그 소설은 영화로 만들어졌다."라는 두 홑문장이 나열의 의미 관계를 나타내는 대등적 연결 어미 '-고'로 이어진 대등하게 이어진문장이다. 나머지는 모두 안은문장이다.

[오답 풀이] ① 철수가 그린 풍경화가 특선으로 뽑혔다.
　　　→ 관형절을 가진 안은문장 : 안긴문장
② 영수는 자기가 벌칙을 받겠다고 말했다. → 인용절을 가진 안은문장
③ 장군은 군대가 함정에 빠졌음을 몰랐다. → 명사절을 가진 안은문장
④ 할아버지는 아무도 모르게 이웃을 도왔다. → 부사절을 가진 안은문장

24 "성원이는 성격이 좋은 학생이다."는 안은문장으로, 안긴문장인 '성격이 좋은'은 관형사형 어미 '-은'이 붙어 만들어진 관형절이다. 따라서 관형절을 가진 안은문장이므로 밑줄 친 부분에 들어갈 예문으로 적절하다.

[오답 풀이] ① 우리 집 정원에 호박이 열렸다. → 홑문장
　　　　　　　　　　　　　주어　서술어
③ 동현이가 교실에서 소설을 읽었다. → 홑문장
　　주어　　　　　　　　서술어
④ 그는 갔지만 그의 정신은 살아 있다. → 대등하게 이어진문장
　　주어 서술어　　주어　　서술어　□ : 연결 어미
⑤ 오늘은 어머니가 오시거나 아버지가 오신다. → 대등하게 이어진문장
　　　　　주어　　서술어　　주어　서술어

25 "나리는 자주 춤을 추고 노래를 부른다."는 첫 번째 목적어 '춤을'과 호응하는 서술어 '추고'와, 두 번째 목적어 '노래를'과 호응하는 서술어 '부른다'가 각각 제시되었으므로 올바른 문장이다.

[오답 풀이] ① '-어서'는 앞말이 뒷말의 원인이나 근거가 됨을 나타내는 연결 어미이다. 버스가 오지 않은 것이 학교에 늦은

원인이므로 "버스가 안 와서 학교에 늦었다."와 같이 고쳐 쓰는 것이 자연스럽다.

② '-지만'은 어떤 내용과 반대되는 내용을 말할 때 쓰는 연결 어미인데, 바람이 많이 분다는 것과 비가 많이 온다는 것은 반대의 의미가 아니다. 따라서 "바람이 많이 불고 비가 많이 온다."와 같이 두 가지 이상의 사실을 대등하게 벌여 놓는 연결 어미 '-고'를 활용하여 고쳐 쓰는 것이 자연스럽다.

④ 제시된 문장의 '(사람은) 살리기도 한다.' 부분에 목적어가 빠져 있어 문장이 어색하다. 따라서 목적어 '자연을'을 제시하여 "사람은 자연에 피해를 주기도 하고 자연을 살리기도 한다."와 같이 고쳐 써야 한다.

⑤ 제시된 문장의 '(물은) 섭씨 0도 이하에서는 된다.' 부분에 보어가 빠져 있어 문장이 어색하다. 따라서 보어 '고체가'를 제시하여 "물은 섭씨 100도 이상에서는 기체가 되고, 섭씨 0도 이하에서는 고체가 된다."와 같이 고쳐 써야 한다.

26 "선무당이 사람 잡는다."에서는 '선무당이'가 주어, '사람'이 목적어, '잡는다'가 서술어이므로, 주어와 서술어의 관계가 한 번만 나타나는 홑문장이다.

┌─────────────────────────────────────┐
│ ㉠ 선무당이 사람 잡는다. → 홑문장
│　　주어　　목적어 서술어
│　　　　　└→ 목적격 조사가 생략됨.
│ ㉡ 발 없는 말이 천 리 간다. → 관형절을 가진 안은문장
│　　관형절 주어 관형어　　서술어
│　　　　　　　　　목적어 → 목적격 조사가 생략됨.
│ ㉢ 원숭이도 나무에서 떨어진다. → 홑문장
│　　주어　　　부사어　　서술어
│　　　　　　　　　　　　□ : 연결 어미
│ ㉣ 사공이 많으면 배가 산으로 간다. → 종속적으로 이어진문장
│　　주어　서술어 주어 부사어 서술어　조건의 의미 관계를 가짐.
│ ㉤ 가랑잎이 솔잎더러 바스락거린다고 한다. → 인용절을 가진 안은문장
│　　주어　　부사어　　간접 인용절　서술어 : 안긴문장
└─────────────────────────────────────┘

[오답 풀이] ② ㉡의 '발 없는'은 관형사형 어미 '-는'이 붙어 만들어진 관형절로, 문장에서 체언인 '말'을 꾸미는 관형어의 역할을 하고 있다.

③, ④ ㉢은 홑문장, ㉣은 종속적으로 이어진문장이다.

⑤ ㉤은 가랑잎이 솔잎에게 한 말을 간접 인용한, 인용절을 가진 안은문장이다.

27 "지혜는 고양이를 좋아하고, 민수는 개를 좋아한다."는 "지혜는 고양이를 좋아한다."와 "민수는 개를 좋아한다."라는 두 홑문장이 나열의 의미 관계를 나타내는 대등적 연결 어미 '-고'로 이어진 대등하게 이어진문장이다. 대등하게 이어진문장의 특징은 앞 절과 뒤 절의 순서를 바꿀 수 있고, 이때 순서가 바뀌어도 의미가 달라지지 않는다는 점이다. 또한 앞 절과 뒤 절의 서술어가 같을 때에는 앞 절의 서술어를 생략할 수 있다.

오답 풀이 ①, ② 두 홑문장이 나열의 의미 관계로 대등하게 연결된 문장이다.

③, ④ 앞뒤 절의 순서를 바꿀 수 있으며, 순서를 바꾸어도 의미가 그대로 유지된다.

28 제시된 글은 짧은 홑문장들로만 이루어진 글로, 홑문장을 활용하여 속도감, 긴장감과 강렬한 인상을 느끼게 하는 등 문장의 짜임에 따른 표현 효과가 뚜렷하게 나타난다. 사건의 논리적 관계가 잘 드러나는 것은 겹문장의 표현 효과로, 이어진문장을 사용할 경우 문장들의 연결 관계가 잘 드러나 사건의 전후 관계나 논리적인 관계를 드러내는 데에 효과적이다.

오답 풀이 ①, ②, ③ 홑문장을 사용하여 간결한 느낌을 주고, 짧은 호흡으로 속도감을 느끼게 한다.

⑤ 홑문장들이 나열되어 각 문장의 내용이 따로따로 독립되어 있는 느낌을 준다.

교과서 실전 문제 [135~137쪽]

01 ④	02 ④	03 ⑤	04 ③	05 ④
06 ②	07 ③	08 ④	09 ②	10 ④
11 ⑤	12 ②			

13 (1) 동생이 숙제를 하려고 소설을 읽는다. (2) 동생이 소설을 읽는 숙제를 한다. **14** (1) 나는 그에게 "곧 먹겠다."라고 말했다. (2) 나는 그에게 곧 먹겠다고 말했다.

---

01 주성분에는 주어, 서술어, 목적어, 보어가 있고 부속 성분에는 관형어와 부사어가 있으며 독립 성분에는 독립어가 있다. 제시된 문장의 문장 성분은 다음과 같다.

야호! 유민이가 드디어 힘든 관문을 통과했어.
독립어 주어   부사어 관형어 목적어   서술어
(감탄사) (체언+주격 조사) (부사) ↓ (체언+목적격 조사) (용언)
              (용언의 어간+관형사형 어미 '-ㄴ')

02 "세종이 마침내 훈민정음을 창제하였다."는 '주어+부사어+목적어+서술어'로 구성된 문장으로, 목적어와 부사어가 모두 쓰인 문장이다.

오답 풀이 ① 'ㄱ'은 자음자이다.
             주어   서술어

② 'ㅁ'은 입의 모양을 본떴다.
   주어   관형어 목적어 서술어

③ 훈민정음 모음자는 총 11자이다.
   관형어   주어 관형어 서술어
(관형격 조사 '의' 생략) (관형사)

⑤ 한글은 소리글자이지만 한자는 뜻글자이다.
   주어   서술어   주어   서술어

03 밑줄 친 부분에는 '어찌하다'와 같이 대상의 움직임을 나타내는 말이 와야 하므로 "강아지가 뛰어다닌다."가 들어가야 적절하다.

오답 풀이 ①, ②, ④ '귀엽다', '앙칼지다', '자그마하다' 모두 형용사로, '어떠하다(대상의 상태나 성질을 나타냄.)'에 해당하는 말이다.

③ '포유류이다'는 '체언(명사)+서술격 조사'로 '무엇이다(대상을 지정함.)'에 해당하는 말이다.

04 ⓒ에 들어갈 말은 안은문장이다. 안은문장은 한 문장이 다른 문장을 하나의 문장 성분처럼 안고 있는 문장으로, 어떤 절을 안고 있느냐에 따라 명사절·관형절·부사절·서술절·인용절을 가진 안은문장으로 나뉜다.

오답 풀이 ①, ② ㉠에 들어갈 말은 겹문장이다. 겹문장은 주어와 서술어의 관계가 두 번 이상 나타나는 문장으로 홑문장이 결합되는 방식에 따라 이어진문장과 안은문장으로 나눌 수 있다. 문장의 길이로는 홑문장인지 겹문장인지 판단할 수 없으며 문장에서 주어와 서술어가 각각 몇 번 나오는지를 살펴봐야 한다.

④ ⓒ에 들어갈 말은 종속적으로 이어진문장이다. 종속적으로 이어진문장은 앞 절과 뒤 절의 의미 관계가 종속적인 관계에 있는 문장으로 원인, 조건, 목적 등의 의미 관계를 가진다. 나열, 대조, 선택 등의 의미 관계를 가지는 것은 대등하게 이어진문장이다.

⑤ ⓓ에 들어갈 말은 관형절을 가진 안은문장이다. 관형절은 체언을 꾸며 주는 관형어의 역할을 한다. 절이 문장에서 주어, 목적어 등의 역할을 하는 것은 명사절을 가진 안은문장이다.

05 (가)는 절과 절이 서로 이어진 이어진문장이고, (나)와 (다)는 절이 전체 문장의 한 성분으로 안겨 있는 안은문장이다.

(가) 비가 오면 땅이 질다. → 종속적으로 이어진문장　□: 종속적 연결 어미
　　주어 서술어 주어 서술어　　　　　　　　　　□: 안긴문장

(나) 눈이 내린 마을은 고요했다. → 관형절을 가진 안은문장
　　주어 서술어 주어　　서술어

(다) 그는 내가 돌아왔음을 몰랐다. → 명사절을 가진 안은문장
　　주어 주어　　서술어　　서술어

오답 풀이 ① ㉠과 ㉡은 조건의 의미 관계를 나타내는 종속적 연결 어미 '-면'이 사용된 종속적으로 이어진문장이므로 ㉠과 ㉡의 위치를 바꾸면 의미가 달라진다.

② ㉢은 관형절로 ㉣의 '마을'을 꾸며 주는 역할을 한다.

③ ㉤은 명사절로 목적격 조사 '을'이 붙어 전체 문장에서 목적어의 역할을 한다. 따라서 목적어가 생략될 경우 서술어 '몰랐다'가 나타내는 동작의 대상이 없으므로 전체 문장의 의미는 불완전해진다.

⑤ (가)~(다)는 모두 '주어+서술어' 관계가 두 번씩 나타나고 있는 겹문장이다.

06 대등하게 이어진문장은 나열, 대조, 선택 등의 의미 관계를 가지는데, ㉠은 대등적 연결 어미 '-고'가 사용되어 나열의 의미 관계를 가진다. 종속적으로 이어진문장은 원인, 조건, 목적, 양보, 배경 등의 의미 관계를 가지는데, ㉡은 종속적 연결 어미 '-어서'가 사용되어 원인의 의미 관계를 가진다.

㉠ 수미는 농구를 한다.+정아는 공부를 한다.　□: 연결 어미
　→ 수미는 농구를 하고 정아는 공부를 한다.
　　　　나열의 의미 관계를 나타냄.　　→ 대등하게 이어진문장
㉡ 가뭄 끝에 단비가 내렸다.+곡식이 잘 자랐다.
　→ 가뭄 끝에 단비가 내려서 곡식이 잘 자랐다.
　　　　원인의 의미 관계를 나타냄.　→ 종속적으로 이어진문장

오답 풀이 ①, ③ ㉠은 나열의 의미 관계를 나타내는 연결 어미 '-고'가 사용된 대등하게 이어진문장, ㉡은 원인의 의미 관계를 나타내는 연결 어미 '-어서'가 사용된 종속적으로 이어진문장이다.

④ ㉠과 같이 대등하게 이어진문장은 앞뒤 절의 순서를 바꾸어도 의미가 자연스럽다. "정아는 공부를 하고 수미는 농구를 한다."처럼 앞뒤 절의 순서를 바꾸어도 문장의 의미가 대체로 유지된다.

⑤ ㉡과 같이 종속적으로 이어진문장은 앞뒤 절의 순서를 바꾸면 의미가 달라지거나 어색해진다. "곡식이 잘 자라서 가뭄 끝에 단비가 내렸다."처럼 앞뒤 절의 순서를 바꾸면 인과 관계가 성립하지 않아 어색하다.

07 ㉠의 '-려고'는 의도의 의미 관계, ㉡의 '-면'은 조건의 의미

관계를 나타내는 종속적 연결 어미이다. ㉡의 '-고'는 나열의 의미 관계를 나타내는 대등적 연결 어미이다.

08 ㉢에서는 부사형 어미 '-게'가 사용되었다. 부사절은 부사형 어미 '-게' 외에도 부사형 어미 '-도록', 부사를 만드는 접미사 '-이' 등이 붙어 만들어진다.

㉠ 하연이가 눈동자가 맑다. → 서술절을 가진 안은문장　□: 안긴문장
　　　별도의 어미가 없음.
㉡ 엄마는 아기가 잠들기를 기다렸다. → 명사절을 가진 안은문장
　　　　　　　　명사형 어미
㉢ 윤재는 옷자락이 휘날리게 달렸다. → 부사절을 가진 안은문장
　　　　　　　　부사형 어미
㉣ 미라는 언니가 산 옷을 몰래 입었다. → 관형절을 가진 안은문장
　　　　　　관형사형 어미 '-ㄴ'

오답 풀이 ① ㉠은 서술절을 가진 안은문장, ㉡은 명사절을 가진 안은문장, ㉢은 부사절을 가진 안은문장, ㉣은 관형절을 가진 안은문장이다.

② ㉠에서는 별도의 어미가 사용되지 않았으며 '눈동자가 맑다' 전체가 서술어의 역할을 한다.

③ ㉡에서는 명사형 어미 '-기'가 사용되었으며 명사절은 명사형 어미 '-(으)ㅁ', '-기' 등이 붙어 만들어진다.

⑤ ㉣에서는 관형사형 어미 '-ㄴ'이 사용되었으며 관형사절은 관형사형 어미 '-(으)ㄴ', '-는', '-(으)ㄹ', '-던' 등이 붙어 만들어진다.

09 제시된 문장은 대등하게 이어진문장(㉠)이고, 이어진문장의 앞 절(㉡)과 뒤 절(㉢)은 각각 명사절(㉣)과 관형절(㉤)을 안고 있는 안은문장이다. 따라서 ㉡의 주어 '나는'의 서술어는 '기다렸고'이고, ㉣은 서술어 '기다렸고'의 목적어 역할을 하는 명사절이다.

□: 대등적 연결 어미　　　　　　　　　　　　　□: 안긴문장
　　　　　　　　　　　대등하게 이어진문장
명사절을 가진 안은문장	관형절을 가진 안은문장
나는 형이 오기를 기다렸고	동생은 형이 준 책을 봤다.
주어 주어 서술어　　서술어	주어　주어 서술어　서술어

오답 풀이 ① ㉠은 ㉡과 ㉢이 대등적 연결 어미 '-고'를 통해 연결된 대등하게 이어진문장이다.

③, ④ 안은문장인 ㉡, ㉢은 각각 '주어-서술어' 관계가 두 번씩 나타나고, 안긴문장인 ㉣, ㉤은 각각 '주어-서술어' 관계가 한 번씩 나타난다.

⑤ ㉤은 체언 '책'을 꾸며 주는 관형어의 역할을 하며 ㉢에 안겨 있는 관형절이다.

10 "광선이가 급식을 이미 받았음을 몰랐다."에서 '광선이가 급식을 이미 받았음'은 명사형 어미 '-음'을 사용하여 만든 명사절로, 전체 문장에서 목적어의 역할을 하고 있다.

[오답 풀이] ① 코끼리는 코가 길다.→ 서술절을 가진 안은문장
　　　　　　　　　　　　　　　　　　　　　　: 안긴문장
② 눈이 소리도 없이 내린다.→ 부사절을 가진 안은문장
　　　　　부사를 만드는 접미사
③ 지금은 밥을 먹기에 많이 늦었다.→ 명사절을 가진 안은문장
　　　　　　　　명사형 어미
⑤ 선민이는 자기가 옳다고 주장했다.→ 인용절을 가진 안은문장
　　　　　　간접 인용할 경우 조사 '고'가 붙음.

11 ❶는 하나의 겹문장으로 본문이 구성되어 있다. '27일 오후 ~ 아레나에서 열린'이라는 관형절을 안고 있으며, '한국 손○○ 선수가 ~ 넣고'와 '(한국 손○○ 선수가) ~ 기뻐하고 있다'가 이어져 있으므로 겹문장이다.

[오답 풀이] ①, ② ❶에서는 구어로 진행되는 중계 상황의 특성상 주로 홑문장이 쓰였고, '압박해야 돼요'와 같이 문장 성분이 생략된 문장이 쓰이고 있다.
③ ❶에서는 '한국 손○○ 선수가 ~ 넣고'와 '(한국 손○○ 선수가) ~ 기뻐하고 있다'가 연결된 이어진문장이 쓰였다. 이 문장은 연결 어미 '-고'가 쓰였기 때문에 대등하게 이어진문장이라고 생각하기 쉽지만 앞뒤 절의 의미 관계를 살펴보면 제시된 문장은 시간적인 선후 관계의 의미를 가지고 있다고 볼 수 있다. 따라서 종속적으로 이어진문장이 쓰였다고 할 수 있다.
④ ❶의 '27일 오후 ~ 아레나에서 열린'은 관형사형 어미 '-ㄴ'이 붙어 만들어진 관형절로, '~ 경기'를 꾸며 주는 관형어의 역할을 하고 있다.

12 ❶에서는 주로 홑문장이 쓰였고, ❶에서는 주로 겹문장이 쓰였다. 지나치게 활용할 경우 정확한 의미를 전달하기 어려운 것은 겹문장에 해당한다. 겹문장은 한 문장에 주어와 서술어의 관계가 두 번 이상 나타나는 문장인데, 주어와 서술어의 관계가 여러 번 나타나면 문장의 의미를 바로 이해하기 어려울 수 있기 때문이다.

[오답 풀이] ①, ③ 홑문장의 특징이다.
④, ⑤ 겹문장의 특징이다.

13 (1)에서는 동생이 소설을 읽는 의도가 숙제를 하기 위함임을 드러내야 하므로 의도의 의미 관계를 나타내는 종속적 연결 어미 '-려고'를 사용하여 "동생이 숙제를 하려고 소설을 읽는다."와 같은 종속적으로 이어진문장을 만들어야 적절하다. (2)에서는 동생이 어떤 숙제를 하는지를 구체적으로 표현해야 하므로 관형사형 전성 어미 '-는'을 사용하여 "동생이 소설을 읽는 숙제를 한다."와 같은 관형절을 가진 안은문장을 만들어야 적절하다.

14 직접 인용을 할 때에는 따옴표를 사용하며 인용한 말 뒤에 조사 '라고'가 붙고, 간접 인용을 할 때에는 따옴표 없이 조사 '고'만 붙는다. 그런데 제시된 문장은 따옴표 없이 조사 '라고'를 붙여 직접 인용인지 간접 인용인지 명확하지 않다. 따라서 "나는 그에게 "곧 먹겠다."라고 말했다." 또는 "나는 그에게 곧 먹겠다고 말했다."로 고쳐 써야 한다.

IX | 통일 시대의 국어

25 남북한 언어 141쪽

1 (1) X (2) ○ (3) X
2 (1) 두음 법칙 (2) 사이시옷 (3) 의존
3 (1) ⓒ (2) ㉠ (3) ⑩ (4) ⓒ (5) ㉣
4 (1) 바닷가 (2) 여자 (3) 노인 (4) 이용하여 (5) 나뭇잎
5 (1) 북 (2) 남

개념 적용 훈련 문제 143~144쪽

01 ①	02 ②	03 ①	04 ⑤	05 ②
06 ④	07 ①	08 ⑤	09 ③	10 ③
11 ①				

01 북한에서 방언을 문화어(북한의 표준어)에 포함해서 남북한 어휘 차이가 생기게 되었다. 예를 들어 '게사니', '가마치', '망돌'은 '거위', '누룽지', '맷돌'에 해당하는 방언인데 이를 문화어로 인정했다.

오답 풀이 ② 남한과 북한은 같은 언어를 사용하지만, 분단된 지 60년이 넘어 조금씩 다르게 변해 왔다.

③ 북한의 사회주의 이념과 제도가 영향을 미쳐 단어의 의미가 달라지기도 하였다.

④ 남한과 북한은 단어를 발음하고 표기할 때 지켜야 할 규칙인 '어문 규범'이 서로 다르다. 남한에서는 '표준 발음법'과 '한글 맞춤법'을, 북한에서는 '조선말 규범집'에 따라 단어를 발음하고 표기한다.

⑤ 북한은 1960년대부터 말다듬기 운동을 전개하여 한자어와 외래어를 다듬어서 사용하였다.

> **지식+** 남북한 어문 규범
>
> 남한은 '한글 맞춤법(1988)'을, 북한은 '조선말 규범집(2010)'을 따르고 있다. 이 둘은 조선어 학회가 1933년에 제정한 '한글 맞춤법 통일안'을 뿌리로 하고 있으나, 분단 이후 서로 교류 없이 각자 맞춤법을 수정해 왔기 때문에 현재 차이가 생기게 된 것이다. 하지만 뿌리가 같은 만큼 의사소통이 되지 않을 정도의 큰 차이는 없다.

02 북한에서는 남한과 달리 의존 명사를 띄어 쓰지 않고 붙여 써서 '강을 건널것이다.'와 같이 표기한다.

오답 풀이 ① '바쁘다'와 '동무'는 남한과 북한에서 의미가 다르게 쓰인다. '바쁘다'와 '동무'가 북한에서 쓰이는 의미는 다음과 같다.

바쁘다	힘이 부치거나 참기가 힘들다, 매우 딱하다.
동무	로동계급의 혁명위업을 이룩하기 위하여 혁명대오에서 함께 싸우는 사람을 친하게 이르는 말.

③ 한자어 처음에 'ㄴ', 'ㄹ'이 올 경우, 남한에서는 두음 법칙을 인정해 'ㅇ'이나 'ㄴ'으로 쓰지만, 북한에서는 두음 법칙을 인정하지 않기 때문에 'ㄴ', 'ㄹ' 그대로 쓴다. 그래서 남한에서는 '노인'이라고 하고, 북한에서는 '로인'이라고 표기한다.

④ 남한 사람들은 간접적이고 우회적인 표현에 익숙해 "언제 밥 한번 먹어요."라는 말을 보통 인사말로 받아들이지만, 북한 사람들은 직접적이고 직설적인 표현에 익숙해 그 말을 보통 식사 약속으로 받아들인다.

⑤ 남한에서는 '빗물, 바닷가, 나뭇잎' 등 사이시옷을 써서 표기하지만, 북한에서는 '비물, 바다가, 나무잎'처럼 사이시옷을 쓰지 않는다.

03 '곽밥'은 '도시락'을 가리키는 북한 말이다.

오답 풀이 ②, ③ 외래어를 다듬어 사용한 예이다.

④ '가마치'는 지역 방언이 문화어가 된 예이다.

⑤ 한자어를 순우리말로 다듬은 것이다.

> **지식+** 남한 말과 다른 북한 말의 예
>
> | 남한 말 | 북한 말 | 남한 말 | 북한 말 |
> |--------|--------|--------|--------|
> | 개구쟁이 | 발개돌이 | 서비스 | 삯발이 |
> | 계란 | 닭알 | 어묵 | 물고기떡 |
> | 볶음밥 | 기름밥 | 패스 | 연락 |
> | 오징어 | 낙지 | 커튼 | 창가림막 |
> | 염색약 | 머리물감 | 햄버거 | 고기겹빵 |
>
> * 남한 말 '낙지'는 북한에서 '오징어'라고 함.

04 북한에서 말다듬기 운동을 통해 한자어나 외래어를 다듬어 사용한 것은 사실이지만, 그렇다고 외래어와 한자어가 아예 없는 것은 아니다. 남한과 다른 외래어를 쓰는 경우도 있고, 남한과 같은 외래어를 쓰는 경우(빌딩)도 있다.

오답 풀이 ①, ② 한자어를 다듬어 사용한 예이다.

③, ④ 외래어를 다듬어 사용한 예이다.

05 '동무'에 대한 북한의 풀이 내용을 보면 '로동계급, 혁명위업, 혁명대오'와 같이 북한의 사회주의 체제나 이념, 제도와 관련된 내용을 확인할 수 있다.

오답 풀이 ① '동무'는 남한과 북한에서 사용하는 뜻은 다르지만 표기는 '동무'로 동일하다.

③ '동무'는 순우리말이다.

④ '동무'는 두음 법칙과 관련이 없다. 남한에서 '여자, 노인'으로, 북한에서 '녀자, 로인'으로 표기하는 것이 두음 법칙과 관련된다.

⑤ 북한에서 함경도, 평안도의 지역 방언을 공용어인 문화어로 많이 받아들인 것은 사실이지만, 제시된 '동무'의 뜻풀이와는 관련 없는 내용이다.

형태는 같지만 의미가 다른 어휘의 예

- 궁전

남한	임금이 거처하는 집.
북한	어린이들이나 근로자들을 위하여 여러 가지 교양 수단들과 체육·문화 시설을 갖추고 정치 문화 교양 사업을 하는 크고 훌륭한 건물.

- 선동

남한	남을 부추겨 어떤 일이나 행동에 나서게 하다.
북한	사업을 잘 수행하도록 부추기고 호소하다.

- 세포

남한	생물체를 이루는 기본 단위. (생물학 용어)
북한	어떤 집단에서 바탕을 이루는 단위가 되는 조직.

06 ㉠에서는 두음 법칙을 인정하지 않아 '양식'이 아니라 '량식'으로 표기한 것이 나타나고, ㉡에서는 의존 명사를 붙여 쓴 모습이 나타난다. ㉢과 ㉤에서는 사이시옷을 사용하고 있지 않다. ㉣ '노루'는 남한과 북한 모두 표기가 동일하다.

오답 풀이 ㉠, ㉡, ㉢, ㉤의 남한 표기는 다음과 같다.

㉠ 량식 → 양식

㉡ 있을게 → 있을 게

㉢ 메돼지 → 멧돼지

㉤ 표말 → 푯말

07 남한 사람은 실제로 밥을 먹자는 의미가 아니라 인사말 차원에서 말을 한 것이지만, 북한 사람인 승우 씨는 이를 그대로 받아들이고 있다. 즉, 남한 사람이 간접적, 우회적으로 표현한 것을 잘못 이해한 것으로 보아, 간접적인 표현에 익숙하지 않음을 알 수 있다.

오답 풀이 ② 남한 사람과 북한 사람의 대화에서 외래어는 쓰이지 않았다.

③ 북한 사람은 '고생', '식사' 등의 한자어의 의미를 정확히 이해하고 있다.

④ 남한 사람과 북한 사람의 대화에서 지역 방언은 쓰이지 않았다.

⑤ 남한 사람과 북한 사람의 대화에 남한의 이념과 제도에 관한 내용은 들어가 있지 않다.

08 〈보기〉를 통해 남한에서는 외래어로 표기하는 것을 북한에서는 다듬어 사용하고 있음을 알 수 있다. 따라서 북한 사람이 남한에 오면 남한에서는 흔히 사용하는 외래어의 의미를 몰라 의사소통에 어려움을 겪을 수 있음을 짐작할 수 있다.

오답 풀이 ③ 〈보기〉에 제시된 사진은 의식주와 관련된 것이긴 하지만, 생활 방식에서의 차이가 드러나지는 않는다.

④ 〈보기〉에 제시된 북한 말 '설기빵', '고기겹빵', '달린옷', '양복치마'는 남한에서 각각 '카스텔라', '햄버거', '원피스', '스커트'라고 한다. 이 말은 남한의 제도를 반영하여 새로 만든 말이 아니라, 외국에서 들어온 말 가운데 우리말로 인정되는 말이다.

09 남한과 북한은 기본적으로 같은 언어를 사용하고 있고, 맞춤법과 어휘 등에서 차이를 보이고 있지만, 문장 구조에서 차이를 보이고 있지는 않다.

오답 풀이 ①, ②, ④, ⑤ 남북한 언어에서 어휘와 표기 등의 차이가 심화되면, 서로의 말뜻을 정확히 파악하는 데 더 많은 시간이 요구될 것이고, 서로의 말뜻을 잘못 파악하여 오해를 사거나 갈등을 일으키게 될 수도 있다. 결국 남북한 언어 차이가 심해지면 서로에게 더 큰 이질감을 불러일으킬 수 있다.

10 남북한 통합 국어사전을 만드는 이유는 남북한의 언어 차이를 이해한 뒤 이를 바탕으로 남북한 언어 차이를 줄이려는 것이다. 즉, 남북한 언어의 동질성 회복을 위한 일이라고 볼 수 있다.

오답 풀이 ①, ②, ④, ⑤ 남북한 공동 사전 편찬을 통해 남북 분단의 아픔 극복, 남북 교육 체계의 통합, 남북 경제나 문화 교류의 활성화 등에 영향을 줄 수는 있다. 그러나 남북한 공동 사전 편찬은 분단 때문에 생긴 남북한 언어의 이질화를 극복하려는 방법이므로 '동질성 회복'이 가장 궁극적인 이유라고 볼 수 있다.

《겨레말큰사전》

《겨레말큰사전》은 남한과 북한이 공동으로 추진하여 남북한의 언어 차이를 극복하려는 최초의 우리말 사전으로, 분단 이후 남북한에서 달라진 어휘를 뜻풀이에 반영하는 사전이다. 그리고 남북한의 언어학자들이 함께 단일 어문 규범을 작성하여 편찬하는 사전이며, 기존의 남북한 사전에 수록되지 못한 지역어 등을 광범위하게 조사하여 수록하는 사전이다. 수집한 어휘 자료 가운데 남북한이 공통으로 쓰는 말은 우선적으로 올리고, 차이 나는 것은 남북한이 단일화하여 약 30만 개의 올림말을 실을 대사전이다. 이러한 내용을 2005년 봄 남북한 학자들이 합의하여 현재 추진 중에 있다.
― 권재일, 《지식의 지평》19호

11 남북한 어휘 통합 사전을 학생들이 직접 만드는 것은 현실적으로 어렵다.

오답 풀이 ②, ③, ④, ⑤ 통일 시대 바람직한 국어의 모습을 생각해 보고, 남북 언어 통일의 필요성을 지역 사회에 홍보하고, 북한 영화를 보며 남북 언어 차이를 생각해 보고, 평소 북한 말에 관심을 갖는 것은 학생들이 일상생활에서도 할 수 있는 일이므로, 충분히 실천할 수 있는 방안이다.

01 ③   **02** ④   **03** ②   **04** ⑤   **05** ③

06 첫째, '나루배'에서 알 수 있듯이 사이시옷을 표기하지 않는다. 둘째, '리용'에서 알 수 있듯이 두음 법칙을 적용하지 않는다. 셋째, '건널것이다'에서 알 수 있듯이 의존 명사를 앞말에 붙여 쓴다.

07 북한에서는 남한과 달리 외래어를 순우리말로 다듬어 사용하려고 한다. 따라서 남한에서는 남북한 언어의 차이를 줄이기 위해 외래어나 외국어를 되도록 순우리말로 순화하여 사용해야 한다.

---

01 남북한 언어는 발음과 표기, 어휘, 말하기 방식 등에서 차이를 보이지만, 자음과 모음의 수는 각각 19개, 21개로 동일하다.

  오답 풀이 ①, ④ 남한과 북한은 기본적으로 언어 구조가 같기 때문에 차이가 있더라도 의사소통이 아예 안 될 정도로 심각한 수준은 아니다. 그러나 차이가 지금보다 심해지면 의사소통에 어려움을 겪을 수 있고 그로 인해 오해와 갈등이 생길 수도 있다.

② 어문 규범과 사용하는 표준어가 서로 다르기 때문에 두음 법칙과 사이시옷 표기, 띄어쓰기 등에 차이가 있고, 어휘에서도 차이를 보이고 있다.

⑤ 남북한 언어 차이가 심해지면 통일 과정에서 여러 어려움을 겪을 수 있으므로, 여러 분야에서 남북이 교류하며 언어 차이를 줄일 수 있는 방법을 모색해 보아야 한다.

> **지식╋**   남북한에서 사용하는 자음과 모음
>
> 남한과 북한에서 사용하는 자음과 모음의 수는 각각 19개, 21개로 동일하지만, 일부 자음의 이름이 다르고, 사전의 올림말 배열 순서도 차이가 있다. 예를 들어 남한에서는 'ㄱ'을 '기역', 'ㄷ'을 '디귿', 'ㅅ'을 '시옷'이라고 하지만, 북한에서는 다른 자음들의 이름과 같게 '기윽, 디읃, 시읏'으로 부른다.

02 북한에서 외래어를 다듬는 작업을 한 것은 사실이지만 그렇다고 외래어가 아예 쓰이지 않는 것은 아니다. '마라손'처럼 남한과 표기 방식이 다른 형태로 쓰이는 외래어도 있다.

  오답 풀이 ①, ③ 오랜 세월 남북의 왕래가 끊기면서 어휘 차이가 나타난 것이고, 이 때문에 남북 언어의 이질화가 심화되고 있다고 할 수 있다.

② '리용'을 통해 북한에서는 한자어 첫머리의 'ㄹ'을 그대로 표기하고 있음을 알 수 있다. 남한식 표기는 '이용'이다.

⑤ 남북의 왕래가 끊기면서 어휘 차이가 생겼으므로, 남북 교류가 활성화되면 당연히 서로의 어휘 차이를 이해하는 데 큰 도움이 될 것이다.

03 '손기척'은 외래어 '노크'를 북한에서 다듬어 만든 어휘이다. 북한에서 남한과 다른 의미로 쓰는 어휘가 아니라, 의미는 같

지만 형태는 다른 어휘에 속한다.

  오답 풀이 ① '바쁘다'는 북한에서 '힘이 부치거나 참기가 힘들다, 매우 딱하다.'의 뜻으로 쓰인다. 따라서 ①은 '일에 지친 그의 모습은 보기에 매우 딱하다.'라는 뜻이다.

③ 남한에서는 '소행'이 부정적인 의미로 쓰이지만, 북한에서는 '착한 소행이다', '소행상을 타다', '소행이 얌전하다'처럼 표현하여 '소행'을 긍정적인 의미로도 사용한다.

④ 북한에서 '동무'는 '로동계급의 혁명위업을 이룩하기 위하여 혁명대오에서 함께 싸우는 사람을 친하게 이르는 말.'로 쓰인다.

⑤ 남한에서는 직업을 가리키는 명사 뒤에 '-질'이 붙으면 그 직업을 비하하는 뜻이 되지만, 북한에서 '-질'은 직업 명사 뒤에 습관적으로 붙는 접미사이다.

04 간접적인 표현이 익숙한 남한 사람과 달리 북한 사람은 직접적인 표현에 익숙하다. 〈보기〉에는 이와 같이 남한 사람과 북한 사람의 말하기 방식이 달라 오해가 생길 수 있는 상황이 제시되어 있다. 이와 달리 ⑤는 의미는 같지만 형태가 다른 어휘(교집합, 사귐) 때문에 일어난 상황이다.

  오답 풀이 ① A는 인사말로 건넨 말을 B는 직접적인 의미로 받아들여 오해가 생겼다.

② A는 도와줄 수 없다는 말을 간접적으로 표현하고 있지만, B는 그 의도를 이해하지 못하고 있다.

③ A는 창문을 열어 달라는 말을 간접적으로 하고 있지만, B는 A가 한 말을 직접적으로 받아들이고 있다.

④ A는 다른 가게로 가려고 돌려 말하고 있지만 B는 A의 말을 직접적으로 받아들여 A를 기다리고 있다.

05 '내가 가진 것은 이것뿐이다.'에서 '뿐'은 ㉮의 '뿐2', ㉯의 '뿐'(1)의 뜻에 해당한다.

  오답 풀이 ① 남한에서는 의존 명사 '뿐'을 앞말과 띄어 써 '들었을 뿐'으로 쓴다. 그러나 북한에서는 '삼켰을뿐'과 같이 앞말에 붙여 쓴다.

② ㉮의 '뿐1'과 ㉯의 '뿐'은 둘 다 두 가지의 뜻을 가지고 있다.

④ 남한에서는 '뿐'을 의존 명사와 조사로 나누어 각각 다른 단어로 사전에 싣고 있지만, 북한에서는 '뿐'을 하나의 단어로 다루고 있다.

⑤ ㉮의 '뿐2' 풀이를 보면 '(체언이나 부사어 뒤에 붙어)'라는 내용이, ㉯의 '뿐'(1) 풀이에는 '(체언아래에쓰이여)'라는 내용이 들어 있다. 따라서 ㉮의 '뿐2'는 ㉯의 '뿐'(1)과 달리 부사어 뒤에 붙여 쓰일 수 있다.

06 남한은 사이시옷을 써서 '나룻배'로 표기하는 데 반해 북한에서는 '나루배'로 표기한다. 남한은 두음 법칙을 적용하여 '이용'이라고 쓰는데 북한에서는 '리용'이라고 쓰고 있다. 또 남한과 달리 북한에서는 의존 명사 '것'을 앞말에 붙여 쓰고 있다.

평가 기준

평가 요소	확인
사이시옷을 표기에 적용하지 않음을 정확히 밝혔다.	
두음 법칙을 적용하지 않고 표기함을 정확히 밝혔다.	
의존 명사를 앞말에 붙여 씀을 정확히 밝혔다.	
〈보기〉의 내용을 예로 들어 설명하였다.	

07 〈보기〉의 신문 기사에서는 같은 탁구 용어를 북한에서는 순우리말로, 남한에서는 영어 단어로 쓰는 모습을 보여 주고 있다. 이런 언어 차이를 극복하려면 남한 입장에서는 지나친 외래어나 외국어 사용을 자제하는 자세가 필요하다.

평가 기준

평가 요소	확인
외래어를 순우리말로 다듬어 사용하려는 북한 말의 어휘상 특징을 밝혔다.	
남한에서 지나친 외래어나 외국어 사용을 자제하고, 되도록 순우리말로 순화하여 사용해야 함을 밝혔다.	
주어진 문장 형식에 맞추어 서술하였다.	

Memo

Memo

Memo

해법 중학 국어

문법 DNA

깨우기

정답과
해설

배움으로 행복한 내일을 꿈꾸는
천재교육 커뮤니티 안내

교재 안내부터 구매까지 한 번에!
천재교육 홈페이지

자사가 발행하는 참고서, 교과서에 대한 소개는 물론
도서 구매도 할 수 있습니다. 회원에게 지급되는 별을 모아
다양한 상품 응모에도 도전해 보세요!

다양한 교육 꿀팁에 깜짝 이벤트는 덤!
천재교육 인스타그램

천재교육의 새롭고 중요한 소식을 가장 먼저 접하고 싶다면?
천재교육 인스타그램 팔로우가 필수!
깜짝 이벤트도 수시로 진행되니 놓치지 마세요!

수업이 편리해지는
천재교육 ACA 사이트

오직 선생님만을 위한, 천재교육 모든 교재에 대한 정보가 담긴
아카 사이트에서는 다양한 수업자료 및 부가 자료는 물론
시험 출제에 필요한 문제도 다운로드하실 수 있습니다.

https://aca.chunjae.co.kr

천재교육을 사랑하는 샘들의 모임
천사샘

학원 강사, 공부방 선생님이시라면 누구나 가입할 수 있는 천사샘!
교재 개발 및 평가를 통해 교재 검토진으로 참여할 수 있는 기회는 물론
다양한 교사용 교재 증정 이벤트가 선생님을 기다립니다.

아이와 함께 성장하는 학부모들의 모임공간
튠맘 학습연구소

튠맘 학습연구소는 초·중등 학부모를 대상으로 다양한 이벤트와 함께
교재 리뷰 및 학습 정보를 제공하는 네이버 카페입니다.
초등학생, 중학생 자녀를 둔 학부모님이라면 튠맘 학습연구소로 오세요!